W9-CDB-132

ULJANA WOLF

ETYMOLOGISCHER GOSSIP

ESSAYS UND REDEN

Uljana Wolf

Etymologischer Gossip

Essays und Reden

AUS DEM LOGBUCH FÜR ETYMOLOGISCHEN GOSSIP

Form hilft dem Denken, sich zu erinnern. Es stellt sich heraus, dass das Wort *stringent* an eine Schnur erinnert, auf der sich das Denken in einzelnen Kugeln aufreiht. Alle anderen Etymologien lügen. Der Abstand zwischen den Kugeln kann sehr groß sein, damit das Denken Zeit hat, sich zu vergessen. Jede Kugel, die auch ein Kasten sein kann, ein Kästchen, ein Kätzchen, wiedererinnert sich anders als die vorhergehende. Nur so bleibt das Denken dringend. Die vielen Sprachen verhelfen der Form zu ihrem Schnursein, ihrem Schnurren.

VOM GRUNDRECHT GONDELNDER WOLKEN

Meine Damen und Herren, ich habe einmal eine Form erfunden, die ich Guessay nannte, eine Art Unterbietung des Essays in seinem Versuch, ein Versuch zu sein. Den ersten schrieb ich 2007 in New York als Begleittext für die gemeinsam mit Steffen Popp übersetzten Gedichte von Christian Hawkey. Wer das englische Verb *to guess* nachschlägt, darf, geleitet vom mittelenglischen *gessen*, irgendwo zwischen *schätzen* und *zielen* Platz nehmen und wird unterrichtet, das Präteritum *guessed* nicht mit seinem Homonym *guest*, der Gast, zu verwechseln. Gerade in dieser Verwechslung aber scheinen sich meine Texte seit Jahren einzurichten wie im Gondel-G des Guessays, einer Seilbahn, die sie Formen, Sprachen und Ländern als Gast zuträgt, was ungefähr hieße, nie ganz gehalten und zugleich im Anderen überall empathisch und potenziell mitenthalten zu sein. Als wäre die Möglichkeit, jenes und zugleich ein Anderes zu sein, ein Grundrecht, das ich nicht nur im Übersetzen – im Dichten mit Zielsprache –, sondern auch im Dichten – im Übersetzen ohne gesicherte Zielsprache – zu praktizieren versuche.

Vom Guessay erzähle ich nur, weil ich hoffe, eine geschätzte Verwechslung möge mich heute von der Aufgabe erlösen, Ihnen meine Person vorzustellen. Könnte ich mich nicht lieber nachstellen? Es läge durchaus nahe, sich nachzustellen, wenn man aus einem Land kommt, das es nicht mehr gibt. Man lebt dann gewissermaßen in disparaten Zeiten, mit der niemals zu Ende empfangenen Erinnerung und dem niemals zu Ende zugestellten Augenblick der Gegenwart. Dazwischen schweben Empfänger, die nichts von ihren Sendern wissen, und Sender, die ihre Kanäle vermissen – eine unermessliche Vielzahl von Anfängen, sanft, offen, auf verstörende Weise vertraut, wie gondelnde Wolken.

Das Land, das es nicht mehr gibt, sind eigentlich zwei Länder. Ich komme aus der Deutschen Demokratischen Republik, und einer Verwechslung zufolge komme ich auch aus Polen. Aber nur dem, aus dem ich nie kam, als man noch dachte, dass ich wegen meines Debütbands *kochanie ich habe brot* gekauft aus Polen käme. Das normale Polen gibt es natürlich noch. Das Polen, aus dem ich nie gekommen bin, ginge so: Meine schlesische Großmutter, eine junge Lehrerin, unterm Arm das in grünen Riffelstoff eingerollte Tafelsilber, dreht sich, bevor sie für immer das väterliche Eisenbahnerhäuschen am Oderknie verlassen muss, noch einmal um, reicht der eben ankommenden ukrainischen Großmutter der kanadischen Dichterin Erín Moure den Schlüssel zu ihrem Haus, dann trinken sie noch einen Kaffee, lesen ökumenisch aus dem Kaffeesatz und schreiben auf Chachlackisch eine Postkarte an die Mutter des Dichters Eugeniusz Tkaczyszyn-Dycki im Landkreis Przemyskie, dem polnisch-ukrainischen Grenzland. All diese Lebensläufe, Fluchtlinien und Neuanfänge fließen merkwürdigerweise in den Texten zusammen, an denen ich mich dialogisch entlangschreibe oder die ich übersetze, als wäre Dichtung ein Archiv dieser unermesslichen verstörten Anfänge, oder zumindest Posteinlaufstelle translationaler Sendungen aller Provenienz.

Und dann nahm ich kürzlich, beim mittäglichen Abflug von Tegel nach Wien, tatsächlich zum ersten Mal aus der Luft genauestens den Schnörkel der Plattenbausiedlung wahr, in dem ich aufgewachsen bin. Direkt am grünen Flusen der Wuhle. Verblüffend klar und irgendwie auch schön, in seiner nicht ganz geschlossenen Ringform, wie ein gekräuselter Zeigefinger oder voynichscher Schriftzug unter ähnlichen Schriftzügen. Erkennen konnte ich den richtigen Neubaublock nur, weil mir die weiße, weithin sichtbare, „die Wolke“ genannte Struktur auf dem nahe gelegenen Kienberg den Weg wies. Der Hügel entstand aus dem Abraum der in meinem Geburtsjahr 1979 begonnenen Plattenbausiedlung Kaulsdorf-Nord I im Osten Berlins. Die unwahrscheinliche Aussichtsplattform „Wolke“ verdankt er der Internationalen Gartenausstellung von 2017, die ihn außerdem mit einer Seilbahn und Berlins erster Sommerrodelbahn versah.

Als ich vor einem Jahr, nach der Rückkehr aus zehn Pendeljahren New York und en route nach Rom, zum ersten Mal in der Seilbahngondel aufwärtsschwebte, über die Ausläufer der Marzahner Gärten der Welt und die oberirdisch geführten blitzenden Fernwärmerohre, der Wolke entgegen, von deren höchstem Punkt sich der Blick der Betrachterin in ein Meer aus Großwohnbauten versenken kann, hatte ich das Gefühl, in einen rückwärts abgespielten Science-Fiction-Film übersetzt zu werden. Ich weiß bis heute nicht, warum. Handelte es sich bei der Seilbahn in Wirklichkeit um eine Zeitbahn, mit der man in ein verschwundenes oder verwunschenes Land reisen konnte? Hatte mein kleiner privater Kienberg, an dessen Scherbenerde ich mir als Kind mehrmals die Knie aufschnitt, weshalb es auch ein Knieberg war, heimlich schon immer im Zentrum des Weltgartens gestanden? Oder war es, weil ich an der Wuhle meine ersten Gedichte geschrieben hatte, an die Fernwärme von Nelly Sachs, Gertrud Kolmar oder Else Lasker-Schülers mystisches Asiatisch gelehnt? Weil ich hier, im Schatten der Schweriner Platten, gelernt hatte, um mit Walter Benjamin zu sprechen, „in die Worte, die eigentlich Wolken waren, mich zu mummen"? Weswegen ich nun nicht in die Wolke, sondern meine eigenen Wortmummungen hinauffuhr? The guessay only knows. Ich danke Ihnen für die große Ehre, die Passagierin dieser Seilbahn bis in die Akademie fahren zu dürfen.

Berlin / Biel, Mai 2019

I

Dirty Bird Translation

Übersetzung
und Zugunruhe
im Gedicht

DIRTY BIRD TRANSLATION

LANDSCHAFT, LUFTBURG, GEDICHT

Ein Guessay zum Übersetzen von Christian Hawkey

I

Im Jahr 1957 setzte der Physikprofessor und Erfinder John Scurlock in Shreveport, Louisiana, alles und seine Studenten daran, freiluftige Tennisspieler dem wechselnden Zugriff des Wetters zu entziehen. Er hatte aber die Rechnung ohne den Willen zur Schwerelosigkeit gemacht. Schwebten vor seinem inneren Auge eben noch aufblasbare Nylondächer, so waren es im nächsten Moment seine Studenten, die sich leibhaftig in die Luft erhoben. Sie hatten im Probierzimmer die aufgeblasenen Bahnen luftdichten Gewebes als Sprunggrund entdeckt. Nun jauchzten sie hoch auf, ließen sich fallen, ahmten bodenlos Gangarten nach, durchstreiften für Sekunden eine nur ihnen zugängliche Gegend kurz über dem Erdboden. Zweifelsohne hatten die Studenten die Hüpfburg erfunden. Das geplante Dach war zum Spielfeld, der aufblasbare Himmel zu einer unvorhersehbaren Landschaft geworden. An Umkehr war nicht zu denken. Also ließ John Scurlock seine Tennisspieler im Regen stehen, gründete die *Space Walk Company* und gab zukünftig Kindern und anderen Schwebeakrobaten einen Raum. Seine erste Luftburg war zwar gewissermaßen nur eine Matratze, die er vorausschauend *Moon Walk* nannte, aber zehn Jahre später, und immer noch zwei Jahre vor der ersten Mondlandung, fügte er dem Gebilde Wände aus Luft hinzu. Es war nur ein kleiner Schritt für John Scurlock, aber ein großer für die Entwicklung der Hüpfburg. Von nun an gab es Schlösser, Gärten, Tankstellen. Es gab Gebilde mit und ohne Dach. Es gab Safaris, Autos, Piratenschiffe. Alles, was bespringbar war, wurde Raum, wurde Landschaft, die sich im schon vorhandenen Raum auffaltete. Alle Räume wurden möglich, so sie ein Gebläse hatten. Man ließ sich fallen, prallte ab, man wurde in eine unerwartete Position zurückgeworfen. Mit jedem Sprung veränderte sich der Raum, mit jedem neuen Aufprall veränderte sich das Raumempfinden des Springers. Die Landschaft knuffte unvorhersehbar zurück. Das *Bounce House* war im Grunde ein Gedicht.

II

Das war der Anlauf, nun der Sprung: Was haben Hüpfburgen mit Übersetzungen zu tun? Will man sich einen Moment vergegenwärtigen, dass „translatio" zunächst nichts weiter meint als das Abgießen eines Inhalts in andere Gefäße, könnte man sich Hüpfburgen durchaus als Übersetzungen von kleinen Ausschnitten Wirklichkeit in puffende, knuffende Raumeinheiten denken. Das ist gar nicht so schwierig, aber es hilft auch nicht weiter. In einer zweiten Ableitung wäre der Übersetzer einer Hüpfburg zunächst jener Besucher, der sich ganz dem neuen Raum, dem Formen und Fallen, anheimgibt. Und dann, wie wir wissen, dem Fremden ein Heim, im eigenen Garten. Vor dem Transfer aber steht das Trampolin, vor den Unwägbarkeiten des Transports das Erleben des eigenen Gewichts im Abfedern, Aufprallen, Abstoßen des neuen Gedichts, des fremden Sprach-Raums. Und da wären wir nun, wo wir hinwollten. Es gibt Gedichte wie Rutschen, es gibt Gedichte wie Spießruten, es gibt Schießbuden, Zuckerschlecken, Steck deinen Kopf hindurch und sei ein Anderer. Und es gibt die Gedichte von Christian Hawkey, die allem, was man kennt, sehr ähnlich sehen, sich aber doch wie *Moon Walks* anfühlen, die sich sprunghaft und unvorhersehbar vor einem auffalten. So bemerkte ich staunend, dass ich beim Übersetzen nicht allein war.[1] Ich war auch nicht in meinem Zimmer, obwohl ich an meinem eigenen Schreibtisch saß, und obwohl es vier Uhr morgens wurde, war es nicht Nacht. Was mich begleitete, war kein Walzer, auch keine mechanische Wespe, sondern eine Art Verdopplung. Ich lebte zweimal. Von außen musste es aussehen, als übersetzte ich Gedichte aus einem Buch. Innen aber war ich außer Rand und Band, in eine Landschaft geraten, die mich ansteckte, die ich streckenlang mitflüsterte, Zeile für Zeile entdeckte, in meinem Zimmer. Meine Haut grenzte direkt ans Papier, wie an eine vorzüglich neue, biegsame Wand, die mich rundum einschloss, dabei aufschloss, als gehörte ich bereits nicht mehr nur mir selbst. Das Buch hieß *The Book of Funnels* (Das Buch der Trichter) und war im Grunde ein *Space Walk*. Mit jenen Luftburgen hatte es gemein, dass es innen und außen zugleich war, halb Fall, halb Aufprall, sich ständig durch mich formte und

1 Streng genommen war ich auch nicht allein, da ich die Gedichte gemeinsam mit Steffen Popp übersetzte: Christian Hawkey: Reisen in Ziegengeschwindigkeit. Gedichte. Aus dem amerikanischen Englisch von Steffen Popp und Uljana Wolf. Idstein 2008.

mich andererseits unerwartet mit sich nahm. Ich meinte hindurchzufallen, denn die Räume in den Gedichten blieben nicht, wo und was sie waren. Strophe für Strophe falteten sie sich neu auf; Innenräume wurden Vorgärten wurden Auffahrten wurden Vorstadtstraßen wurden Wasserwände wurden wieder Wunden Löcher Innenräume. Doch anstatt verloren zu gehen, wurde ich sanft in die Luft geworfen und kam an unerwarteter Stelle zurück, und zum Tragen. Es trug. Es war schön. Es war eine Landschaft ganz im Sinne der Scurlock'schen Studenten. Oder, wie John Ashbery schrieb: „Christian Hawkey's poetry is landscape poetry in the true sense of landscape—not a segment of the earth's surface posing for its picture, but an open, undetermined space in which all kinds of crazy mental and physical things are going about their business simultaneously." Man könnte auch sagen: eine offene, aufblasbare Landschaft, in which all kinds of mental and physical things are happening to the reader/translator while she is bouncing around.

III

Der Schlüssel zum Übersetzen einer Hüpfburg liegt im dreifachen Fallenlassen. Vom ersten Fall, der Bereitschaft zur Hingabe an das Gedicht als *Bounce Unit*, war schon die Rede. Der zweite schaut ähnlich aus, ist aber anders gelagert: Hier geht es darum, lang gepflegte Angewohnheiten der nicht-federnden Welt fallen zu lassen, also etwa um Abwehr des Verlangens, Form und Sprungverhalten zu einer perfekten Performance auszubauen oder umzuschreiben. Ein in die Luft geworfener Körper in einer Hüpfburg sieht wie ein in die Luft geworfener Körper aus. Er kann schön sein, aber bevor er sich allen seinen Möglichkeiten gemäß entfaltet, schubst ihn das Material in eine neue Wurffigur. Das Gleiche gilt für die sich ständig verformende, knickende, wölbende Raumstruktur der aufblasbaren (nicht aufgeblasenen) Landschaft. Ein Übersetzer, der eher formvollendeten Figuren zugeneigt ist (oder dem, was er oder sie dafür hält), darf die Offenheit nicht schließen, die Anfänge nicht vollenden, aus dem Bounce kein Ballett machen. Er muss sich in die spezifische Schönheit der ihm anvertrauten Hüpfburg einüben. Im Zweifelsfall hilft mehrmals hüpfen. Was uns zum dritten Fall bringt, gegen den nur Klasse und Gelassenheit hilft: Beim Springen in der Landschaft landet nicht alles wieder auf seinem angestammten Platz (wenn es ihn je gab). Ein Beispiel aus dem Gedicht „I return to the O's in Oblivion":

(...)
I left your sun dress on the line

for weeks, wind filling its empty sleeves.
Nights I took it down and put it on,
gently, in the back yard, large man

in a white dress, soaking up the moon.
Nights I took down, gently, and put on.
White moon soaking in the back yard.

Das wendige Wörtchen *soak* kann Flüssigkeit aufnehmen und abgeben, es kann sich transitiv vollsaugen oder intransitiv triefen. Die letzten Zeilen dieses Gedichts leben von dieser Wendigkeit, ihre parallele Bauart ruht auf dem Querbalken *soak*. Das Verb ist in der drittletzten Zeile (*soak up*) als *auf*- oder *saugen* gemeint. In der letzten Zeile hängt seine Bedeutung davon ab, wohin man das Wörtchen *in* schiebt: *White moon soaking in / the backyard.* (Weißer Mond, der den Garten aufsaugt.) *White moon soaking / in the backyard.* (Weißer Mond, der im Garten trieft.) Wir entschieden, die Parallelität durch zwei sehr ähnliche Verben zu übersetzen, da beide Bedeutungen oder Richtungen nicht in einem deutschen Verb zusammenfallen würden.

(...)
Ich ließ dein Sommerkleid auf der Leine

wochenlang, Wind füllte die leeren Ärmel.
Nachts nahm ich es ab, zog es an
behutsam, im Garten, großer Mann

im weißen Kleid, das den Mond trinkt.
Nächte nahm ich ab, behutsam, zog sie an.
Weißer Mond, der den Garten tränkt.

Aus dem nachtspielenden Mondmann war ein Mond geworden, der die leere Gartenszene und mit ihr die Abwesenheit der Geliebten beleuchtet. In unserer Übersetzung tritt diese alles-beleuchtende oder alles-tränkende

Anverwandlung deutlicher zutage. Das bringt mich zum vierten Fall, der in der Zählung gar nicht auftaucht. Nämlich der Erkenntnis, dass man beim Wirbeln in der Luftburg einer sehr merkwürdigen Sprache begegnet. Es ist dies aber nicht die fremd geglaubte (in der man ja, wenn es gut geht, auch schon ein bisschen gewohnt, geliebt, gelogen, sich also eingesprungen hat), sondern die eigene, von der man sehr aufregende Dinge erfährt. Zum Beispiel, dass sie elastisch in einer Luftburg namens *German House* wohnt, die sich rasch und eigenmächtig mit ihrer Landschaft im Zimmer auffaltet und dort ein neues Gedicht hervorbringt.

Berlin, Februar 2007

DIRTY BIRD TRANSLATION

Führt man im Englischen jemanden in die Irre, schickt man ihn nicht auf den Holz-, sondern begleitet ihn auf den Gartenweg: *lead someone down the garden path*. Übersetzen wird für mich immer mehr zu einem solchen Gartengehen. Ich genieße es, mit und neben dem Originalgedicht zu spazieren, das heißt, sein Laufen, Schreiten, Springen wichtiger zu nehmen als sein Sagen, Rätseln, Rufen. Ich meine damit nicht objektiv zählbare Verse und Füße (aber auch), sondern den rhythmisch-gestischen Abdruck, den eine Zeile mit ihrem Auf und Ab, ihren Kadenzen, in meinem Körper hinterlässt. *Going for a walk with an English poem* heißt für mich zum Beispiel: Versuche so oft wie möglich, die Endstellung des Verbs zu verhindern! Das macht mich zuweilen ganz kirre. Als würde Mark Twain höchstpersönlich in meinem Nacken keuchen. („Deutsche Bücher sind ziemlich leicht zu lesen, wenn man sie vor den Spiegel hält oder sich auf den Kopf stellt – um die Satzkonstruktion umzudrehen“[2]). Dass Mark Twain mir nicht im Nacken sitzt, sondern keucht, hat mit einem anderen Aspekt des Gartengehens zu tun, nämlich mit der Irre, oder mit *breathing down my neck*, also damit, dass hier etwas vermischt wurde, was beim Übersetzen normalerweise säuberlich getrennt wird. Heimlich träume ich davon, das Ideal einer sauberen, reinen usw. Übersetzung hinter mir zu lassen und stattdessen dort, wo gar nichts mehr und alles geht, mit einer „Unreinheit“ zu spielen, die in meinen Gedichten schon länger um sich greift. Dirty Bird Translation. Translantisches. Eine Unreinheit, die nicht so sehr auf Nichtkönnen beruht (denn können muss man, um die besseren Fehler zu machen), sondern auf Nichttrennenkönnen. Die Lust, das fremde Material in der Zielsprache poetisch wirksam werden zu lassen, wie ein sanftes Gift/gift. Vielleicht ist Unreinheit nur ein anderes Wort für das, was Édouard Glissant meinte, als er schrieb, Übersetzen sei „eine wahrhaft kreolisierende Operation“: „Eine Spur in die Sprachen legen heißt, eine Spur ins Unvorhersehbare unserer nun gemeinsamen Lebensbedingungen legen.“[3] Unvorhersehbar, denn diese Art des Spazierengehens bringt es mit sich, dass man zuweilen nicht mehr weiß, auf welcher Seite des Pfades man geht.

New York, September 2010

2 Mark Twain: The Awful German Language. Die schreckliche deutsche Sprache. Übersetzt und kommentiert von Holger Hanowell. Ditzingen 2018 (E-Book), keine Seitenzahl.

3 Édouard Glissant: Kultur und Identität. Ansätze zu einer Poetik der Vielheit. Aus dem Französischen übersetzt von Beate Thill. Heidelberg 2005, S. 37 und 38.

NACHRICHTEN AUS EINEM BIENENSTOCK

Zum Übersetzen belarussischer Lyrik

> But the mother of vowels slumps from my throat
> like the queen of a havocked beehive.
>
> *Valzhyna Mort, Mocking Bird Hotel*

Meine Beziehung zum Belarussischen summt wie ein Bienenstock. Meine Beziehung zum Belarussischen ist ausgeflogen. Meine Beziehung zum Belarussischen trägt die Namen von Lyrikerinnen, die ich übersetzt habe: Volha Hapeyeva, Maryja Martysewitsch, Vera Burlak, Vika Trenas, Valzhyna Mort. Meine Beziehung zum Belarussischen summt wie ein Zug. Meine Beziehung zum Belarussischen ist, dass ich kein Belarussisch kann. Meine Beziehung zum Belarussischen trägt die Namen von Übersetzer*innen, mit denen ich gearbeitet habe: Katharina Narbutovic, Irina Gerassimowitsch, Martina Mrochen, André Böhm. Meine Beziehung zum Belarussischen ist zweigleisig und nie direkt. Meine Beziehung zum Belarussischen ist ein Ausflug.

Meine Beziehung zum Belarussischen ist ein Schlafwagen mit kaputtem Samowar. Kranlicht in der Nacht, Echos in Fabrikhallen. An der Grenze bekommt meine Beziehung zum Belarussischen ein neues Fahrwerk. In Gänze bekommt man meine Beziehung zum Belarussischen nie zu Gesicht. Meine Beziehung zum Belarussischen ist sportuntauglich. Meine Beziehung zum Belarussischen springt Bock über die Rücken anderer Leute. In der dritten Klasse geht meine Beziehung zum Belarussischen in eine Russischschule. Mit Fünfundzwanzig lernt meine Beziehung zum Belarussischen Polnisch. In Minsk angekommen, ist meine Beziehung zum Belarussischen ein Diplomat und schluckt vor jedem wodkagetränkten Treffen drei Esslöffel Öl. Meine Beziehung zum Belarussischen summt, hebt das Glas und sagt, der dritte Toast geht immer auf die Liebe.

Meine Beziehung zum Belarussischen ist ein nächtlicher Blick aus dem dreizehnten Stock des Oktober-Hotels in Minsk. Flutlicht in leeren Straßen, kalte Sonnenstadt, harte Schatten im Regierungsviertel. Bei dem Versuch, meine Beziehung zum Belarussischen aus dem dreizehnten Stock zu fotografieren, stößt das Objektiv an die Scheibe, stößt der Sucher der Kamera ans Auge. Das Objektiv schließt sich seitdem nicht mehr. Meine Beziehung zum Belarussischen hat die Distanz verkannt. Meine Beziehung zum Belarussischen hatte wohl kein Diplomatenöl getankt. Seitdem hat meine Beziehung zum Belarussischen ein braunes, ein blaues und ein lahmes Auge. Seitdem hat meine Beziehung zum Belarussischen einen Tick im Oberlid. Meine Beziehung zum Belarussischen summt wie ein Trinker. Meine Beziehung zum Belarussischen zuckt. Meine Beziehung zum Belarussischen hat einen ziemlichen Zug. Nachts hält meine Beziehung zum Belarussischen auf freier Strecke.

Am Morgen verhandelt meine Beziehung zum Belarussischen mit der Frühstücksmatrone des Hotels über eine zweite Tasse Tee. An diesem Morgen bekommt meine Beziehung zum Belarussischen ihre zweite Tasse Tee nicht. Später ist meine Beziehung zum Belarussischen ein futuristischer Spaziergang vor klatschgrauen Hochhäusern. Meine Beziehung zum Belarussischen ist ein Gespräch mit Zmicier Visniou, der im eisigen Wind die Anmut eben jener Hochhäuser preist, wobei er Belarussisch spricht, ich aber Polnisch und Russisch gleichzeitig, ein Rumpeln. Meine Beziehung zum Belarussischen ist eine Straßenbahn. Meine Beziehung zum Belarussischen schneit. Meine Beziehung zum Belarussischen ist ein Wirbel, fällt in die Lücke zwischen Hals und Schal, schmilzt.

Meine Beziehung zum Belarussischen ist ein Mitbringsel. Meine Beziehung zum Belarussischen ist ein Spaziergang mit Volha Hapeyeva, bei dem wir Deutsch und Englisch sprechen. Meine Beziehung zum Belarussischen ist ein Pralinenladen auf der Prachtstraße im wintrigen Minsk, in den mich Volha Hapeyeva mitnimmt. Meine Beziehung zum Belarussischen ist ein Parcours aus vielen Frauen, die im Pralinenladen arbeiten und von denen jede eine Aufgabe hat. In meiner Beziehung zum Belarussischen holt die erste Frau die gewünschte Pralinenpackung aus dem Regal, steckt eine zweite Frau die Packung in die Tüte, schreibt eine dritte Frau einen Zettel, lässt eine vierte Frau mich bezahlen, gibt eine fünfte Frau mir die Tüte in die Hand, steckt eine sechste Frau mir mit braun gefleckten Fingern ein Konfekt in den Mund. Die letzte Frau ist erfunden. Obwohl ich weiß, dass diese Arbeitsteilung ein Apparat ist, ein Überbleibsel aus kommunistisch-bürokratischen Zeiten, denke ich für einen Moment, dass meine Beziehung zum Belarussischen dieser Pralinenladen sein könnte. Die letzte, erfundene Frau wäre dann das Gedicht, das entsteht, wenn ich mit meiner Beziehung zum Belarussischen an einer Übersetzung arbeite, die ein Zusammenspiel ist. Meine Beziehung zum Belarussischen dichtet der Arbeit anderer Frauen nach. Und doch ist meine Beziehung zum Belarussischen nicht unbedingt weiblich, nicht unbedingt Übersetzung. Meine Beziehung zum Belarussischen kennt viele Worte, auf die sich „sie" beziehen kann. Meine Beziehung zum Belarussischen ist immer Plural. Meine Beziehung zum Belarussischen ist das Gegenteil von Apparat. Meine Beziehung zum Belarussischen wehrt sich gegen Bürokratie. Meine Beziehung zum Belarussischen wehrt sich, mit ihrer grenzenüberschreitenden Arbeit, gegen einen *Generalissimus,* der vorschreiben will, wie Pralinen zu heißen haben, in welcher Sprache man sie isst, wer sie ist, wer schweigen muss.

Am Nachmittag summt meine Beziehung zum Belarussischen wie eine Heizung. Meine Beziehung zum Belarussischen ist warm. Meine Beziehung zum Belarussischen ist ein Handschuh auf dem Feld, darin Tiere wohnen. Meine Beziehung zum Belarussischen ist eine Interlinearübersetzung mit Strichen und Varianten, die sich wie eine Wanderkarte liest, darauf das Feld, darauf der Handschuh. Alle Möglichkeiten des Ausdrucks hausen darin, verkrempelte Lagen des Sagens, unsichtbare Schichten unterm Pelz. Darum ist meine Beziehung zum Belarussischen mehrsprachig. Darum stottert meine Beziehung zum Belarussischen: nicht weil die Sprache ein Bauer ist, wie der *Generalissimus* sagt, sondern weil sie Bahnung ist.

Meine Beziehung zum Belarussischen winkt zum Abschied aus dem Zugfenster. Meine Beziehung zum Belarussischen winkt aus dem Hotelfenster. Meine Beziehung zum Belarussischen steigt um. Meine Beziehung zum Belarussischen kennt keine Zielsprache, nur Bahnhöfe in einem durch das Übersetzungsumsteigen wachsenden Transitraum. In Amerika spricht meine Beziehung zum Belarussischen Englisch mit Valzhyna Mort. Sie sagt: Meine Beziehung zum Belarussischen ist ein verstummter Bienenstock, der anderswo summt. Ich sage: Meine Beziehung zum Belarussischen ist nicht mit sich identisch, nicht nationalistisch, sie schmeckt süß von außen. Meine Beziehung zum Belarussischen ist eine Summe aus Zweitsprachen. Meine Beziehung zum Belarussischen übersetzt Valzhyna Morts Gedichte, die auf Englisch geschrieben sind. Valzhyna Morts englische Gedichte sind wie Übersetzungen aus dem Belarussischen, für die es kein Original gibt, es sei denn mehrere. Meine Beziehung zum Belarussischen begrüßt die Abwesenheit von Originalen in der Vielheit. Meine Beziehung zum Belarussischen ist nicht zu Hause. Meine Beziehung zum Belarussischen ist zweigleisig und nie direkt. Wenn ich Valzhyna Mort aus dem Englischen übersetze, ist meine Beziehung zum Belarussischen verschachtelt und doch beinahe bei sich. Meine Beziehung zum Belarussischen liegt entgegen der Fahrtrichtung im Schlafwagen, fährt über eine Brücke, ist eine Brücke, summt.

Berlin, September 2012

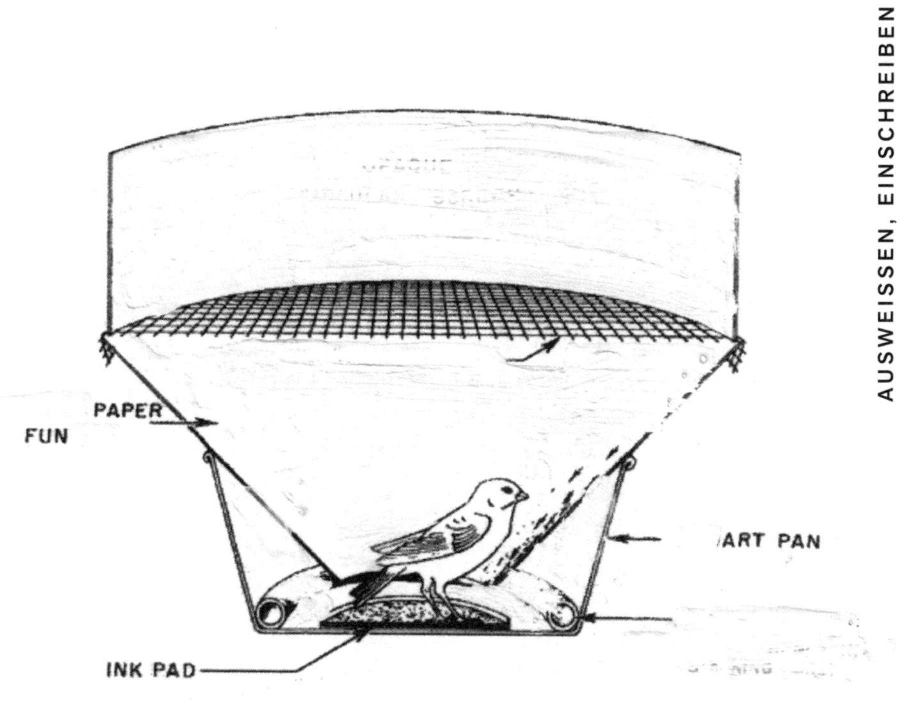

Emlen-Erasure von Jane Flow

AUSWEISSEN, EINSCHREIBEN ODER A TECHNIQUE FOR RECORDING MIGRATORY ORIENTATION OF CAPTIVE TEXTS

Documents resemble people talking in sleep.
Susan Howe, Ether Either

womit ich schreibe: / weiß /
dies zweite Gesicht / auf den Mund gelegt
Sonne From Ort, XXXVIII

Frühling 1964, nachts, „when a full moon was in the southern sky“[4]. Auf einem Feld abseits eines großen Vogelschwarms haben Wissenschaftler einen Experimentierkäfig installiert, den sogenannten Emlen-Trichter. Ein mit weißem Papier ausgelegter Kegel, in dessen Mitte unten ein Tintenkissen angebracht ist. Eine Dachsammer flattert darin, zeigt deutlich Zeichen von Zugunruhe. Mit jedem Versuch, aus dem Käfig zu fliegen, schreiben ihre Krallen Spuren auf die mit weißem Papier ausgekleidete Wand. Später ein Vektordiagramm, diese Bewegungen, strahlenförmig, ausgerichtet nach Süden,

] *don't* *you* *remember* [
we, too, did such things in our youth
(*Sappho*)

*

16. März 1907, Villa Discopoli, Capri, abends. Rainer Maria Rilke beginnt, Elizabeth Barrett-Brownings *Sonnets from the Portuguese* zu übersetzen. Von der Dichterin hatte Rilke durch eine Publikation seiner Freundin Ellen Key erfahren, er antwortete: „Wenig belesen, unbeholfen unter Büchern und dem Englischen fremd, kannte ich von den Brownings fast nichts und wußte nur aus ihres Lebens Gedicht die und jene glückliche Strophe.“[5] Kurzer Schnitt zum „Lebens Gedicht“ der Brownings: London, 1845, die fast 40-jährige Elizabeth lebt kränklich und zurückgezogen im Haus ihres

4 Stephen T. Emlen und John T. Emlen: Technique For Recording Migratory Orientation Of Captive Birds. In: The Auk, 83, Juli 1966, S. 364.

5 Brief vom 18. August 1903. S. Jo Catling: Translating Desire. Elizabeth Barrett-Browning and Rilke's Women in Love. In: Adrian Stevens und Fred Wagner (Hg.): Rilke und die Moderne: Londoner Symposium. München 2000, S. 266.

eifersüchtig wachenden Vaters. Fasziniert von ihren Gedichten, ihrem Ruhm entschließt sich der sieben Jahre jüngere Robert Browning in einem Brief seine Bewunderung auszudrücken. In den folgenden Monaten entspinnt sich neben heimlichen Treffen eine leidenschaftliche Korrespondenz, während derer Elizabeth Aufruhr, Angst und wachsende Verbundenheit in 44 Sonetten festhält. Nach ihrer unerlaubten Heirat und der Flucht aus London im Jahr darauf werden die Brownings zum Gesprächsthema nicht nur literarischer Kreise. Um die Sonette bei ihrer Veröffentlichung vier Jahre später vor allzu neugierigen Lesarten zu schützen, geben ihnen Elizabeth und Robert eine Maske – *from the Portuguese* –, als handele es sich um Übersetzungen oder Texturen einer nicht näher bestimmten Zusammenarbeit, aus dem Süden Zugeflogenes. „Einer der großen Vogelrufe des Herzens in der Landschaft der Liebe" nannte Rilke, der es wissen musste, später in einer Widmung die Gedichte.[6]

*

Landschaft, aber mit Spuren an der Wand. In einer späteren Variante des Zugvogelexperiments ist der Trichter mit Korrekturpapier für Schreibmaschinen ausgekleidet. Bei jedem Versuch, aus dem Käfig zu fliegen, ritzt und kratzt ein Sperling an der weißen, pulvrigen Beschichtung. „Das Tipp-Ex©-Papier hat den Vorteil, daß die Kratzspuren für den Versuchsvogel unsichtbar bleiben und ihn in seiner Richtungswahl nicht beeinflußen können."[7] Die Lücken auf dem Papier sind lesbar, Bewegung ein Text, der sich als Abwesenheit zeigt. Auch schwache Glanzspuren. „Vor allem kleine, leichte Vögel."[8] Ausgeweißter Text, der später ausreißt, weiß, wohin.

don't you remember [

Hat nicht jeder Text eine Zugunruhe, so scheinbar fest installiert auf seiner Seite? Und wer die Zeichen und den weißen Raum darum entziffert, öffnet Käfige? Jegliche Weltflugrichtung. Wiederholungen, an der Seite, Wand, auch gegen den Strich, gegen die Vorzugsrichtung. Wo hast du dich zum ersten Mal verlesen, vertippt? Mit der Schreibmaschine denselben Weg noch einmal, in

6 In einer Widmung an „Merline". S. Jo Catling (wie Anm. 5), S. 254.

7 Fränzi Nievergelt und Felix Liechti: Methodische Aspekte zur Untersuchung der Zugaktivität im Emlen-Trichter. Journal für Ornithologie 141, 2000, S. 181.

8 Ebd., S. 180.

der Fehlerfährte, das Pulver des Korrekturbogens muss genau auf der Linie des falschen Buchstabens liegen, fliegen. Die Fährte zieht eine andere Spur.

*

An einem heißen Wochentag in Dallas sitzt 1951 Bette Nesmith Graham an einem Schreibtisch. Die Mutter des späteren *Monkey*-Mitglieds Michael Nesmith ist Chefsekretärin von W.W. Overton, Vorstandsvorsitzender der *Texas Bank & Trust,* und kämpft mit den neuen elektrischen Schreibmaschinen. Die Karbonfarbbänder hinterlassen Zahlen und Zeichen, die mit einfachen Radiergummis nicht mehr zu korrigieren sind. Bette denkt an Künstler, die ihre Fehler nicht radieren, sondern übermalen. Denkt an die Fenster der Bank, die jemand – sie? – für die Feiertage weiß bepinselt und Fehler in den Schnörkeln, Schneelandschaften, einfach übermalt hat. Eines Tages mischt sie eine Flasche mit Tempura-Farbe, die den Weißton des Papiers trifft, pinselt über den Tippfehler, lässt die Stelle trocknen, überschreibt sie wieder. Ihre Mischung nennt sie *Mistake Out*. Knattern der Tasten, Zustimmung aus umliegenden Zimmern.

Erinnerung. ~~Erinnerung~~. Palimtexte. Hier nebeneinander aufgefaltet. Diese Geschichte ist keine Geschichte einer poetischen Praxis, die sich *erasure* nennt. Sie ist ein umgedrehter Emlen-Trichter, Multiplikation der Spuren, weiße Schatten. Flugfeld und Vertrauen. Streuung der Kratzer,

aufgegabelte Wege: Dieses Ende beginnt in einer Bank, mit neuen Bändern, ihrer unnachgiebigen Schwärze. Was Fehler sind: ein Überschuss an Energie. Zoom auf lackierte Fingernägel oder Kaffeehand, roter Mund am Tassenrand. Wo hast du dich zum ersten Mal vertan? Dass dieses Bild nicht stimmt, weil es nur einen Platz anbietet, nämlich den Tisch *vor* der Macht. Finger in Habacht, Dinger im Sinn, verrutschen. Was Fehler sind: ein Überschuss an Anschlag. Kleine Ausflüge, leichte Vögel, Anschläge aufs System.

*

Erasure, die Bearbeitung gefundener oder ausgesuchter Texte durch Auslöschung der meisten Worte, sei es mit Hilfe von Tipp-Ex, Tusche, Übermalung oder Weglassen, changiert zwischen Sabotage und Hommage, Vandalismus und Wiedererweckung. In Jen Bervins *Nets* zum Beispiel sind alle Worte des

Ursprungstexts – Shakespeares Sonette – lesbar geblieben, die meisten jedoch grau gesetzt, fast verblichen. Ein Netz, Schattentext, der die übrig gebliebenen Worte stützen oder sich jeden Moment schützend über sie legen kann, als ob sie eben auftauchen oder selbst mit ins Verschwinden gehen wollen. Allen *erasures* ist diese eigentümliche Spannung eigen, das Erscheinen des Verschwindens, sie stellen – wie konkrete, experimentelle, lyrische oder L=A=N=G=U=A=G=E Poesie – die Materialität der Sprache, jedes Buchstabens in den Vordergrund. Sie wissen, dass der Raum der Seite einen Text mitschreibt, ausdämpft, ein Weiß, das Schweigen strukturiert, physisch spürbar wird,

notationen, reproduktionen von schnee
(Daniela Seel)

An den Grenzen arbeiten, v/erwischen, übertreten. Einen Fehler der Geschichte korrigierte Bette Nesmith, als aus dem Willen zum Verschwinden eine eigene Firma wurde. Den Job als Chefsekretärin ist sie da schon los. Was sie will: einen Namen, einen weißen Tropfen auf der Flasche, eine eigene Spur hinterlassen im Auslöschen, 300 Flaschen für General Electric, patentiert 1958. Eigenes Fabrikgebäude, Fließband, Farbband. Fehler verwandelt in weißes Fließen. Auch die nicht gedachten Fehler, nicht von einer nur gemachten Fehler. Von der Idee des Übermalens weitet Bette, Patentante aller *erasure*-Künstlerinnen, ihr Konzept auf die generelle Beweglichkeit jeglicher Dokumente aus, morphende Formen, und nennt ihr Produkt *Liquid Paper*.

*

Auch übersetzen macht Papier flüssig. Auch wenn man die Ausgangssprache nicht fließend beherrscht. Rilkes Gastgeberin auf Capri, Alice Faehndrich, geb. Freiin von Nordeck zu Rabenau, verfügte über gute Englischkenntnisse, ihre Mutter war Engländerin. Das Zustandekommen der Übersetzung der Sonette von Elizabeth Barrett-Browning verdankt er – „dem Englischen fremd" – ihrer Hilfe. Ob sie schriftliche Interlinearübersetzungen angefertigt und Rilkes Fassungen am nächsten Tag prüfend gelesen, ob sie die Originale vorgelesen und im Gespräch erklärt hat, ist nicht mehr festzustellen.[9] Rilke

9 Jo Catling mutmaßt, dass Alice Faehndrich die Gedichte laut auf Englisch vorlas und erläuterte. Sie vergleicht den Arbeitsprozess mit der dreistufigen Zusammenarbeit von Rilke und Marie von Thurn und Taxis an der Übersetzung von Dantes *Vita Nuova*. Andere Forscher meinen, dass Alice Faehndrich höchstens „das Material herbeischaffte". S. Jo Catling (wie Anm. 5), S. 271.

selbst scheint eine engere Zusammenarbeit nahezulegen, ein Jahr später teilt er Alice Faehndrich mit: „ich lese the [sic!] Korrekturbogen unserer vorjährigen gemeinsamen Arbeit; sie kommt mir sehr schön und vollendet vor“[10]. Die erste Auflage von *Elizabeth Barrett-Brownings Sonette nach dem Portugiesischen* war dann auch Alice Faehndrich gewidmet, *in Erinnerung an gemeinsame Arbeit.*

Collaboration and constraint. Zusammenarbeit und selbst auferlegter Zwang. *Erasure* kann Energien in einem Text wecken, die bis dahin noch nicht abgerufen wurden. Alles ist in Bewegung, riechen, einatmen, ausatmen, Wolken. Die amerikanische Dichterin Mary Ruefle nennt die weißen Felder auf der Seite „kleine weiße Schatten“, nach dem 1889 erschienenen Buch *A Little White Shadow*, dem sie mit ihrer Tipp-Ex-Bearbeitung eine Namensdeckung und eine nachträgliche Stimme gibt:

the dead.
borrow so little from
the past

as if they were alive,[11]

Was aber wirft die Schatten? Der Text, der stehen bleibt? Was er sich von der Vergangenheit borgt, die Möglichkeit, dass es auch anders gewesen, gelesen sein könnte, fällt in hellen Scharen um die wenigen Worte, wie von einem durch die Zeit verstreuten Licht umstellt. Oder werfen die ehemaligen Worte, die jetzt unter weißen Deckchen liegen wie unter Schnee, Spitzen, weißem Schlaf, ihre allmöglichen, unlesbaren Schatten?

„Außerdem ist das Tipp-Ex©-Papier im Feld einfacher und sauberer zu handhaben.“[12]

Alice Faehndrich starb kurz nach der Veröffentlichung der ersten Auflage von Rilkes Übersetzungen 1908. Die Widmung der zweiten Auflage von 1911 lautete dann plötzlich *Dem Andenken / Alice Faehndrich / geb. Freiin von Nordeck*

10 Unveröffentlichter Brief an Alice Faehndrich. S. Jo Catling (wie Anm. 5), S. 271.

11 Mary Ruefle: A Little White Shadow. Seattle und New York, 2006, S. 9.

12 Nievergelt und Liechti (wie Anm. 7), S. 181.

zu Rabenau. Wo ist die gemeinsame Arbeit geblieben? Was war geschehen? Hätte Rilke Tintenkiller benutzt? Von der Caprizeit, der Insel als „Unding", bleiben keine Arbeitsberichte, die die Übersetzung betreffen. Fünf Jahre später, von Duino aus, schildert Rilke in einem Brief an Lou Andreas-Salomé jene Abende auf Capri, „an denen nichts geschah, als daß ich mit zwei älteren Frauen und einem jungen Mädchen beisammensaß und ihren Handarbeiten zusah und manchmal zum Schluß von einer von ihnen einen Apfel geschält bekam"[13]. Da war aus der Zuarbeiterin für die Übersetzung plötzlich eine Handarbeiterin ganz anderen Ranges geworden.

Und der Apfel? In „Die Aufgabe des Übersetzers" schreibt Walter Benjamin bekanntermaßen, Gehalt und Sprache des Originaltextes bildeten „eine gewisse Einheit wie Frucht und Schale", während die Übersetzung schlackerte wie ein „Königsmantel in weiten Falten".[14] Wer den Apfel schält, trennt also die Sprache von ihrem Gehalt,

die langen Ketten

meine Finger

gaben

weiße *Winke*[15]

Könnte es sein, dass sich in dieser Frauenidylle mit Frucht eine Spur von Alice Faehndrichs Übersetzungshilfe, ihrer Autorschaft findet? *Erasure*, eine andere Art Schälung, nimmt nicht nur weg, was da war, sondern auch, was nicht da war. *Erasure* überdeckt nicht nur, sondern weckt Geisterstimmen – stellt singuläre Autorschaft prinzipiell infrage. Die kanadische Lyrikerin und Übersetzerin Erín Moure schreibt in ihren Thesen zu *erasure*: „That in any author's phrases lie a supressed multiplicity of phrases. The singular of the author is one hierarchization but is not all."[16]

13 Brief vom 10. Januar 1912. Rilke: Briefe. Bd. 1. Frankfurt am Main 1990, S. 374. S. auch Jo Catling (wie Anm. 5), S. 284f.

14 Walter Benjamin: Die Aufgabe des Übersetzers. In: Hans Joachim Störig (Hg.): Das Problem des Übersetzens. Darmstadt 1963, S. 188.

15 Christian Hawkey und Uljana Wolf: Sonne From Ort, Sonett XX, unveröffentlichte Fassung.

16 Erín Moure: ERAS/URE. In: The Capilano Review, Vol. 3, Nr. 7, North Vancouver 2009, S. 122.

*

Mehr als 150 Jahre nach der Veröffentlichung der *Sonnets from the Portuguese* begannen Christian Hawkey und ich eine doppelte *Erasureschaft* an der zweisprachigen Insel-Ausgabe der *Sonette aus dem Portugiesischen*. Auf den Titel legten sich kleine weiße Schatten und ließen die Worte *Sonne From Ort* stehen. Hier verschmelzen Capri, Rilke und die beiden Ausgangssprachen. Selbst Elizabeths London ist im Echo der Os noch enthalten. Mit Tipp-Ex bearbeiteten wir die Sonette im Dialog mit dem jeweiligen Ausgangstext: zumeist CH mit EBB, UW mit RMR; manchmal UW mit EBB, CH mit RMR, UW mit CH. Wir besorgten uns viele Exemplare der vergriffenen Insel-Ausgabe, fertigten von jedem Text über die Zeit hinweg verschiedene Fassungen an. An der Frucht und am „Königsmantel in weiten Falten“.

Schäler, Gehilfen, Gehhilfen, Hände mit Schneiderkreide. Umrisse zeichnen, Apfelwerfer. Unser dünnes oder dickes, unser transparentes oder zuweilen deckendes, unser bröckelndes und unser leuchtendes *Liquid Paper* wurde unter der Hand zum Zeichen einer ausradierten Arbeitswidmung. Keine Fahndung, aber die Spur einer Faehndrich. Nicht lesbarer, aber ihr Unlesbar-Gemachtsein, ihr Verschwinden, trat in Erscheinung, wurde erinnert, in den Brüchen, dem zwischen die Worte getretenen Raum, seinen Möglichkeiten, der Hierarchien aufdeckt, Geister weckt.

womit ich schreibe:
weiß
dies zweite Gesicht
auf den Mund gelegt[17]

In dieser Art Zusammenarbeit mit einem Ausgangstext entsteht etwas, das am Ende keinem gehört, dem Autor nicht, dem Übersetzer nicht und nicht dem Bearbeiter. *The third mind*, ein Drittes, Ereignis eines Erinnerns, ein Mehr, eine Mär sich selbst im Weg die weiße Bänder legt (Lagebesprechung, Lament). Das Weiß ist Zeichen, dass hier ein Prozess stattgefunden hat,

17 Christian Hawkey und Uljana Wolf: Sonne From Ort. Ausstreichungen. Sonett XXXVIII. Berlin 2012, S. 81.

veränderndes Lesen, das eingeschrieben steht, auch mit Spritzern, Schlieren, Wellen, fälschlich übermalten, halb zurückgekratzten Stellen. Weiße Felder, Zugunruhe. Der Jahre oder Jahrzehnte oder Jahrhunderte lang festgeschriebene, schlummernde Text wird in Bewegung gesetzt, wird flüssiges Papier, oder offener Käfig, aus dem Vögel in die Landschaft treten, weiße Schatten.

*

1979 wird *Liquid Paper* für 48 Millionen Dollar ausgerechnet an Gillette verkauft. Schreibfehler, Stoppeln. Einen Weg finden durchs Kraut der Zeichen, Körper. Etymologie als Kratzspur: In *erasure* die versteckte Rasur, in *razor* die Radierung, gemeinsame altfranzösische Wurzel *raser*, von lateinisch *radere* oder *eradere*: schaben, kratzen, entfernen. Oder sich entfernen, fieberhaft, zwischen den Sprachen.

Sonne From Ort ist Dokument dieser Entfernung, das Gegenteil eines fertigen Textes. *Erasures* schreiben die unzähligen, im Text enthaltenen Möglichkeiten seiner Versehrtheit, seiner Unfertigkeit fort: *A Technique for recording migratory orientation of captive texts.*

*

24. März 2011. Schon wieder ein Versuch von Schnee.   Übernacht. Ich kann nicht schneller laufen. Deckchen auf zerkratzter Autohaube. Von öffentlichen Intim-Waschanlagen für Frauen geträumt. Im Hinterhof die Taube ist zurück,   ihre weiße Brust, Gurren. „(...) but it was put in afterwards when people chose to pull down the mask which, in old days, people used to respect at a masquerade. But I never cared."[18]

New York, März–Mai 2011

18 Robert Browning, der die Veröffentlichung der Sonette vorantrieb und „maskierte", ließ ein Gedicht mit zu deutlicher Anspielung aus, fügte es aber nach der „Demaskierung" wieder ein, wie er in diesem Brief an Julia Wegdewood erklärt. Robert Browning and Julia Wedgewood: A Broken Friendship as Revealed by Their Letters. Hg. von Richard Curle. New York 1896, S. 99f.

STÜRZUNG DER MASTERBLUME

Christine Lavant übersetzen (mit Hildemine Pam Dick und Jane Flow)

*

Pfauenstrauchelung. Über die ~~Stränge~~ Strenge schlagen.

In den Körper gehen wie in eine Stiefarbeit.

*

Die Übersetzerinnen fahren U-Bahn in New York. Auf ihrem Schoß die schwarz und grün gebundenen Bücher, Fernleihe, klein und so fest, mit der Wucht kleiner Geschosse. *Do not remove this slip* – sagt die im Buch liegende Lasche. Als ob es ihnen einfallen könnte, die Mutterbibliothek unsichtbar zu machen, den Abstand zu verringern, sich die Bücher einzuverleiben. Aber das Weitgereiste, das Heimatlose, hört ja nicht am Umschlag auf, und das Einverleiben, sie ahnen es, beginnt schon längst mit den Augen, suchenden Raupen in flackernden Lampenfurchen, mit denen sie lesen, verlassen die ratternden Stadtkörpervenen, sich ins Unterholz der Worte zu verflüssigen, bis aus der Ausleihe ein Ausleiben wird. Sie singen: „Komm, Schwester, U-Bahnfahren, / bis unsre Knochen beben, bang, / so zerbrechlich-städtisch / nicht vom Tunnel: aber Tun der Worte, / frühe Strahlung, immer den Lavantgang lang."

*

Strenge Nächtigung über dem Ort.
Lock deinen Tod an Zisternen vorüber,
in jeder Hand eine salzene Wunde,
in jedem Aug eine süße Feige
und die Zeit hinterm Gaumen.

Im Felsen wächst schon die Flöte nach,
im Nächtigungszelt schon das Seil,
strenges, sehr strenggedrehtes,
das den Heimgang verknotet. [19]

Stringent sleep-over at the abode
Stringent nightening over the node
Severe night-over at the place
a wound of salt?

All the things one could do with string?
In cliffs in night-over-tent
a stringy, very stringtwisted one,
strict, so strictly
twisted
or

[19] Christine Lavant: Zu Lebzeiten veröffentlichte Gedichte. Göttingen 2014, S. 432.

*

Remember, dear: Das Original schlummerte bei der Übersetzerin, inmitten geschnürter Pakete, Dachboden, in London vielleicht. Aus Irrenhäusern gesandt, auch anderen. „Ich bin auf Abteilung zwei.“ Ein Nachlass oder der Welt Nachlässigkeit.

*

Wenn man sich nach Lavant-Gedichten im Englischen umschaut, kommt man nicht weit. Eine Handvoll Übertragungen (Beilharz, Chorlton, beide deutsche Muttersprachler), die Satzstellung schleift nicht so scharf an der Kante der Zeile, wie es sein müsste, aber ob es sein kann? Es müsste Abhilfe geschaffen werden, und zwar so, dass die Gleichzeitigkeit von Schmiegen und Striemen erhalten bliebe, der weiche Rhythmus und die scheitelnde Strenge des Affekts, sein Über-die-Stränge-Schlagen.

*

Machen eine Aussatzsprache.

Mit Bindestrichen = Aussetzer und Vernetzer.

Compoundiges Straucheln, Hyphenreichtum.

Englisch Hydrotopf statt deutsch Erde-Erde?

Blumenerde. Raupe sein in einer Lampenfurche.

Nichts reißt mehr am Riemen, schrieb Striemen, abschütteln krautige Male.

Ist doch kein Hymen.

Nichts bewegt mehr vorwärts, Hypernkindschaft, schrieb ich Lampenfurcht?

Die „seltsam verläßlichen Knochen, / die in Finsternis leuchten“[20].

20 Ebd., S. 442.

*

Wie übersetzt man eigentlich die *Geißelung* eines *Stiefgesichts*? Die ganze Ebene des Niederen, Nesselpflichtigen ... Es scheint, in der Bilderschrift der Nicht-Richtigkeit, der Nicht-Identität ist die Übersetzung immer schon enthalten, zumindest ihr langer Schweif als ungenügendes Abbild, niedere Tätigkeit oder feminine Zurhandreichung, Dienerschaft. Dabei in einem Werk, dessen Existenz an sich schon Gegenentwurf ist zu dem Dienstbotendasein, das den ärmeren Schichten zur Wahl stand, die keine war. *always in the same direction / how the masterflower falls.*

„Ja, ich war n o c h desperater, noch weit weit despserater [sic], so dass mir nur der Ausweg blieb zwischen einem Strick und einer Handvoll ziemlich düsterer Gedichte. Ich wählte vorläufig den letzteren." Christine Lavant, 30. September 1951 an Nora Wydenbruck.

Wer die Gedichte von Lavant übersetzt, nimmt auch diesen Strick mit, seinen lauernden, baumelnden Negativabdruck hinter jeder Zeile. Der letzte Ausweg, Tod, ist ein Meister, dem es zu widerstehen gilt.[21] Und darum ist Lavants Werk ein Ringen um das Meisterlose, die niedere Achse, auf der sich ein Überleben zäh in die Sprache einschreibt, einkrallt. Vielleicht gibt es darum so viel Faseriges, Fasern: Nesseln, Fichtenstufen, Birnäste, teufelshäutige Erde. Vielleicht muss, wer den Strick mitnimmt, wer in einer anderen Sprache – ja – weiterstrickt, auch den Gang ins Stiefgesichtige nachgehen, als Schwester, Beschwerte, dann schwerelos zwischen Brennhaaren Schwebende. Und dann im Filigranen randalieren, das Meisterlose als Chance begreifen, aufgreifen – nein, keine Gladness mehr, nicht Glätte. Man muss die Dreimasterstaude hegen *und* die Masterblume stürzen.

21 Ich muss auch an Emily Dickinsons rätselhafte drei „Master"-Briefe oder Briefentwürfe denken. Der Adressat der Briefe ist nicht bekannt, der darin evozierte „master" könnte eine Person sein, ein Freund, ein Angebeteter. Es ist auch nicht unwahrscheinlich, dass es sich um eine Adressatin, eine Freundin, eine Geliebte gehandelt hat. Oder Gott. Oder Tod. Von der Aufgabe gegenüber dem Meister (der Meisterin?) heißt es im zweiten Brief von 1861 oder 1862: „a task ~~who~~ something to do for love of it—some little way she cannot guess to make that master glad." Die Liebe des „masters" wird mit einem Schiff verglichen: „Oh how the sailor strains, when his boat is filling—Oh how the dying tug, till the angel comes." Emily Dickinson: Selected Letters. Edited by Thomas H. Johnson. Boston 1986, S. 167–168.

*

Strenge Nächtigung über den Ort … Oder die Übersetzerinnen übernachten im Original. Das ist wie ein doppelter Kofferboden: Ständig gehen Schubladen auf mit falscher Wahl und doch kommt immer richtige Wäsche raus. *Mother-of-pearl, velvet-whirled, / at times stiff as calamus leaves.* Keine schläft. Alles probiert an und aus. Schau, sagt Jane, *Nächtigung* ist nördlich ein Fremdwort, man muss zu Anderen gehen, um es aufzuwecken. Ins *Nächtigungszelt*, denn da kommt es her. Hildemine bettet sich geschwind in einen brausenden Bindestrichwind, eine Art, überall Striemen unsichtbarer Pfauenklatsche zu hören:
night-over. Nicht
sleep-over. Wir gehen
ins *night-over-tent.*
Jane sagt: Hoppla, wie ich schon sagte, Schubladen, da geht sich gar nichts aus. Bindestriche machen anderes Gewebe, gedehnter. Von links gelesen steht die Nacht überm Zelt, aber von rechts gelesen ist das Zelt auch da, um einem die Nacht über die Ohren zu ziehen.
and time behind mouth's roof …
Bis hinunter zum englischen Munddach, in das sich der österreichische Gaumen verwandelt und damit einen im Deutschen halb vergessenen Ausdruck in die Nacht befördert. Dort hinten sprechen wir, Nächtigung, Züchtigung. Strenge! Steht es nicht dort? Aber wie es da steht, muss es nicht geschrieben werden, nicht wahr, Hildeminchen, wenn man in einem doppelten Kofferboden schwelgt. Wo alles niedrig wächst, nach unten ausschlägt in einen unendlich disteligen Raum – dann lieber über Stränge, die

wir

springen

wie

Seil / Zeile / sail …

*

Die Übersetzerinnen schweigen, ans warme Allgluckern einer *Sternenherde* gelehnt. Sie trinken *Stella* aus der Dose wie in alten Tagen. Sie würden gern rauchen wie Christine, aber Hildemine raucht nicht mehr und überhaupt ist es hier überall so verboten, dass man ganz *aussätzig* wird. Jane sagt: Das Gedicht hat eine Sehnsucht nach Unterseite, wie schwersüßes Gepäck, aber man will das nicht immer aufmachen müssen. Es gilt, Hildeminchen, die Sehnsucht ohne ihr Ziel zu übersetzen, ohne irgendwas umzudrehen. Hat *salzene Wunde* außer *salzige Wunde* noch einen doppelten Boden, eine *gesalzene Wunde* – also mehr als Erleiden, nämlich Mitwirkung und eine Schwesternschaft am Martyrium? Aber wenn wir *salted* schrieben, wärs zu viel gesagt, da wär die Unterseite übersetzt, aber nicht die Sehnsucht dahin? Mach *wound of salt*, ruft Minchen, das ist gut, es nimmt die Teile und fügt sie neu zusammen, lockerer, gibt Luft zum Atmen. Und bei dem Seil, das am Ende des Gedichts den Heimweg verknotet, soll es im Englischen *fasten* oder *tighten* heißen? Stößt es schneller an die Unterseite durch, wenn es *fasten* heißt? Ist das zu schnell, verschließt es dann die Öffnung? Oder reißt es uns gleich den Riemen zum Freitod heran?

*

Sternenherde star-herd flock of stars (mh-mh)
Gruppenbezeichnungen von Tieren mit „a“:
star-swarm star-army a wake of stars
gang-star star-raft star-star-gaggle rasp (Perlhühner)
their raspy starwars!

*

Die Übersetzerinnen machen Pause und gehen ins Kino. Sie schauen sich *Interstellar* an. Das Finale im Wurmloch, die unendliche gleichzeitige Bibliothek in der fünften Dimension, interessiert sie sehr. Hildemine meint, Übersetzung leide vielleicht auch an einer Unfähigkeit, bestimmte Parameter mannigfaltig zu denken, oder zu wenige Faktoren, zu eindimensional: Trug, Treue, Original, Abbild, Schlafen, Wachen, Schwerkraft, Stiefel. Das Original existiert unendliche Male in jedem der Regale jeder Zeitschicht, wie wollte man sich anmaßen, eine einzige Version des Originals zu meistern? Jane überlegt, was ein Wurmloch beim Übersetzen wäre, ob man damit der Lengevitch beikäme. Worte, die sich in der Sprachkrümmung überlappen, Fremdsprachen als verschiedene Raumebenen, aber eben nicht nur Raum, auch Zeit, *hinterm Gaumen*. Wie das Wort *streng* in unserem Nachtgedicht, das mit dem Traum der Aufhängung endet, wo ein Seil schon baumelt, das im Englischen ein *string*-Ding ist. Ein Ding, das wiederum im englischen Wort *stringent* scheint, nämlich in der Anfangsstrenge, eine Schläferzelle. Ach wie ineinander die Sprachen nächtigen ... Aber wir schreiben es nicht, Hildemine sagt, *rope* ist *a rope* ist *a rope is a rope*.

*

Als Jane diese Zeilen tippt und nicht mehr weiterweiß, fällt ein winziges Stück Putz aus der Wand im Café, direkt auf das aufgeschlagene, umgedrehte Lavant-Buch. Kleines Sternweiß auf schwarzem Leinen, neben der Fernleihelasche. Mit der Fingerkuppe verwischt sie es, schnuppiges Kalkschweiflein. Nanu, war das eine Nachricht aus dem Wurmloch? Soll sie in diese Richtung weiterdenken? Aber wer steht da in der anderen Dimension, auf der anderen Seite der Wand, und drückt ein Pützelchen in die Jetztzeit – Jane oder Hilde oder Christine? *It was you. Nobody believed me but it was you.*

*

RUND UMS HAUS *von meinen Freunden*
stelzt der Pfau durch Grummetgräser;
trotzdem wissen meine Freunde
nicht, wie Pfauenschreie tun
oder wie das Gras sich fürchtet
manchmal zwischen Schrei und Schrei.

Vor dem Haus der andern Freunde
blühte die Dreimasterstaude,
trotzdem wußten diese Freunde
nie, wohin das gitterblaue
Blau der Blütentraube stürzt
vor dem hohen Rittersporn
und der niedren fetten Henne.

Aus den Augen aller Freunde
perlenmuttern, samtdurchflochten,
manchmal steif wie Kalmusblätter,
geht mich an die Geißel Gottes,
trotzdem wissen alle Augen
nie, wenn ich gegeißelt werde
mitten in mein Stiefgesicht
knapp am Pfauenschrei vorbei
immer in dieselbe Richtung,
wie die Masterblume stürzt
in das bitter-scheue Blau.[22]

All around my friends' house
the peacock stalks through aftergrass;
nonetheless my friends don't know
how the peacock's cries go
or how the grass at times
fears between cry and cry.

Before the house of other friends
the three-masted shrub in bloom
nonetheless my friends never knew
where the lattice-masted-blue
Blue of its raceme would fall
close to knightly larkspur and
the stonecrop mossy and low.

From the eyes of all my friends
mother-of-pearl, velvet-whirled,
at times stiff as calamus leaves
God's scourge comes down on me,
nonetheless all eyes never know
when I am being scourged
right into my stepchildface
closest to the peacock's cry
always in the same direction
like the masterflower falling
into the bitter-timid Blue.

21 Christine Lavant (wie Anm. 19), S. 434.

*

Sail! Vielleicht lässt Christine durch Putzzeichen wissen, dass sie mitschreiben will. Uns überrascht es nicht, wächst doch mitten in einem weiteren Gedicht die Dreimasterstaude. Drei große Blütenblätter, drei Masten, in See stechen Hildemine, Jane, Christine. Aber Namen, sagt Jane, sind eine einzige Nesselmess. Vom Rand des Gartens winkt ein Gärtnermeister, der auf Richtigkeit pocht. Dreimasterstaude ist eine Pflanze, sagt er, deren Name so und nicht anders lautet. Das Lauten legt im Englischen eine Spur, die vom Schiff wegführt. Die Pflanze heißt *spiderwort*. Von Mittelenglisch *wort*: eine Pflanze, Kraut oder Gemüse, vor 900, verwandt mit Althochdeutsch *wurz*. Und schaut man sich die langen grünen Blätter an, ihr wucherndes Krabbeln, sieht man natürlich spinnenähnliches Raumgreifen. *Spiderwort*. Keine Türmung, kein In-See-Stechen, den Übersetzerinnen behagt es nicht. Sie wollen das Schiff behaupten, und Christines weißes Winken auf dem Bucheinband wird so gedeutet: voller Wind. Aus der Dreimasterstaude wird ein *three-masted shrub*. Deckungsgleichheit als maritim geschnittene Hecke, durch die Klangähnlichkeit ins Bild gesetzt, drei irgendwie Höcker ragen grün und später blau blühend aus dem buschigen Unterbau.

*

Die Übersetzerinnen, ihre Überseezungen (Yoko Tawada) schlagen als Seeräuberinnen (ahoi, Monika Rinck) wild und stolz allherum aus. Christine ist die Pfauenpiratin. Wir folgen ihrem Geißel-Ich, das wie Gitter-Blau stürzt, aber im Nachfallen sind wir es, die das Staudenthronen fällen, seine Meisterschaften, an denen so viel scheitern will. „Dieses Schiff wird nie verständig werden."[23] Und wenn wir es einmal gefällt haben, werden wir es wieder errichten, aber so, wie man in *Pirates of the Caribbean* aus *Davy Jones' Locker* entkommt, eine Art Wurmloch auch das, die eigenen Mannigfaltigkeiten als unzählige Matrosen an Deck, entthront und thronend, und dann: *Up is Down. Down is Up*. Und wo war da noch ein Heimgang?

New York, Januar 2015

23 Christine Lavant (wie Anm. 19), S. 136.

II

„Meine Sprache ist eine, die zu Fremdwörtern neigt.“

Zu Ilse Aichinger

II

„MEINE SPRACHE IST EINE, DIE ZU FREMDWÖRTERN NEIGT.“

DAS UNAUFFINDBARE ÜBERSETZEN

Zu Ilse Aichingers *Schlechte Wörter*

> There's going to be a departure, I'll be there, I won't miss it,
> it won't be me, I'll be here, I'll say I'm far from here, it won't be me ...
>
> *Samuel Beckett, Texts for Nothing 3*

In einem Interview 1982 wird die österreichische Autorin Ilse Aichinger auf die Fremdwörter in ihren Texten angesprochen. Dazu gehört der Titel „Galy Sad" aus den Prosagedichten der Sammlung *Schlechte Wörter* von 1976.[24] Aichinger antwortete, diese Wörter seien „vielleicht eine Möglichkeit, die Sprache sich selbst zu entfremden und so allein zu lassen, dass sie wieder allein sprechen muss"[25]. „Galy Sad", von dem zumindest die Hälfte (sad) ein Wort ist, das in einer anderen mir bekannten Sprache existiert, scheint zudem ein besonderes Fremdwort zu sein, weil es – wie „Hemlin" – ein Titel ist, der wie ein Name funktioniert. Und Namen, mutmaßte der Literaturwissenschaftler Yunte Huang in einem Aufsatz über homophone Übersetzung und Eigennamen, bleiben immer konkret, eigen und fremd; sie sind in keine Sprache übersetzbar.[26]

„Ich verlasse mich jetzt auf die Namen, von heute ab, Hügelnamen, alle Arten. Versuche, es einem gleichzutun, der nicht kommt, einem Unverlockten, den kein Umriß zähmt. Ohne Trophäe", heißt es in dem Prosagedicht „Surrender" (SW 84). Dessen Titel existiert als englisches Wort tatsächlich und heißt *(sich) aufgeben* oder *Aufgabe* im Sinne von Kapitulation. Zugleich könnte es, als akustische Halluzination im Deutschen, der Name von einem sein, der in der Sprache nicht angekommen oder der, eben wahrgenommen, schon davongeschnellt ist, ein *Surrender*. Wer ihn aufspüren will, kommt besser nicht als Sieger oder Sprachdompteur. Die Fremdwörter der Namen lassen sich nicht durch Antreffen zähmen oder als „Trophäe" einheimsen.

24 Ilse Aichinger: Schlechte Wörter. Frankfurt am Main 1991. In den folgenden drei Essays abgekürzt zitiert mit „SW" und Seitenzahl im Text.

25 Ilse Aichinger: Es muss gar nichts bleiben. Interviews 1952–2005. Hg. und mit einem Nachwort von Simone Fässler. Wien 2011, S. 34.

26 Yunte Huang: Chinese Whispers. In: The Poetry of Sound / The Sound of Poetry. Hg. von Craig Dworkin und Marjorie Perloff. Chicago 2009, S. 38f.

Gemeinsam mit Christian Hawkey arbeite ich seit einigen Jahren an einer Übertragung von *Schlechte Wörter* ins Englische.[27] Vor einiger Zeit gaben wir unser Manuskript einer Freundin zu lesen, der amerikanischen Lyrikerin Pam Ilse Dick. Als wir uns wieder trafen, sagte Pam, die Texte kämen ihr vor wie „the love-child of Beckett and Robert Walser". Und übrigens, fügte sie hinzu, meinten wir nicht doch *gaily sad*, was so viel wie *glücklich-traurig* heißen würde? Ich schüttelte den Kopf und wünschte insgeheim, es wäre so. Vielleicht wollte ich weniger allein mit dieser Sprache sein? Pam schaute skeptisch und setzte hinzu, alle englischsprachigen Leser würden *galy* sicher für einen Tippfehler halten. Oh, dachte ich, um einen Fehler handelt es sich gewiss. Einen Webfehler, der die Struktur der Sprache und ihre Durchlässigkeit auf andere Sprachen zu Bewusstsein bringt, der, mit anderen Worten, Schreiben erst möglich macht. Für Aichinger ist dieser Entfremdungsprozess, der „die eigenen Worte wieder zu sich selbst bringt", Voraussetzung dafür, dass Schreiben zu einer Wirklichkeit vordringen und sie darstellen kann.[28]

Aber was heißt es, dass die Worte zu sich kommen? Stimmt es eigentlich, dass die Sprache da allein spricht? Ist doch jeder dieser Webfehler im Grunde ein (visuelles, klangliches) Stottern, und im Stottern multiplizieren sich die Sprachen, weil sie unvollendet, im Zustand der Möglichkeiten bleiben. So wird das dem Deutschen irgendwie *gallig* scheinende Fremdwort *galy* im Englischen immer auch – und sei es noch so schwach – sein glückliches Geisterwort *gaily* enthalten, obwohl das „i" verschwunden bleibt. Das Wort, könnte man sagen, ist im doppelten Sinne fremd – es gehört einer *nicht-bekannten* und einer *anderen* Sprache an.

Dieses spannungsvolle und entfremdete Verhältnis zur Sprache, dem Aichinger in Texten wie „Meine Sprache und ich" („Meine Sprache ist eine, die zu Fremdwörtern neigt."[29]) und in Interviews Ausdruck gegeben hat, erinnert mich an Jacques Derridas autobiografisch gefärbte Arbeit *Le monolinguisme*

27 Ilse Aichinger: Bad Words. Selected Short Prose. Translated by Uljana Wolf and Christian Hawkey. London, New York, Calcutta 2018.

28 Ilse Aichinger: Interviews (wie Anm. 25), S. 34.

29 Ilse Aichinger: Eliza, Eliza. Erzählungen 2. Frankfurt am Main 1991, S. 198. In den folgenden drei Essays abgekürzt zitiert mit „EE" und Seitenzahl im Text.

del'autre (Die Einsprachigkeit des Anderen) über die komplizierte Beziehung, die Derrida als algerischer Jude mit der französischen Sprache einging. Auf verschiedene Weisen war die Sprache, die er hatte, nicht seine eigene: Sie kam vom weit entfernten Muttersprachenland übers Wasser; sie wurde den algerischen Franzosen 1940 mitsamt ihrer Staatsangehörigkeit vom Vichy-Regime entzogen; und sie war für Derrida vor allem Schriftsprache, die Norm und Distanz verkörperte. Die Verbotserfahrungen prägen Derridas Ausspruch „Ich habe nur eine Sprache, und sie ist nicht meine", was wie eine zugespitzte Version des slapstickhaften Picknicks in Ilse Aichingers Prosatext „Meine Sprache und ich" anmutet. Da das behauptete *Haben* einer Sprache für Derrida immer schon eine usurpatorische kolonialistische Geste darstellt, kann die eigene Wirklichkeit der ent-eigneten Sprache nur immer wieder exemplarisch sagend gezeigt werden.[30]

Aichingers *Schlechte Wörter* sind insofern vielleicht in einer Sprache geschrieben, die nicht nur zu Fremdwörtern neigt, sondern sich durch *Anderssprachigkeit* per se auszeichnet. Eine Anderssprachigkeit, die die körperliche, sprachliche, existenzielle Ausgrenzungserfahrung der jüdischen Autorin während des Zweiten Weltkriegs poetisch verwandelt in ein ständiges Kommen und Gehen, Verschwinden und Auftauchen von Anklängen, Changieren in der Möglichkeit der anderen Sprache, die im Grunde aus *mehreren möglichen* Sprachen besteht, die das Werk geradezu untertunneln.

Es ist sicher kein Zufall, dass Aichinger laut eigenem Bekunden in der Entstehungszeit der Texte viel Joyce und Beckett las, ebenso „Erläuterungen zu den Redensarten englischer Schulkinder" – alles Texte, in denen „Lesen und Schreiben wie Suchen und Finden sich einander bis zur Identität nähern können"[31]. Die für ihre Prosatexte charakteristische Atemlosigkeit und der

30 Jacques Derrida: Die Einsprachigkeit des Anderen oder die Prothese des Ursprungs. Übers. von Barbara Vinken. In: Anselm Haverkamp (Hg.): Die Sprache der Anderen. Frankfurt am Main 1997. Vgl. auch Christine Ivanovic: Meine Sprache und ich. Ilse Aichingers Zwiesprache im Vergleich mit Derridas *Le monolinguisme del'autre*. In: arcadia – International Journal for Literary Studies, Bd. 45, Heft 1, Oktober 2010, S. 94–119.

31 Ilse Aichinger: Interviews (wie Anm. 25), S. 19. Mit den „Erläuterungen zu den Redensarten englischer Schulkinder" könnten die unterhaltsamen Folklore-Forschungen der Opies gemeint sein: Iona and Peter Opie: The Lore and Language of School-Children. Oxford 1959. Ilse Aichinger besaß zumindest den Vorläufer: The Oxford Dictionary of Nursery Rhymes. Oxford 1951. Ich danke ihrer Tochter Mirjam Eich für die Auskunft.

zentrifugale Sprachgestus finden sich auch bei Beckett, nicht zuletzt in den „Texts for Nothing", die Beckett selbst aus dem Französischen ins Englische übersetzte. Auch wenn gerade diese Kurzprosa nicht zu Aichingers Lektüre gezählt haben sollte (sie bevorzugte die Dialoge), erscheinen sie mir – wie das „i" in *galy* – als Tunneltexte, die unter den eigenen Texten der Autorin anwesend und abwesend zugleich sind.

Auch Redensarten spielen eine große Rolle in *Schlechte Wörter*. In ihrer Volkstümlichkeit sind sie – egal in welcher Sprache – in gewisser Hinsicht der Inbegriff des „Sagenhabens", da sie Eingeweihtheit und Konsens voraussetzen, will man sie verstehen. Dieser Totalität entzieht sich Aichinger durch Anderssprachigkeit, indem sie (wie es Kinder tun würden) Redensarten beim Wort nimmt, Dinge zu unübersetzbaren Eigennamen werden lässt oder sie *entstellt*, das heißt durch Missverstehen und Verfremdung in Ähnlichkeit neue Wege des Weltverstehens *frei*stellt.[32] So werden in dem Prosagedicht „Consens" die sogenannten geflügelten Worte geradezu zerrupft:

> Die Worte der Vereinigung, he, Worte, Geflügel, abgeschieden vor der zu bestimmenden Zeit, wann sollten eure süßen Eklipsen geschlagen haben, wann gerieten sie sich in die Haare? (SW 93)

Dieses bittersüße Abgeschiedensein in der Sprache führt direkt ins Zentrum von Aichingers Schreiben. Dort sitzt auch die Maus aus dem gleichnamigen Text („Die Maus"), der am Ende das eigene Verschwundensein die Stärke ihrer Existenz offenbart: „Wer weiß, vielleicht besteht mein Jubel darin, daß ich unauffindbar bin." (EE 44) Der Jubel beim Lesen von Ilse Aichingers Anderssprachigkeit wiederum besteht darin, das Unauffindbare in der eigenen und zwischen den Sprachen bei jedem Lesen neu in Gegenwart zu übersetzen. Dieser Vorgang, so reich an Möglichkeiten, nähert das Lesen dem Schreiben an, fast so, als würde man eine neue Sprache lernen, die nicht nur anders, sondern für jeden anders ist. Warum zum Beispiel sollte das „i" in *galy sad* nicht zweimal verschwunden sein? Dann wäre das heiter gesagte (*gaily said*)

32 Auch Walter Benjamins Text „Mummerehlen" gehört zu den Surrenden: „Ich war entstellt von Ähnlichkeit mit allem, was um mich war." Walter Benjamin: Berliner Kindheit um neunzehnhundert. Frankfurt am Main 2006, S. 59f.

Nichtgesagte der anderssprachige Abdruck der Sprache, da, wo sie nicht allein, aber bei sich ist, stockend und unverlockt, die nicht reklamierte Trophäe der *Schlechten Wörter* in der Hand.

New York, April 2012

„ABGEWRACKT IN VIRGINIA, ABER WIR SIND DOCH DA"

Ilse Aichinger lesen, „Queens" und beyond

> Mary (what are you going to do?)
> Gone seven—gone eleven,
> And I'm still waiting you—
> *Hart Crane, Virginia*

I

Rückzug ist die erste Regung. Beim stürzenden Regen fangen die *Schlechten Wörter* an, bei Mary hören sie auf. Ilse Aichinger lesen, über dieses Lesen schreiben, da kann es keinen Anfang geben. *Gone seven – gone eleven.* Mary hat den Schlüssel, wir haben nur kurze Schlüsse. Wer ist Mary? Warum weint ihr? Wer gab uns diese Namen auf? Warten.

Die zweite Regung ist eine Annahme. Anzunehmen, was uns aufgegeben war. Das Rätsel, die Botschaft, das Wort. Man könnte auch sagen: Ilse Aichinger lesen heißt, das Suchen suchen wollen. „Spuren suchen ist schwer. Ich halte es für wichtig, sich zurückzunehmen, selbst auf die Gefahr hin, daß alles ausbleibt."[33] Sich aufgeben, auch das gibt sie uns auf. Die dritte Regung, der Versuch, neben jener Hand die eigene schreibende ins Spiel zu bringen: schon wieder ein Rückzug. Ruckelnder, zügiger, kleiner werdend, bis schließlich aus der Hand ein Handschuh wird, auf einem Winterfeld, und innigst in dem Handschuh wohnt eine sehr kleine Maus. Das meint warten, withdraw, ich nehme mich zurück, aber etwas nehme ich mit, with. Vielleicht ist es die Maus aus der vorhergehenden Textsammlung *Eliza, Eliza*, von der ich annehme, dass sie mit Mary verwandt ist. Verwandt in den Anfängen, die „raving mad" sind, wie es in „Albany" heißt (SW 49). Ein Handschuh auf dem Feld, noch der „Nähfaden" (SW 97) dran, das heißt Vermutungen, und alles untertunnelt. Die Stimme der Maus sagt: „Hier ist wenig Raum, aber Richtungen gibt es und sie sind unbegrenzt." (EE 41)

II

Vielleicht denke ich auch an ein Winterfeld und einen Handschuh, weil auf diesem Feld Schnee liegt und der Handschuh mir einen Fingerzeig in die

33 Ilse Aichinger: Interviews (wie Anm. 25), S. 70.

Tunnel gibt. Vielleicht denke ich „Schnee“, weil dieser mit dem „Heu“ aus „Queens“ verwandt ist. Beide, Heu und Schnee, so gibt es uns der später entstandene Text „Schnee“ auf, sind Wörter, von denen es nicht viele gibt. Sie sind Wörter, weil sie verlässlich sind in ihrer Nicht-Identität: „Es gibt nicht viele, die nicht bezeichnen, womit sie eins sind, weil sie es nicht bezeichnen. Die nicht eins sind mit dem, was sie nicht bezeichnen, weil sie damit eins sind.“[34] Vielleicht ist auch das englische „Queens“ so ein Wort. Immerhin hat es wie Schnee sechs Buchstaben, davon teilen sich beide Worte vier. All dies sind Annahmen. Sie gehören zu Ilse Aichingers Sätzen, die denjenigen, der sie angenommen hat, nie verlassen. Man verlässt sich ab jetzt auf sie, auch wenn die Annahme noch lange kein Verstehen im herkömmlichen Sinne bedeutet. Viel eher ist es so, dass einen alle anderen Annahmen verlassen haben – Sinn, Herkömmliches. Ließe sich nur ein im herkömmlichen Sinne stimmiger Satz formulieren, müsste die Stimme aus dem Handschuh verstummen. Denn was da herkommt, woher kommt es denn, was da stimmt? Aus jenem *So ist es eben*, gegen das Ilse Aichinger ein Leben lang anschreibt. Wer dieses Schreiben annimmt, kann viel daraus lernen. So, dass man etwas zu sagen haben kann, aber nicht das Sagen haben sollte. Lieber sollte man das Sagen lassen können: „Lassen, lassen, die Fragen lassen“, heißt es in „Wisconsin und Apfelreis“ (SW 75). Ein im woherkömmlichen Sinne stimmiger Satz könnte dennoch sein: Ilse Aichinger lesen ist unerlässlich. Eine unaufhörliche Übung im Nichtverstehen, in der Skepsis gegen das Verlässliche, Verständliche, Vereinbarte. Logbuch eines Lesens, das sich in Skepsis übt, einer Übung, die sich in Skepsis einliest. Es zieht an allen Ecken und Enden, ein Handschuh ist ein kläglich dichtes Haus.

Es ließe sich auch so sagen, mit dem zweiten Absatz von „Queens“: „Lies, lies, die flachen Sträucher, welche Art welcher Farbe, im Wortlaut welcher Hälften“ (SW 97). Wir, die hier lesen, verzweigen uns, versträuchern. Wir, das ist nicht der majestätische Plural. Wir sind nicht verwandt mit „Queens“, wir sind verwandelt. Die eine Hälfte von uns weiß, man kann Ilse Aichingers Werk als Gegenanleitung lesen, als Anleitung zum Gegenlesen, und Gegenleben.

34 Ilse Aichinger: Kleist, Moos, Fasane. Frankfurt am Main 1991, S. 113. „Schnee“ entstand im Dezember 1975, vier Jahre nach „Queens“ und noch in unmittelbarer stilistischer Nachbarschaft oder Verwandtschaft mit den *Schlechten Wörtern*, wurde aber erst 1987 veröffentlicht.

Die andere Hälfte weiß um die Gefahr, man könnte sich beim Schreiben aus dem Gegenlesen nicht entlassen, man läse gar ihr Werk als Schreibanleitung. Eine Gefahr, die auch über diesem Text schwebt. Die dritte Hälfte schließlich – denn die gibt es, die ist der ungestillte Rest – muss sich eingestehen, man könnte am Ende das Gegenlesen nicht heil überstanden haben. Die Texte von Ilse Aichinger, ihre Volten, ihre Haken, die engmaschigen, die enigmatischen Wortwörtlichkeiten, zwingen uns in eine alarmierte, dauerhafte Präsenz. Alles ist uns gegenwärtig: das Wort, wie es nicht mehr sein soll und also nie war, das unterhöhlte und also das neue Wort. Und unter jedem Wort, vermutlich, weit verzweigte Tunnel, ein Netz aus Andeutungen, Erinnerungen, Figuren, Spuren. Ich sage vermutlich, weil ich nicht weiß, ob wir den Mut haben, einem nicht untertunnelten Wort standzuhalten. Ob wir mit der ungetrösteten Wortwörtlichkeit leben können. Ob wir wirklich fähig sind, uns bis zu dem Ende vorzudenken, von dem aus bei Ilse Aichinger alles anfängt. Wir wissen, wir haben lesend erfahren, dass in dieser schmerzhaften Gegenwärtigkeit alles zerfällt, was der Fall ist. Und der Leser, der wir sind, muss es lassen. So ist dieses Lesen Subversion. Ist dieses Schweigen Leben. Und vonnöten dieses Schreiben, in Virginia oder auch dem „Friedhof von B.": „Wir sind noch hier, wir können noch von einer kleinen Volte in Schrecken versetzt werden" (SW 69).

Was, wenn ich den Kopf in den Schnee stecke und ihn lese? Kann ich ihn verstehen? Von der kristallenen Klarheit brennen meine Ohren. Ich fühle den Impuls zu flüchten, zurück ins Herkömmliche, ins Haus, ich nehme mich, wie die Maus, in Einzelheiten wahr, ich will wahrhaftig wieder Sinn stiften. Stifte! Nähte! Es muss doch irgendwo zusammengehen. Ich klammere mich an Handschuhränder, Höhlenfolgen, an die ganz und gar kindliche Hoffnung, die genauso gut die Hoffnung der Erwachsenen ist, es gäbe in diesen ganz konsequenten Abfolgen von Sätzen, in diesem bestechend logischen Röhrensystem, das von jedem Wort abzweigt, einen Zusammenhalt. „Spuren suchen ist schwer." Ja, ich will, ich muss sogar, den *Schlechten Wörtern* auf die Spur kommen. Ich suche Spuren, als sei ich rasend, ich bin es, wenn ich die Prosagedichte „Albany", „Dover", „Surrender" oder „Queens" lese. Jedes Wort alarmiert mich: Ist es nicht ein Zeichen, das mich besänftigen könnte, wenn ich nur seinen Rückhalt erriete? Ist es nicht ein Trost? Kann „Hemlin" nicht wieder eins werden, wenn ich es nur richtig anstelle, richtig lese? So ertappe ich mich im eigenen Dunkel, das nicht verschieden ist von Helligkeit, nur aus Angst vor der Angst noch vermeint, ein Text könne so lange dunkel sein, bis man ihn aufschließt. Als wären Ilse Aichingers Texte nicht beyond: „Obwohl beyond kein Ort ist. Oder wahrscheinlich keiner ist." (SW 41) Als bedürfe es einer Erklärung. Als wäre nicht, andererseits, die Vorstellung, man verstünde dies alles im Nichtverstehen, man begründete es hier und da, man stünde daher drüber, ebenso eine Illusion.

Und doch fürchten wir den schwachen Trost mehr als die Trostlosigkeit. So weit sind wir schon gekommen. Fürchten uns vor unserer eigenen Schwäche, lesend die Einheit wiederherstellen zu wollen. Und auch davor, die wollenen Schichten des Handschuhs zu durchnagen, offenzulegen diesen rückläufigen Traum vom Haus. Unser heißes Verlangen nach Vereinnahmung, das uns manchmal überkommt, in jener Vereinsamung, die Aichingers Schreiben in uns auslöst, wenn wir die ersten wachen Schritte wagen nach *beyond*. Wir verstehen, dass wir uns noch davor fürchten, so verletzlich zu sein. Und scheuen uns, diese Furcht hier einem Leser aufzugeben. Denn ist sie nicht privat? Aber was heißt denn privat? Heißt es nicht eigentlich von mir aus und „rund um mich herum" wie in „Meine Sprache und ich" (EE 198), also von dort, wo doch klar ist, karg und klar, dass privat neben „Privas" (SW 45) liegt, also am Äußersten? Also in der Sprache, die zur Anderssprachigkeit neigt. Also wollen wir auch bis ans Äußerste gehen, wollen uns eingestehen: dass wir Spuren gesucht und gefunden haben, dass wir erfunden haben, was wir suchten, und dass wir am Ende genauso heillos waren wie zuvor, nur näher am Text, also am Ende. Dass uns dieses Ende aufgegangen ist, als wir uns gehen ließen, und dass wir ankamen bei den „Queens".

II

> Wahlverwandt, geglückt, die Schwindelerreger reihen sich aneinander, uses my wife for sewing, das Kettenhemd wächst, läßt sich bald einhaken, die Legende eine Leseanleitung, ein Nähfaden für die Unsterblichen, für ihre gebrechlichen Finger, entwichen, ausgefädelt, nein, nein, so nicht, wir haben uns gleich wieder, wir sind vollzählig, da, doch da, abgewrackt in Virginia, aber wir sind doch da. (SW 97)

So lautet der Anfang des Prosagedichts „Queens“. Aneinandergereiht, war da was, gehakt, wahlverwandt vielleicht mit den Königinnen, wenn „Queens“ denn welche sind. Und jedes aufgefädelte Wort stimmt, hat seinen Platz in diesem Absatz, zieht das Andere nach sich wie auf einen Faden, von dem wir uns leiten lassen wollen, zunächst. Alles ist von bestechender Präsenz, eine Textur, ein Tuch, dem man beim Entstehen zusehen kann, Stich für Stich. Alles will man glauben, auch sich wieder ausfädeln lassen, bis plötzlich: Virginia. Ich kann mir keinen Reim auf Virginia machen, aber Virginia reibt mich auf. Ein wenig später, und Mary fädelt sich ein: „Lebe jetzt nur wohl, Mary, lebe wohl, es war hübsch, dir zu dienen, du hast passiert.“ Wer ist Mary? Wer gab uns die Namen auf? Ich kann mir keinen Reim auf Mary machen, es sei denn *vary*, alles schwankt, verändert sich, verfliegt. Verfängt sich im nächsten Haken: „Dreiachtundsechzig ist eine gute Nummer, die bleibt nicht, nimm sie ruhig.“ (SW 97) Gut, dann nehme ich sie. Und als ich weiter hinnehmen will, dass Virginia, Mary, Kettenhemd und Heu gute Nummern sind, dass jedes von ihnen, wie es im dritten Absatz heißt, ein Wort ist „für den, der es eins sein läßt“ (SW 97), und dass diese Worte passen wie ein Hemd, wenn man es eins sein lässt, weil sie alles sind, was es gibt, weil weiter hinaus die Worte auf nichts deuten als auf diese Gegenwärtigkeit – eben in diesem Moment landet ein Kranich in Queens.

Hart Crane, ein amerikanischer Lyriker, der in seinem Poem *The Bridge* der Brooklyn Bridge und der Geschichte Amerikas ein Denkmal setzen wollte. Hart Crane, der, auf der Rückreise von einem Guggenheim-Stipendium in Mexiko nach New York, 1932, von Bord des Schiffes in den Tod ging. Oder, wie es Günter Eich in seinem Gedicht „Hart Crane“ übersetzte: „Mich überzeugen / die dünnen Schuhe, der / einfache Schritt über Stipendien / und Reling hinaus.“[35] Auch Eich denkt vom Ende her, hier freilich von eines anderen Ende. Die erste Vorstufe zu diesem Gedicht enthält die Zeilen: „Ausgezogene Schuhe. Ein Stilleben von / kaputten Birnen, jetzt / fallen wir.“[36] Ilse Aichinger stellte ihrer Prosasammlung *Eliza Eliza* ein Zitat aus dem Hart Crane-Gedicht „Passage“ voran: “My memory I left in a ravine,—/ Casual louse that tissues the buckwheat, / Aprons rocks, congregates pears

35 Günter Eich: Gesammelte Werke. Bd. 1: Die Gedichte. Die Maulwürfe. Frankfurt am Main 1973, S. 167.

36 Ebd., S. 275.

/ In moonlit bushels / And wakens alleys with a hidden cough.“ (EE 9) Eine Spur? Vielleicht, dass die Erinnerung, jene vorwitzige Laus, die mit ihrem winzigen Husten ganze Alleen wecken kann, eine entfernte Verwandte ist von Aichingers Maus, gewiss jedenfalls von jenem schluchtversteckten Kichern, das ihr auch zu eigen ist. Und weiter? Vermutungen, Passagen. Ein leiser, schöner Moment, der verrät, wie nah Ilse Aichinger und Günter Eich lasen. Wir werden hellhöriger. Wir lesen weiter. Am 1. November 1968, Ilse Aichingers Geburtstag, widmet ihr Günter Eich das Gedicht „Cutty Sark“, das sich auf das gleichnamige, dritte Kapitel von Hart Cranes *Bridge* bezieht.

Cutty Sark,
ein Motiv
einige Jahre lang
nicht entscheidend,
nicht überraschungslos –
aber jetzt gelöst:
Greenwich und die Etymologie,
schottische Sage, Hart Crane,
– nun können wir ihn als Whisky trinken
und wieder geheimnisvoll machen.
Daß es künstliche Geheimnisse gibt,
wollen wir tröstlich finden:
Ein Motiv nachzeichnen,
während andere
ihre Umrisse noch
verborgen halten.[37]

Wir wollen Geheimnisse sammeln, auch künstliche, wir schlagen heute schneller nach. Paar Tasten, und die Umrisse sind gezeichnet. Cutty Sark, der einzige erhaltene britische Dreimaster, der am 23. November 1869 in Schottland vom Stapel lief und jetzt in Greenwich, London, liegt. Cutty Sark, Hart Cranes liebste Whiskeysorte, mit eben jenem Segelboot auf dem Label, ein Motiv, ein Name. Cutty Sark, eine Wendung aus dem Lowland Scots, bedeutet *kurzes Hemd*. Unnötig zu sagen, dass die Gallionsfigur eine Dame

37 Ebd., S. 280.

im kurzen Hemdchen darstellt. Ein Hemd, wir wollen es lassen, diesmal für später. Wir lesen weiter, und der Faden rollt sich ab. Die Frage ist nicht, was es heißt, die Frage ist, wie lesen wir. Weiter. Wir finden, im fünften Kapitel von *The Bridge*, dieses Gedicht:

Virginia

O rain at seven
Pay-check at eleven—
Keep smiling the boss away,
Mary (what are you going to do?)
Gone seven—gone eleven,
And I'm still waiting you—

O blue-eyed Mary with the claret scarf,
Saturday Mary, mine!

It's high carillon
From the popcorn bells!
Pigeons by the million—
And Spring in Prince Street
Where green figs gleam
By oyster shells!

O Mary, leaning from the high wheat tower.
Let down your golden hair!

High in the noon of May
On cornices of daffodils
The slender violets stray.
Crap-shooting gangs in Bleecker reign,
Peonies with pony manes—
Forget-me-nots at windowpanes:

Out of the way-up nickel-dime tower shine,
Cathedral Mary,
shine!—[38]

38 Hart Crane: The Complete Poems. New York, London 2001, S. 21.

Eine Spur? Antwortet Ilse Aichinger, via Hart Crane, auf die Motive in Günter Eichs „Cutty Sark"-Gedicht? Oder auf ein anderes? „[A]nd Mary means: / der Mett heiligt die Zwickel" schrieb Günter Eich in dem Gedicht „Und Wirklichkeit" Anfang 1966.[39] Ist Mary ein Wort wie Heu und Schnee? Welches Lesen heiligt welchen Kitt? Es ist wohl nichts gesagt, als dass ich Aichinger lesend meinen eigenen Text schreibe, mich verhake, Fäden sticke, mich sinnstiftend verstricke. Anstatt mich ausfädeln zu lassen, will ich zusammenlesen, was vielleicht nicht zusammenzulesen ist. Da ist Mary, eine Angestellte in New York, auf die das Gedicht wartet, *what are you going to do?* Da ist Saint Mary the Virgin, eine Kirche am Times Square, deren offizielle Geschichte beginnt, als das Gründungszertifikat der Gemeinde vom Obersten Gericht des Staates New York akzeptiert wurde, am 3. Dezember 1868. *Dreiachtundsechzig*, eine gute Nummer? Nein, keine Nummer, die bleibt nicht, wir wollen sie lassen. Wir wollen die Kirche im Dorf lassen, weit entfernt von Bleecker Street, weit entfernt von Prince Street. Und doch sind wir da, doch da, „abgewrackt in Virginia". Ein Name, ein Bundesstaat, eine Kolonie, die zu Ehren der englischen Königin Elizabeth I., the Virgin Queen, so benannt wurde im Jahr 1584, drei Jahre bevor Elizabeths Widersacherin, die Katholikin Mary, Queen of Scots, mit drei rohen, ungeschickten Schlägen auf dem Schafott enthauptet wurde. Namen, Listen, Warten, Nichts.

III

> Lebe jetzt nur wohl, Mary, lebe wohl, es war hübsch, dir zu dienen, du hast passiert. Hier sind zwei flache Stufen, gib acht, gleich geht es abwärts, aber nicht für lange, leicht abwärts, so wie du es wolltest und nicht für lang, die Nelken warten, fall nicht, vergib, was sich dir bietet, laß die Hemden im Abfall, don't look back, schon wieder, das schleicht sich ein, back, back, der Blick ist gut, der Rat auch, drum schau nicht, horch nicht, Mary, geh. (SW 97f.)

Der vorletzte Absatz. Jetzt sind wir bei Mary Stuart, oder nicht? *Don't look back* – gilt das uns, gesagt in der wahlverwandten und für Aichinger zwillingsverwandten Fremdsprache, die allen Worten am nächsten scheint, rund

39 Günter Eich (wie Anm. 35), S. 165.

um sie herum? Gilt es Mary? „Ihr seid im Irrtum, wenn Ihr glaubt, / Die Königin bedürfe unsers Beistands, / Um standhaft in den Tod zu gehn!"[40] In Schillers Fassung ist es Maria Stuart, die sich verabschiedet. Als alle anderen in Schrecken und in Scham verstummen, verteilt sie Lebewohls. „Lebt wohl! Lebt wohl! Lebt ewig wohl!" Auch steigt sie die Stufen zum Schafott hinauf, doch nicht allein, ihre Amme Hanna ist bei ihr, manche sagen auch, ihr Hund. Und unterm purpurnen Mantel der Märtyrerin soll sie ihr Stundenbuch getragen haben. Zuvor hatte sie ihr Testament geschrieben, die Perlen gingen an die Damen. Der treuen Hanna überreicht sie ein Tuch: „Ich hab's mit eigner Hand / Für dich gestickt in meines Kummers Stunden / Und meine heißen Tränen eingewoben."[41] Im Übrigen sagt man, in das Tuch seien folgende Worte eingearbeitet gewesen: En ma Fin gît mon Commencement. In meinem Ende ruht mein Anfang. Vielleicht ist Mary Stuarts Geschichte auch in Aichingers „Queens" eingearbeitet? Doch was immer der Text uns mit dieser Mary aufgibt, welchen Nähfaden er ausrollt, damit wir uns lesend etwas Sinn zurechtschneidern – der nächste, der letzte Absatz trennt es wieder auf:

> Das soll kein Ende sein, wenn es eins sein soll, Enden genug, längsseits und längsseits, zu Füßen und zu Füßen, wenn du willst, Endlein, vierzehn Schnipsel, synthetics, Perlen und Teufel, das macht sich, Mary, das glaubt jeder, wie das vom Tisch fährt, laß die Enden tanzen, bis sie rund sind, Ecken und Enden rund mit Ringelschwänzen, bis man sie eintreibt, unsere guten Freunde, in das durchtränkte Buch, auf das wir schwören. (SW 98)

Nichts endet. Alles stimmt sich aufeinander ein. Enden hatte das Leben der Mary Stuart genug. Mit einem Ende hatte es begonnen. So soll nach ihrer Geburt der Vater, King James V. of Scotland, über sein Reich prophezeit haben: „The devil go with it! It came with a lass, it will pass with a lass!" Teufel und Perlen, wie sich das auf eine Kette reiht, und trügt und täuscht und shines, shines! Und das durchtränkte Buch, ist es voll Blut gesogen, nach den ungeschickten Schlägen, die zuerst Marys Schulter zertrümmerten, ist es ihr Stundenbuch? Bei Aichinger treffen wir auf eine Mary, der Lebewohl gesagt wird, der gesagt wird, sie lebe hier wohl. Die Stufen, die sie einst

40 Friedrich Schiller: Ausgewählte Werke. Bd. 3. Berlin und Weimar 1988, S. 120.
41 Ebd., S. 123.

hinaufstieg zum Schafott – sie darf sie nun herabsteigen. Sie soll leben, sich nicht umschauen. Ins Lot kommt so nichts, und nichts erstarrt, alles bleibt in Bewegung, in Gegenbewegung. Eine Spiegelgeschichte, ein ganzes Spiegelkabinett, ein Spiel. Und gegen alle weiteren Versuche, Fuß zu fassen, gibt uns Ilse Aichinger einen Reigen auf, nein, einen Ringelreigen, Enden und Endlein, lässt sie auftanzen, die Enden sich in den Schwanz beißen, ein Totentanz, ein Abgesang, der zugleich sein eigener Anfang ist. Wie hieß es von dem Regen im titelgebenden Text der *Schlechten Wörter*? „Niemand kann von mir verlangen, daß ich Zusammenhänge herstelle, solange sie vermeidbar sind." (SW 12)

Und so liegen sie vor uns, die nicht hergestellten Zusammenhänge, die Königinnen, Kraniche, die kurzen Hemden, die Schnipsel aus Sinn, die kurzen Schlüsse. Eingefädelt und ausgefädelt, wieder und wieder, mit jedem neuen Lesen, das neue Konstellationen ergibt, Anfänge, die ihre eigenen Enden sind, oder Entlein, tänzelnd. Schlechte Wörter. Auf die wir nicht schwören, ohne die wir aber nicht mehr sein wollen, weil sie uns zeigen, wie man sich lesend ins Offene bewegen kann, nach *beyond*, wo wir jetzt unseren Handschuh aus dem Schnee klauben und gehen.

Berlin, September/Oktober 2006

DIE WESTSÄULENLIEBHABEREI DER ÜBERSETZUNG

Ilse Aichingers „schwache Architektur"

Schnee habe ich in Rom nur einmal gesehen. Er deckte einen Morgen lang sämtliche Risse und Schlaglöcher zu. Als er geschmolzen war, hatten sich die Risse und Schlaglöcher unter seiner weißen Inkubationshaube vermehrt, als gäbe es eine negative Brutlogik, die irgendwo am kalten, schartigen Sprachrand der Wirklichkeit Brut an Brutalität koppelt und Schnee an die Möglichkeiten der Nichtexistenz. Vielleicht glaubte ich auch nur daran, weil ich immer, wenn Schnee fällt, an Ilse Aichingers Prosatext „Schnee" denken muss. Darin weist der Erzähler empört das behäbige Adjektiv *beschneit* zurück und verteidigt das in seinen Augen einzig angemessene Adjektiv *verschneit* mit Hinweis auf die negative Etymologie der Vorsilbe *ver*: „Ver, das nicht nur die zweite Silbe des Wortes Dover ist, geht auch auf got. fra zurück, so, wenn der Sinn eines Verschwindens oder Zugrundegehens vorliegt (Die Vorsilbe Ver und ihre Geschichte, Breslau 1907) – wie sollte es da nicht tausendmal mehr als alle anderen Vorsilben zum Schnee und seinem Schneien gehören? Wer Schnee in Etymologien sucht, findet ihn, je nach der Beschaffenheit seines Suchens, nach Bürgerschule und Heimsuchung, vor Vanille und Weitsicht, vor Wehr und Waffen, nach Meerschaum und Menschentum."

Die Beschaffenheit meines Suchens, das für Verschwinden aller Art die Sinne schärft, ließ mich vor einigen Jahren damit beginnen, gemeinsam mit dem amerikanischen Lyriker Christian Hawkey Ilse Aichingers Prosaband *Schlechte Wörter* (1976) ins Englische zu übersetzen. Am Ende, das nun schon bald in Sicht ist,[42] und das doch keins ist, wird eine Auswahl der Kurzprosa der mittleren Schaffensperiode stehen, für die wir auch einige Text aus *Eliza, Eliza* (1968) sowie als Coda den später veröffentlichten Text „Schnee" von 1975 aufgenommen haben, weil dieser Text in seiner abgrundtiefen Komik und seiner widerständigen Sprachlogik viele Charakteristika aufweist, die sich auch in den Texten aus *Schlechte Wörter* finden lassen. Mit der Entscheidung, den Text zu übersetzen, lieferten wir uns einem nicht zu hintergehenden Scheitern aus,

42 Ilse Aichinger: Bad Words (wie Anm. 27).

das überhaupt unser ganzes Unterfangen, die *Schlechten Wörter* zu übersetzen, über Jahre hinweg ausmachte. Denn wie übersetzt man Texte, die sich in ihrem unbedingten Willen zur Opazität herkömmlichen Deutungen entziehen und deren Poetik darauf abzielt, wie es im titelgebenden Text „Schlechte Wörter" heißt, „die besseren Wörter" nicht mehr zu gebrauchen (SW 11), nur die zweit- oder drittbesten, um keinen Kohärenzen mehr zu vertrauen? Wie, ohne sich der Gefahr auszusetzen, in der Übersetzung ungelenk, bastardisiert, zusammenhanglos zu erscheinen? Sodass Übersetzen uns bald synonym wurde mit diesem Aussetzen der Sprache in die Gefahr ihrer gefransten Ränder. Eine Gefahr, von der jede halbwegs vernünftige oder unvernünftige Leserin Ilse Aichingers weiß, dass sie der Sprache von Anfang an eingeschrieben ist.

Viel ließe sich über die Schwierigkeiten der Übersetzung dieser Sprache schreiben, deren einzige Rettung ins Sagbare nach den grausamen Vernichtungen und Sinnschmelzen des zwanzigsten Jahrhunderts eine Poetik zu sein scheint, der „die bessere Bezeichnung eben entflohen ist" (SW 12). Besser aber, weil nämlich nur am zweitbesten, wäre es, eine andere Stimme sprechen zu lassen. Im Sommer 2017, nach einer erneuten intensiven Phase am Aichinger-Manuskript, führte Christian Hawkey ein Gespräch mit der amerikanisch-koreanischen Übersetzerin und Dichterin Don Mee Choi für die Zeitschrift *Bomb Magazine*. Es ging um Lyrik, Politik und Widerstand gegen Sprachregimes und Vereinnahmungen durch imperialistische und diktatorische Wirklichkeiten. Darin kam Don Mee Choi auch auf Ilse Aichingers Poetik zu sprechen, nachdem sie unsere Übersetzung gelesen hatte:

„Aichingers listiges Beharren auf dem ‚Zweit- und Drittbesseren' entlarvt das ‚Beste' als das, was es wirklich ist. Um das Beste zu sein, muss es brutal sein – gute Worte oder Sprachen sind nur gut, weil sie andere Worte ausgelöscht haben, eben jene ‚schwächeren Möglichkeiten', oder andere Sprachen. Sie beharrt hier auf einer Art Übersetzung, meine ich. Antihegemoniale, antikoloniale Übersetzung ist nicht der Macht treu, dem Besten, dem Brutalen, sondern besteht auf diesen schwächeren, den ‚nicht ausreichenden' Möglichkeiten. Eine Übersetzung muss untreu sein, um das bloßzustellen, was das Beste ‚verbirgt'. Eine Übersetzung darf darum auch ‚geschickt' sein.

Sie kann das Beste nachahmen. Sie kann, durch einen radikalen Schriftsteller oder Dichter, das Beste verkleidend zerfetzen."[43]

Es ist kein Zufall, dass Don Mee Choi auf die „schwächeren Möglichkeiten" Aichingers zu sprechen kommt. Seit Längerem beschäftigt sie sich mit den Möglichkeiten einer Poetologie des Scheiterns („failing") von Sprache und Übersetzung, mit der sie als weibliche, koreanische Frau, die auf Englisch schreibt und koreanische Literatur ins (amerikanische) Englisch übersetzt, ihre Kritik an der kolonialen und neokolonialen Sprachhegemonie Amerikas ins Wort bringen kann. Dichten und Übersetzen begreift Choi als unmeisterliche Interventionen, die herkömmliche Sprachmuster verfremden, verstottern und verschreiben, um die Sprache den subalternen Erfahrungen von nicht-weißen, nicht-westlichen, hybriden, von Kolonialismus und Diktatur gezeichneten Identitäten zu öffnen. Mit einem Begriff der koreanischen Lyrikerin Kim Hyesoon, die sie selbst nahezu brutal geschickt ins Englische übersetzt, beschreibt sie diesen Prozess im gleichen Gespräch als „faint architecture" , als schwache Architektur.

Es ist dieser Begriff der schwachen Architektur, der mir viele Aspekte von Aichingers „zweitbester" Sprache – ihrer auf „schwachen Auskünften" gebauten Sprache (EE 127) – im Übersetzungsversuch noch einmal kristallklar vor Augen führte. Da wären zum Beispiel auf der syntaktischen Ebene die unzuverlässigen Scharniere aller möglichen Pronomen, deren Verweisgestus sich selten von selbst versteht. Vielmehr erscheint die deiktische Geste wie vorgeführt, taucht oft in Momenten auf, wo ein nicht angezeigter Sprecherwechsel stattfindet (zur indirekten Rede der Anderen). So wird das eigentlich „selbstverständliche" Bezugnehmen der Sprache als Herrschaftsgeste eben dieser Sprache der Anderen offenbart, die stets bestimmen, welche Bezüge zu gelten haben. („Ihr finsteres heimliches L. Das wars. Das wäre es gewesen. Aber das ist es nicht. [...] Das ist so." SW 57). Auf der semantischen Ebene finden wir die Verstümmelung von Redeweisen und geflügelten Wendungen durch Wörtlichnehmen oder verfremdendes Wiederholen, wodurch völkischer Common Sense und unhinterfragtes Übereinkommen im Sprechen

43 Don Mee Choi und Christian Hawkey, Bomb Magazine, veröffentlicht am 15. Januar 2018, Link abgerufen zuletzt am 5. Januar 2020 (meine Übersetzung): https://bombmagazine.org/articles/don-mee-choi-and-christian-hawkey/

zurückgewiesen werden („Die Worte der Vereinigung, he, Worte, Geflügel, abgeschieden vor der zu bestimmenden Zeit“, SW 93). Auf der bildlichen Ebene begegnen uns vielfach Beschreibungen von versteckten und abseitigen Konstruktionen, als da wären die „gezuckerten Milchflecken“, die die „Vertikale“ verändern und die „Hierarchie“ ins Schwanken bringen („Flecken“, SW 15), oder die instabile Mentalität nicht nur von „ausländischen Balkonen“ („Zweifel an Balkonen“, SW 19) oder die „Materialbänke und Materialtische“ der Unterwelt („Ambros“, SW 38) oder die „Wandschränke“, die eigentlich „Durchstiege“ waren, obwohl „niemand mehr durchkam“ („Rahels Kleider“, SW 61). Und natürlich sind da die fragwürdigen Westsäulen aus dem Text „Die Liebhaber der Westsäulen“: „Sie stützen ohnehin nichts als den Himmel, der sich seit langem schon allein abgesichert hat.“ (SW 27) Auf diesen Westsäulen – die ich übrigens eines Tages in Rom auf dem Forum Romanum wiederzuerkennen glaubte, weil auch und gerade in Rom neben jeder grauen Säule „gründlich bebaute Schlachtfelder“ (SW 26) zu finden sind – liegt in Aichingers Text auch Schnee. „Der Schnee. Er ist zu wenig kalt. Wäre er kälter, er ließe den Westsäulen die Form, festigte sie, umschlösse sie für immer und verginge nicht schon unter der schwächsten Sonne. Aber so wie er ist, läßt er nur Sprünge zurück, beschleunigt die Untergänge, die den Gekaderten nichts ausmachen, sondern wieder nur den Außenseitern, die den Beginn der Unerträglichkeit erfunden haben.“ (SW 25)

Zählen nicht Übersetzer, die solche Texte übersetzen, ohne Zweifel zu diesen Außenseitern, zu denen, die der Sprache auf ihre vom Schnee zurückgelassenen Sprünge verhelfen? Ist nicht die spätnächtliche Suche nach einem deutenden Verweis, der die Wahl des richtigen Wortes in der anderen Sprache ermöglichen würde, verwandt mit den „zweifelnden, oft schmerzlichen, oft ungebärdigen Blicken auf den Schnee der Westsäulen“ (SW 26), mit denen Aichinger die „Liebhaber der Westsäulen“ charakterisiert? Wäre am Ende das Übersetzen dieser Texte nur ein anderer Name für die von Aichinger beschriebene, in den Augen der „Gekaderten“ ebenso obsolete wie gefährliche Form der „Westsäulenliebhaberei“?

Aber wie war das noch mit dem Schnee darauf, wie mit seinem Verschwinden, seiner Vorsilbe *ver*? Die etymologische Abhandlung aus Breslau, die Aichinger in „Schnee“ zitiert, sie gibt es wirklich, das Buch ist auch in Aichingers

Bibliothek zu finden. Unsere englische Übersetzung, wenn sie die schwache Architektur des Unterschieds zwischen *beschneit* und *verschneit* hinüberretten will, sieht sich schnell katastrophal scheitern, weil adäquate Adjektive nicht bereitstehen. Um den Text trotzdem anderssprachigen Lesern zugänglich zu machen, entschieden wir uns für die eher uneleganten Wendungen *besnowed* für *beschneit* und *encased in snow* für *verschneit*. Dabei half uns, dass *en* immerhin die erste Silbe des Wortes Englisch ausmacht, so wie *ver* die zweite Silbe des Wortes und englischen Ortes Dover ist. Zwei Hälften, die nicht zueinander kommen und sich doch in den schwächeren Möglichkeiten silbenbiegenden Schweigens begegnen. Dazu komponierten wir eine winzige etymologische Schleife und eine nicht existierende Quelle:

> En-, the first syllable of English, goes back to Middle English and Old French, so when there is the sense of 'to cause (a person or thing) to be in something' (The Prefix En- and Its History, Boston, 1907)—how should it therefore not belong to snow and snowing a thousand times more than any other prefix? Whoever searches for snow in various etymologies will find it, depending on the nature of his search, after infestation and secondary school, and before vanilla and view, before wall and weapon, after horizon and humanity.

Uns war nicht wohl damit, eine erfundene Quelle anstelle einer existierenden zu setzen. Was wäre die Alternative gewesen? Breslau stehen lassen mit seiner vergangenen Strahlkraft als intellektuelles zweites Berlin Preußens? In dem dann also Bücher mit englischen Etymologien erscheinen würden? In dem der polnische Name Wrocław, den die Stadt seit 1945 führt, nicht anwesend wäre? Oder lieber gar keine Quelle nennen? Also ein einfaches Verschwinden wählen statt des nun doppelten (in der Übersetzung und der „falschen" Übersetzung)? Wir wählten stattdessen eine Westsäulen-Entscheidung. Wählten die Stadt Boston, Verlagsstadt, literarische Stadt, ein Ort mit „B" – denn ein solcher musste es sein, der Wörter-Logik des Textes folgend –, ein Ort, der mit dem Beginn Amerikas zusammenfällt und damit auch dem Beginn des sich ausbreitenden, indigene Sprachen überdeckenden Englisch. Es wird jedem klar, wie unglücklich das ist, wo doch in unserer Übersetzung das Verschwinden verschwindet. Oder, wie uns aufmerksame Aichinger-Leser*innen wissen ließen, unser Verschwinden sogar das Verschwinden des indianischen Ortsnamens Shawmut überdeckt, ja nicht einmal erwähnt. Alles unglücklich wie die „schäbigen Blechreste" der Liebhaber der Westsäulen, die „eine Art Idiotie" hervorgebracht haben muss. Im Scheitern am verschneiten Schnee wurde unsere Übersetzung zu einer zweit- oder drittbesten Lösung, einem schlechten Wort. Vielleicht könnte man sagen, die Übersetzung wurde Schnee auf dem Original, eine Inkubationsdecke, die das Beste verbirgt, die Brüche und Schlaglöcher der Sprache still vermehrt, ohne sie aber, paradoxerweise, vollends zuzudecken. Die Aufgabe der Übersetzer wurde uns an dieser Stelle zu einer schwachen Architektur, einer Art untreuer, aber liebender Art Brut zwischen Sprachen.

Rom, Juni 2018

III

In die Karten geschaut

Topografien

III

IN DIE KARTEN GESCHAUT — TOPOGRAFIEN

IM GEDÄCHTNIS DER WÄLDER

Zum Peter-Huchel-Preis 2006

bis eine Nebelwand
ihn zögernd aufnahm,
eine Höhle, bewohnbar.
Peter Huchel, Der Kundschafter

Vertraut mit den Gewohnheiten großer Wälder bin ich nicht. In Marie Luise Kaschnitz' *Beschreibung eines Dorfes* wäre ich jene *Waldunkundige*, für die ein mit Lärchen, Weißtannen und Fichten aufgeforsteter Ort *eine Wildnis darstellt*. Dass ich heute dennoch zu danken habe für den Preis im Namen eines Dichters, der von den *Wahrsagern des Waldes* sprach, hat mit der Beschaffenheit der Wälder zu tun, von denen hier die Rede sein soll, deutsche Wälder zumal, und von den Wäldern im Gedicht.

Die Natur ist für mich etwas sehr Grausames ... Ich habe eine Kindheit auf dem Lande verlebt, und die Natur war für mich die vom Menschen veränderte Natur, berichtet Peter Huchel einundsiebzigjährig seinem Interview-Partner Karl Corino. In der Welt der Kindheit, dem *Urgrund* der Worte, fand das erste entscheidende Leseabenteuer statt, *die grünen Bände des Forst- und Jagdarchivs von und zu Preußen* aus dem Schrank des Großvaters. Sie eröffneten kostbares Wissen über Fuchsjagd, Fallen, Waffen, Aussaat von Kienäpfeln und gaben jenes sprachliche Rüstzeug, ohne das viele der Bilder Huchels nicht ihre sorgfältige Sprengkraft entfalten könnten.

Tellereisen legen,
das Aufspüren des Marders bei frischem Schnee,
das Stellen von Reusen im Mittelgraben,
das war sein Metier.

Für die Auerhahnjagd
die curische Büchse.
Sie schoß ein Blei,
das nicht stärker als ein Kirschkern war.

Er pirschte mit dem Jagdhund voraus,
ich verkroch mich in den blakenden Abend,
sah über der verschneiten Eiche
am Himmel den Hirsch bluten.

Das *Tellereisen* und die *curische Büchse* legt Peter Huchel in dem Gedicht „Mein Großvater" eben jenem in die Hand. Das Ich des Gedichts aber blickt, unbewaffnet, durch den Wald hindurch, über ihn hinaus, sieht durch die Kulisse der Macht den Schmerz des Menschengemachten, sieht immer wieder die Spur des Gejagten, die Verletzlichkeit der Stille.

Landschaft hinter Warschau

Ein Hügel raucht,
Als säßen dort noch immer
Die Jäger am nassen Winterfeuer.
Wohin sie gingen?
Die Spur des Hasen im Schnee
Erzählte es einst.

Ob entlang der Kriegs- und Nachkriegschausseen, im märkischen Dickicht oder an den Stränden südlicher Inseln – *in der Blutspur der Buche* liest sich das durchwanderte Europa, liest sich das durchlebte Jahrhundert der Verdunkelung ab. In jeder mit sparsamen Zeichen skizzierten Landschaft klafft am Rand der Sprache der Hallraum versagter Menschwerdung auf, in dem auch der Dichter zu verschwinden droht. *Raunender Wald mit tröstendem Munde, / aber es spinnt dich das Finstere ein*, heißt es in dem Gedicht „Deutschland". Und doch ist in den Versen Peter Huchels nichts verdunkelt. Die lang nachklingenden Zeilen, die er dem Finsteren entreißt, sie bestechen mit jenem *hellen Zauber*, der wenig mit Magie, viel aber mit Genauigkeit und Verantwortung gegenüber jedem einzelnen Wort zu tun hat. Was in der *Transparenz des Mittagslichts* nicht Bestand hat, es wird nicht gesagt. Auch nicht in jenen neun Jahren karger Isolation, als die Kulturfunktionäre und Jäger des Landes DDR Peter Huchel einschlossen, als ihm die Einsamkeit nichts anderes übrig ließ, als *dem Schweigen ein Wort abzuringen* – und sei das Wort eine Falle im Wald:

Gefangen bist du, Traum.
Dein Knöchel brennt,
Zerschlagen im Tellereisen.

Es ist die Verletzlichkeit *in der Mitte der Dinge*, jene untröstliche Hellsichtigkeit, die hinter einem Baum die Banalität des Bösen ahnt, der ich in Huchels Landschaften begegnete und die ich auch als Waldunkundige zu lesen vermag.

Wie aber kam ich in diesen Wald und wie kam der Wald ins Gedicht? Ich habe keine Kindheit auf dem Land verlebt, und doch schrieb ich mein erstes Gedicht unter einem Baum. So profan das klingt, war es nicht selbstverständlich, denn Bäume, die sich (wie ich damals dachte) zum Gedichteschreiben eignen, musste man erst suchen hier in Hellersdorf, dem jüngsten Neubaugebiet im Osten Berlins. Abseits der Wohnblöcke, an der Wuhle, einem flachen Dümpelstrom, hielt sich ein lichtes Baumstück aufrecht, nicht Wald, nicht Park, eher eine gebeutelte, gerupfte Gegend. Es regnete. Ich war natürlich aufgewühlt, ich weiß nicht mehr, wovon, ich war vielleicht dreizehn, vierzehn Jahre alt, und aus einem Vorrat vor-individueller Erfahrung oder einem schon irgendwo angelesenen Reflex heraus suchte ich Schutz unter einem Baum. Raue Rinde, breites Blätterdach, ein dicker Stamm, der tief, viel tiefer als ich, mit der Erde verwurzelt schien.

Da saß ich nun hin. Neben mir im Trampelgras zerschrammte Coladosen, Zigarettenstummel, der Boden aufgeweicht, das Blätterdach undicht, die Kälte zog forsch in die Glieder. *Der nicht zu Ende / geschlagene Kreis aus Nadeln und Nässe* – hier nahm er nicht einmal seinen Anfang. Die Dose, das sollte mein Zeichen nicht sein. Und immer konnte jemand durchs Gebüsch getrottet kommen, nicht fern war die sogenannte „Irrenanstalt“, hinter jedem Strauch wucherte der Schatten eines Kinderschänders, vor dem man uns warnte, oder es konnten kommen die blockstrammen Jungs aus der Nachbarschaft, um ihren Stammplatz einzunehmen, für was da Abhängen war, Abreiben, Kräftemessen. Der Abstand zwischen mir und jenem Baum wuchs, es schoben sich Schemen dazwischen, eine vielleicht irr-, vielleicht urtümliche Furcht nistete sich ein und wollte nicht wieder verschwinden. So wurde Wald in meiner Fantasie zum Gegenteil einer unbemannten Gegend, ein Ort, immer schon von Menschen besetzt, deren Spuren ich las.

Eine andere Erfahrung: Großvater, der uns Kinder mit auf Pilztouren in die Wälder nahm. Was mir blieb von diesen Expeditionen ins Unterholz, sind nicht die Pilze, keine Namen, fern nur das weiche Moos. Unbeschreiblich aber das Knacken der Zweige im Zwielicht und das Echo dieses Geräuschs zwischen den Stämmen – da war ein durchlässiger Raum, der uns dennoch umschloss, abdichtete, und dessen Regeln ich nicht kannte, dessen Grenzen ich ständig verletzte – Spinnenweben zwischen den Stämmen, die unsichtbare Vernetzung einer fremden Welt, in die ich eindrang, in die ich immer wieder lief, lief, blind, wie ich war, fluchend die Fäden aus Augen und Haar fuchtelte.

Wald also, oder was ich Wald nannte, war das leiblich Unfassbare, das Dickichte, das sich entzog, das Fremde, Blickverstellte, in dem ich, vom Block herkommend, doch den Ort vermutete, an dem das Menschliche sich zeigte, die dichte Webe, hinter der das Eigene im Anderen sichtbar wurde. Schwer zu sagen, ob ich die Spur suchte oder ob sie mich fand. Wald im Unterholz des Gedichts als Grundwort und Wald im Gedicht als Chiffre für eine gewalttätige Ordnung nicht der Natur, sondern des Menschen. Ein Raum, in dem ich die Zeit lese und durch die Zeit. Der Raum beispielsweise, in den Philomela verschwand, von dem barbarischen Gemahl ihrer Schwester Prokne entführt. Der Raum aber auch, in dem die vergewaltigte und der Zunge beraubte Philomela purpurne Zeichen in ein Tuch webte, die ihren Weg aus dem Wald fanden, die Tat aufdeckten. Dieser Mythos, durch Ovid auf uns gekommen, ist gelesen worden als Übergang von Mündlichkeit zu Schriftlichkeit – oder als Gleichnis poetischer Gegenrede, dem verordneten Schweigen, dem in Wald und Halden verbannten Sprechen abgerungene Zeichen, die zu entziffern waren.

Auf die Frage nach den Ursprüngen seiner Gedichte, dem Woher der Worte, antwortete Peter Huchel einmal: *Ich weiß oft nicht, woher die Worte kommen. Es steckt viel Unbewußtes in der Arbeit.* Auch für mich liegen die Anfänge eines Gedichts im Zwielicht, in einer Art *verdämmerndem Raum*, zu dem Otto Friedrich Bollnow in seiner Studie *Mensch und Raum* auch den Wald rechnet und folgendermaßen charakterisiert: *Die einzelnen Dinge verlieren ihre scharfen Konturen und lösen sich auf in einem alles durchflutenden Medium.* In diesen Raum also fällt ein, was im Gedicht zum Fall wird: Autor, lyrisches

Ich, Sprecher, Bilder, Erfahrungen, Figuren. Am Gedicht zu arbeiten, heißt, in dieses Fluidum zu treten, eine Auflösung zuzulassen, die von paradoxem Charakter ist: Das Eigene und die Dinge, mit und von denen das Eigene handelt, verlieren ihre Konturen nicht, werden aber von dieser *Welt ohne Grenze*, wie Bachelard sie nennt, aufgenommen. An die Stelle von Fernsicht und vertrauten Sehweisen tritt zunächst eine Undurchdringlichkeit. Das meint keinen Nebel, sondern Bäume, Spinnweben, Sträucher, also Elemente einer Wirklichkeit, die plötzlich ungeordnet, dicht und eigenwillig nah ist. Hier wird zur Bedingung, dass, wer schreibt, den Wald nicht sieht vor lauter Bäumen: Denn aus den Einzelheiten wird das Gedicht verfertigt, wenn, in einem nächsten Schritt, Feinsicht einsetzt und Neuordnung des Materials aus der in dickichter Bewegung befindlichen Wirklichkeit heraus.

In seiner *Poetik des Raumes* zitiert Gaston Bachelard einen französischen Dichter, der den paradoxen Charakter des Waldes beschreibt: *Die Eigenart des Waldes besteht darin, zu gleicher Zeit geschlossen und allseitig geöffnet zu sein.* Ich glaube, ein gutes Gedicht hat eben jenen Charakter. Es hat, wie die Gedichte von Peter Huchel, die Stringenz eines geschlossenen Bildes, einer streng gearbeiteten Metapher, Klangfülle und Wortgenauigkeit, ein sinnlicher Raum, den man raunenden Munds und staunenden Auges betritt. Aus dem Wortschatz wird ein Wohnschatz, das Gedicht ist *bewohnbar*, die Grundworte ruhen in sich und sprechen uns an. Und das Gedicht ist nach allen Seiten offen, ist zugig, *unbewohnbar*, wenn es über sich hinausweist, mit unerwartetem Bild, mit klarer Fügung einem den Stoß versetzt, der aus dem Vertrauten ins unvertraut Neue führt, das Unformulierbare hinter den Worten spürbar macht. Da sind die Schatten, Spinnen, am Himmel der blutende Hirsch – die purpurne Schrift, da ist sie nicht mehr zu entziffern. Ein Gedicht von Peter Huchel ist zugleich bewohnbar und unbewohnbar, ist Unterstand im Wald, ist *Nebelwand*, ein Blätterdach, verletzlich und hell, ein Dach aus Licht. Ich danke der Jury, dass sie mich unter dieses Dach gestellt hat.

Berlin, März 2006

Die kursiv gesetzen Zitate stammen aus:

Gaston Bachelard: Poetik des Raumes.
Aus dem Französischen von Kurt Leonhard.
Frankfurt am Main 1987.

Peter Huchel: Gesammelte Werke in zwei Bänden.
Hg. von Axel Vieregg. Bd. 1: Die Gedichte. Bd. 2:
Vermischte Schriften. Frankfurt am Main 1984.

Marie Luise Kaschnitz: Beschreibung eines Dorfes.
Frankfurt am Main 1979.

Otto Friedrich Bollnow: Schriften. Bd. 6:
Mensch und Raum. Würzburg 2010.

BOX OFFICE

Zum Prosagedicht

Erstens: Boxwood

Der Vogel auf dem Gatter und die grasende Ziege darunter sind eine hübsche kleine Bruchzahl, denkt der Zentaur. Er fragt sich, ist dieser Gedanke mehr Mensch oder Vieh, mehr Prosa oder Poesie. Manchmal fällt es schwer, das ganze Theater – an der Theke stehen, Steak und Erbsen artig mit Messer und Gabel essen – nicht einfach aufzugeben und hinauszugehen, Kopf ins Gras. Doch was sein Magen will, rührt die Zunge nicht an; was sein Mund will, stößt den Magen ab. Durchs Restaurantfenster sieht er Schimmer von Silber und Rosa im Fluss. Der ist so voller Meerjungfrauen und -männer, dass kein Platz für Fische bleibt. Unter der Brücke, eine Gruppe extremistischer Greifen, konzentriert auf ihr Graffiti – *Lang lebe die Berliner* ... Die Farbe ist alle, und während sie die nächste Dose in ihren verkrampften Krallen schütteln, buchstabiert der Zentaur *Mauer* auf seine Serviette, malt daneben ein Paillettenmädchen, das man in zwei Hälften sägt.

(The bird on the gate and the goat nosing the grass below make a funny little fraction, thinks the centaur. He wonders if this thought is more human than horse, more poetry than prose. Sometimes it's hard not to abandon the whole rigmarole of standing at the counter – using a knife and fork to politely eat his steak and peas – to go outside and put his head in the grass. But what his stomach wants, his tongue won't touch; what his mouth wants, his stomach recoils from. Through the restaurant window he sees flashes of silver and pink in the river. It's so clogged with mermaids and mermen, there's no room for fish. And under the bridge, a group of extremist griffins, intent on their graffiti – *Long Live the Berlin* ... The spray paint runs out and while they're shaking the next can in their clenched claws, the centaur spells out *Wall* on his napkin, and sketches next to it a girl in sequins getting sawed in half.)[44]

44 Matthea Harvey: Du kennst das auch. Gedichte. Englisch—Deutsch. Aus dem amerikanischen Englisch von Uljana Wolf. Idstein 2010, S. 26 und 27.

Meine sehr verehrten Damen und Herren – „You Know This Too“, *Du kennst das auch*, behauptet der Titel von Matthea Harveys Text, und was ist das denn, was kennen wir da. Bruchzahlen, klar, dazu die Grenzen, die scheinbar zwischen allem Anderen verlaufen: oben und unten, Tier und Mensch, Mann und Frau, Kopf und Bauch, Prosa und Vers, Erbsen und Steaks. Worin wir uns vielleicht nicht auf Anhieb als Kenner ausweisen würden, ist das Denken und Fühlen von Zwitterwesen. Meerjungfrauen. Zentauren. Wir wollen hier auch Maulwürfe, Kurzschlüsse oder giraffenhafte Affen darunter fassen. Aber davon später. Zunächst fällt uns etwas Anderes an diesem Text auf. Er ist ja selbst ein Zwitterwesen. Verhält sich wie ein Gedicht, hat rhythmische Sentenzen, genau gearbeitete Lautstrukturen, Alliterationen, sogar Reime. Doch fehlt ihm etwas Entscheidendes, Scheidendes, nämlich Verse, oder sagen wir umgebrochene Zeilen. Statt dessen finden wir ungebrochene Zeilen, einen kompakten Textblock, Absatz, eine Box – ein Prosagedicht.

Das gibt es nicht.

> Wenn das „Prosagedicht“ tatsächlich in Prosa geschrieben ist, kann es kein Gedicht im definierten Sinne sein; wenn es aber ein Gedicht, also in Versen geschrieben ist, kann es keine Prosa sein.[45]

Eine Rede also will ich machen über nichts. Über Abwesenheiten. Etwas, das nicht der Rede wert, wehrte es sich nicht gegen eine besondere Art der Rede, der gebundenen „im definierten Sinne“, wie man sagt (noch einmal: „in poetischer Form, das heißt in Versen“, Meyers Großes Konversationslexikon, 1907), und wie man zu guter Zeit auch hörte, später vielleicht noch beschwor, im Zählen der Silben zum Umschlag in Zauber. Es geht hier um einen bunten Hund, *a monkey who goes like a donkey*. Um Gebunden-Ungebundenes, Ungebärdiges in einer Box. Den fehlenden Vers, eine fehlende Fest-Stelle. Um Bewegung, Gegenrede.

> Mein lieber Freund, ich schicke Ihnen eine kleine Arbeit, von der man nicht sagen sollte, sie besitze weder Kopf noch Schwanz. Das wäre ungerecht, da doch, im Gegenteil, alles an ihr zugleich Kopf und Schwanz ist, und zwar abwechselnd und jeweils aufeinander bezogen.

45 Dieter Lamping: Das lyrische Gedicht. Göttingen 2000, S. 37.

So Baudelaire an seinen Freund und Verleger Arsène Houssaye in einem Brief, der später das Vorwort zu seiner 1869 veröffentlichten Sammlung *Le Spleen de Paris* wurde, oder auch: *Petits Poèmes en Prose.*[46] Baudelaires Sammlung greift zurück auf den siebenundzwanzig Jahre zuvor erschienenen Band *Gaspard de la Nuit* von Aloysius Bertrand, zu dem ich mich mehr hingezogen fühle als zu Baudelaires Texten, welche dennoch als Beginn dessen angesehen werden, was sich mit dem Erscheinen von Rimbauds, Mallarmés oder Ponges Prosagedichten, um nur einige Beispiele zu nennen, zumindest in Frankreich als Gattung etabliert hat. Von dort aus reiste die Box um die Welt, fand fast überall Nischen, auch hier – etwa bei Michael Donhauser, Farhad Showghi oder Monika Rinck –, und fand in der amerikanischen Lyrik ganze Regale, wo ich sie für mich entdeckte.

Und auch nicht entdeckte. Wenn entdecken entschlüsseln, enträtseln, lichten heißt.

Das erste Gedicht in der Anthologie *Great American Prose Poems*, die mir aus einem solchen Regal in die Hand fiel, ist von Ralph Waldo Emerson. Es heißt „Woods, A Prose Sonnet", und seine ersten Sätze lauten:

> Weise seid ihr, O uralte Wälder! weiser als der Mensch. Wer auf euren Pfaden wandelt oder tritt in euer Dickicht, wo es keine Pfade gibt, er liest dieselbe frohe Botschaft, sei er ein Kind oder hundert Jahre alt.
>
> (Wise are ye, O ancient woods! wiser than man. Whoso goeth in your paths or into your thickets where not paths are, readeth the same cheerful lesson whether he be a young child or a hundred years old.)[47]

Daran blieb ich hängen. An den Dickichten, die keine Pfade haben. Wo Wald nicht Stamm für Stamm – Zeile für Zeile – lesbar ist, sondern undurchdringlicher wird, scheinbar grenzenlos, oben und unten, Kopf und Schwanz unbestimmbar. Und dennoch: da. Und: lesbar.

46 Charles Baudelaire: Die Blumen des Bösen. Der Spleen von Paris. Übertragen und hg. von Sigmar Löffler und Dieter Tauchmann. Leipzig 1973, S. 309.

47 Great American Prose Poems. Hg. von David Lehman. New York 2003, S. 27. Die Übersetzung stammt von mir.

> This I would ask of you, o sacred Woods, when ye shall next give me somewhat to say, give me also the tune wherein to say it.
>
> (Dies erbitt ich von euch, o heilige Wälder, wenn ihr mir nächstens etwas zu sagen gebt, so gebt mir zum Sagen auch eine Weise.)

So bittet Emerson die Wälder in einem Prosasonett darum, ihm die richtige Sprache – die Weise, die Stimmung, den Ton – der Dickichte zu geben, und hat sie vielleicht schon gefunden, in seiner Box. Der Buchsbaum, der in Emersons Wäldern wahrscheinlich nicht wuchs, wird nicht nur von Instrumentenbauern geschätzt, sondern auch von Drechslern. Aus seinem Holz werden Kästchen gemacht, weshalb sein englischer Name *Boxwood* ist. Ich hatte gehofft, mit Emersons Spur, seinen Wäldern, der Bitte um den richtigen Ton, einen Pfad zu finden, um über das Prosagedicht zu sprechen. Doch der Vergleich bringt mich zunächst zurück zum Versgedicht. „Die Eigenart des Waldes besteht darin, zu gleicher Zeit geschlossen und allseitig geöffnet zu sein." Das zitierte ich einmal aus Gaston Bachelards *Poetik des Raumes*, es ist dort wiederum ein Zitat des Schriftstellers A. Pieyre de Mandiargues.[48] Damals setzte ich hinzu: Ich glaube, ein gutes Gedicht hat eben jenen Charakter. Heute will ich sagen: Ein Prosagedicht ist so. Ein in sich offener, untopografierter Raum, nicht wie das Gedicht in Verse vorstrukturiert, Wege oder Wuchshöhen vielleicht, sondern dickicht, pfadlos. Paul Valéry, via Rosmarie Waldrop: „When the poets enter the forest of language it is with the express purpose of getting lost."[49] Und doch ist das Prosagedicht nicht haltlos, sondern streng eingerahmt, enthalten, in Boxwood, seiner Waldgrenze. Wer darin als Dichter verloren geht, er tut es mit dem Bewusstsein, sich anders zu verlieren als in einem Versgedicht. Was aber ist dieses Andere, das sich so offensichtlich versteckt in der Abwesenheit des Zeilenbruchs? Was können uns diese Abwesenheiten – denn es sind, glaube ich, mehrere – über den Umgang des Prosagedichts mit der Sprache sagen, sein ästhetisches Potenzial?

48 Gaston Bachelard: Poetik des Raumes. Aus dem Französischen von Kurt Leonhard. Frankfurt am Main 1987, S. 243, Anm. 4.

49 „Dans la forêt enchantée du Langage, les poètes vont tout exprès pour se perdre (...)." Paul Valéry: Discours sur l'Esthétique. In: Variété IV, 1938, S. 245. Rosmarie Waldrop lässt das „enchantée" weg, also den lyrisch aufgeladenen „Zauberwald". Auch in der Übersetzung also die Spannung zwischen Prosa und Poem.

Zweitens: Jack-in-the-Box

„Weder Kopf noch Schwanz", schreibt Baudelaire, und doch „Kopf und Schwanz" zugleich. Es scheint, dass das Reden übers Prosagedicht sich von Anfang an gegen den Vorwurf der Verlorenheit und der Formlosigkeit zur Wehr setzen muss. Von Anfang an Gegenrede ist. Dass man zuerst von Dichotomien sprechen muss, von den Grenzen. Dass diese Dichotomien, man weiß nicht wie, im selben Atemzug aufgelöst werden. Wie in Matthea Harveys Text, der aus der Perspektive eines Zentauren, der nicht weiß, ob seine Gedanken sich „Mensch oder Vieh, Prosa oder Poesie" zuordnen lassen, eine Welt voller Brüche, Grenzen, Zweiheiten schildert, die in der Existenz des Prosagedichts selbst ineinanderfallen. Dabei ist das Gedicht in diesem Sinne überhaupt nicht eindeutig. Lesen wir in dem Zentauren die Überwindung der Dichotomien, und träumt er sich halb kokett, halb kummervoll eine Welt im Zustand der Zerrissenheit zurecht – inklusive Berliner Mauer und Paillettenmädchen? Oder ist nichts überwunden und der Zentaur die Stimme des Prosagedichts, das sich seiner eigenen prekären Lage bewusst wird? Auch Baudelaire sieht das Prosagedicht vorauseilend in einem negativen Raum zwischen Kopf und Schwanz – Vers und Prosa? – angesiedelt, um trotzdem die Einheit beider in der Existenz des *poème en prose* nicht nur zu behaupten, sondern als eine Art utopischer Gleichzeitigkeit auszurufen. Und weiter schreibt er:

> Wer von uns hat nicht in seinen Tagen des Ehrgeizes vom Wunder einer poetischen Prosa geträumt, die ohne Metrum und Reim so voller Musik, so geschmeidig und so erregend genug wäre, sich den lyrischen Bewegungen der Seele, den Wellen des Traums und unerwarteten Sprüngen des Bewußtseins anzuverwandeln?[50]

Was Baudelaire erträumt, ist im Grunde ein Spielzeug. Vielleicht eine Jukebox: „give me also the tune wherein to say it". Vielleicht heißt sein Traum auch Jack-in-the-Box: ein unscheinbarer Kasten, der demjenigen, vor dem er steht, auf den ersten Blick keine Angst einjagt. Kompakt, bekannt, doch unscheinbar an seiner Seite ist ein Hebel, ein Knopf, im Innern unsichtbar ein Mechanismus verborgen, der Jack, oder sagen wir „das Bewußtsein",

50 Charles Baudelaire (wie Anm. 46), S. 309.

zum Springen bringt. Der mögliche Leser, nicht vorbereitet, ganz nah dran, springt selber, stolpert, fängt sich etwas ein. Flirt mit der Formlosigkeit. Etwa hundert Jahre später hat James Tate die Anziehungskraft des amerikanischen Prosagedichts mit der „täuschend simplen Verpackung" erklärt: „Der Absatz. Menschen gehen normalerweise nicht in Deckung, wenn man sie mit ein oder zwei Absätzen konfrontiert."[51]

Sprechen wir also von Dichtung, die sich als Prosa tarnt? Hat es Dichtung nötig, sich zu tarnen? Vor dem Leser, am Ende gar vor sich selbst? Wohl kaum. James Tates charmante Entwarnung ist viel eher einem „working class discourse" zuzuordnen, der das Reden übers Prosagedicht seit Baudelaire, seit dem „Verkehr in den riesigen Städten" und ihren „trostlosen Empfindungen" gegen den Taktstock der metrischen Zeile oder, allgemeiner, gegen eine Poesie der Erhabenheit abgrenzen will. Wenn das allerdings die einzige Bestimmung des Prosagedichts wäre, der Umstand, dass es gefahrlos nach Prosa aussieht, gäbe es hier, vor Ihnen, keinen Grund, viel Aufhebens darum zu machen, und müsste ich für diese anderen Absatz-Zahlen nicht eigens ein Box Office eröffnen. Auch müssten unsere Schulbücher und Bibliotheken voller Prosagedichte sein, sie sind es aber nicht. So wäre von einer Unruhe zu sprechen, einer Fragwürdigkeit, die dem Prosagedicht eignet, die seine Stärke ist, die ungebunden auf seine Umgebungen ausstrahlt, die Genredenker in Aufregung versetzt, die aber auch Dichter wie Rosmarie Waldrop dazu anregt, Essays mit solch wunderbaren Titeln zu schreiben wie „Why Do I Write Prose Poems – When My True Love Is Verse".

Vielleicht ist das Prosagedicht keine Tarnung nach außen, sondern eine Öffnung ins Innere, die Ausweitung der Möglichkeiten des Gedichts über seine angestammten Zeilengrenzen hinaus. Ein Manöver, um den Bruchzahlen zu entgehen, den Gleichungen auch, Vers=Poesie etc., allen Linien, einfach und doppelt, den vielfach gebrochenen vor allem. Der freie Vers schaffte Metrum und Reim ab, das Prosagedicht verzichtet auf die Zeile als Kompositionseinheit. Mit Ausnahme des Zeilenbruchs aber kann es alle Strategien und formalen Taktiken der Dichtung anwenden, auch Metrum und Reim, die Baudelaire

51 „For one thing, the deceptively simple packaging: the paragraph. People generally do not run for cover when they are confronted with a paragraph or two." S. Great American Prose Poems (wie Anm. 47), S. 23. Die Übersetzung stammt von mir.

zunächst daraus verbannte. Es ist nicht exklusiv – und das nicht nur in dem von James Tate gemeinten Sinne. W.S. Merwin, dieses Jahr ausgezeichnet mit dem Pulitzer Prize for Poetry, sagte über den Arbeitsprozess an seinem Prosagedichtband „The Miner's Pale Children“ von 1970:

> Was ich mir beim Schreiben erhoffte, war das, was ein Gedicht vollständig macht. Aber was ich schrieb, war Prosa, und ich freute mich, wenn die Texte Fragen über die Grenze zwischen Prosa und Lyrik aufwarfen, darüber, wo wir die Grenze verorten.[52]

„... was ein Gedicht vollständig macht.“ Ich lese noch einmal Matthea Harveys Gedicht. Das Thema der Zweigeteiltheit wird auf allen Ebenen des Textes durch Verdopplung gestaltet. Etwa auf der bildlichen Ebene dadurch, dass alle Figuren oder Objekte mit einem Counterpart ausgestattet sind (*bird—goat, human—horse, knife—fork, steak—peas*). Oder auf der Ebene des Sprachmaterials durch lautlich benachbarte Wortpaare (*gate—goat, horse—prose, silver—river*). Fast genau in der Mitte der Gedichts schnurrt die Syntax zu einem Chiasmus zusammen, und der einzige unvollständige Satz – das Graffiti der Greifen, die übrigens ohne Counterpart auftreten, eine vermutlich vermummte Menge, eingeschworen und kompakt, deren Ganzheit von dem Satz, der sie hervorbringt, allerdings entlarvt wird –, diese einzige unvollständige Äußerung also wird vervollständigt, damit verdoppelt, durch das Gekritzel des Zentauren im darauffolgenden Satz. Die letzte Sequenz schließlich – „and sketches next to it a girl in sequins getting sawed in half“ – führt mit dem Jambus, dem perfekten rhythmischen Sägeblatt der Sprache, die Zerteilung sozusagen *on the spot* selbst aus.

„Zu gleicher Zeit geschlossen und allseitig geöffnet.“ Matthea Harveys Prosagedicht ist eine mindestens doppelbödige Box, ein Raum für das mehrfach gebrochene, verdoppelte, gespiegelte Spiel mit Einheit und Fragmentierung. Das Wort *fraction* lässt sich denn auch mit „Bruchzahl“ oder mit „Bruchteil, Fragment“ übersetzen – die Zeilenbrüche des Versgedichts, übertragen in

52 „What I was hoping for as I went was akin to what made a poem seem complete. But it was prose that I was writing, and I was pleased when the pieces raised questions about the boundary between poetry and prose, and where we think it runs.“ W.S. Merwin anlässlich der Wiederauflage von *The Miner's Pale Children*, 1994. S. Great American Prose Poems (wie Anm. 47), S. 13f. Übersetzung von mir.

interne Brüche. Und natürlich ist das Gedicht selbst nur ein Ausschnitt, präsentiert nur einen kleinen Teil der Möglichkeiten, die im Prosagedicht gegeben sind. Wenn Satz, Absatz und die Beziehungen zwischen Sätzen die Funktionen von Vers und Strophe übernehmen, es dadurch weniger Regeln und Traditionen zu beachten gibt, oder andere, weil das Prosagedicht eine relativ kurze Geschichte hat, bedeutet das auch, dass jedes Prosagedicht Dichter*innen dazu einlädt, seine Form, mithin das ganze Genre – wenn es eines ist – weiter oder neu zu erfinden. „Give me also the tune ...“ Insofern ist das Prosagedicht eine höchst selbstreferenzielle Form, das Bewusstsein von Widerstand, Verteidigung, Unterwanderung ist ihm von Anfang an eingeschrieben.

Die amerikanische Literaturwissenschaftlerin Margueritte Murphy spricht darum von einer „tradition of subversion“ als der einzigen Tradition des Prosagedichts.[53] Subversion der Genregesetze, Subversion von Konventionen, Nichteinlösung unserer Erwartungen an bestimmte Formen – oder eine tiefergehende Störung, Verstörung syntaktischer und semantischer Strukturen. Was als Akt der Sabotage und kalkulierte „Prosaisierung“ zunächst gegen die strengen Regeln der Poesie gerichtet ist – Baudelaire selbst schrieb für *Spleen de Paris* einige seiner Versgedichte zu ironisch dekonstruierten Prosagedichten um –, richtet sich schließlich ebenso gegen die Prosa selbst, ihren aufgeblasenen Vertrag mit der Wirklichkeit, der nun poetisch destabilisiert wird. Für mich liegt die Faszination des Prosagedichts auch darin, dass dieser Akt der Subversion seinen Ort hat in der Spannung zwischen kompakter Boxform, die Vollständigkeit und Abgeschlossenheit suggeriert, und einer Kombination verschiedenster Abwesenheiten. Vielleicht wäre Käfig, mit durchlässigen Stäben, sogar ein besseres Wort für Box. In Friederike Mayröckers Werk finden sich „Proëme“, „magische Blätter“, changierend zwischen den Polen *„bin ich entgleist“* und „jetzt fällt auch mein eigener Schnee, *nämlich einkäfigen, Traum*“, wie es in dem „Proëm von der Reise in das chinesische Land“ heißt.[54] Oder das Prosagedicht ist ein Raum, in dem, um mit Worten von Ilse Aichinger zu sprechen, „äußerste Bedrängnis“ und „äußerste Geborgenheit“ zusammenfallen.

53 Margueritte S. Murphy: A Tradition of Subversion. The Prose Poem in English from Wilde to Ashbery. Amherst 1992.

54 Friederike Mayröcker: Magische Blätter IV. Frankfurt am Main 1995, S. 81f.

Von Ilse Aichinger stammt auch die so folgenreiche Benennung der Prosagedichte als „Maulwürfe". In den fünfziger Jahren arbeitete sie an Gedichten zur Stadt Wien, denen sie zunächst diesen Titel gab. Später wurden die poetischen Tiere bekanntlich eine Spezialität von Günter Eich: „Deinen Maulwürfen entgehst du nicht."[55] Der zweiten Sammlung *Ein Tibeter in meinem Büro* gab er den Untertitel *49 Maulwürfe*, um, wie er an seinen Verleger Siegfried Unseld schreibt, den Begriff „als Gattungsnamen endgültig zu konstituieren"[56]. In dieser Gattung wird viel gegraben. Viel aufgeworfen, überworfen. Der Maulwurf, mhd. *multwerf*: ein Erdwerfer. Eich installiert Sätze wie Erdhügel, eine sorgfältige und skrupellose Architektur, die darunterliegende Gänge und Verbindungen ahnbar, aber nicht sofort zugänglich macht. Sie sind Zeichen eines Arbeitsprozesses von anderswo, laden den Leser selbst zum Graben ein. „Wenn man meint, sie seien da, wo sie Mulm aufwerfen, rennen sie schon in ihren Gängen einem Gedanken nach", heißt es in der „Präambel" aus der Sammlung von 1968.[57] Mulm, etymologisch verwandt mit *mahlen, reiben* steht sowohl für zerfallene Erde als auch, laut Grimm, für „sonst wie erde zerfallendes". Eichs Texte also sind Zerfallsprodukte, Ergebnisse einer tiefgreifenden Unzufriedenheit mit einer Sprache der Kohärenz, der Stabilisierung oder auch des lyrischen Einschunkelns ins Ungefähre, Ungefährliche, Unabänderliche. Dem blinden Vertrauen auf die sogenannte Macht der Sprache setzen sie einen hochsensiblen, subversiven Tastsinn entgegen. „Sternmull" heißt eine Maulwurfsart, die ich in einem Gedicht des amerikanischen Lyrikers Christian Hawkey entdeckte, „star-nosed mole"[58]. Der Sternmull trägt um die Nasenlöcher an der Spitze der Schnauze insgesamt zweiundzwanzig kreisförmig angeordnete, fingerartige Fortsätze, die sich als Tastorgane schneller bewegen können, als das menschliche Auge sieht. Ich glaube, dass diese außerordentliche Beweglichkeit, das blitzschnelle, helle Licht einer anderen Präsenz, das im Namen des Sternmulls aufscheint, einer Präsenz, die sich dem Zugriff eines linearen Verständnisses entzieht, ein besonderes Kennzeichen des Prosagedichts ist.

55 Günter Eich (wie Anm. 35), S. 304.

56 Ebd., Kommentar auf S. 453.

57 Ebd., S. 302.

58 Christian Hawkey (wie Anm. 1), S. 142.

Ein anderes Wort für diese Präsenz ist vielleicht „Kurzschlüsse“. So nannte Ilse Aichinger schließlich ihre Prosagedichte aus den fünfziger Jahren, als sie 2001 in der Edition Korrespondenzen veröffentlicht wurden. „Kurzschlüsse“ – auch das eine Gattungsbezeichnung, wenn man das Prosagedicht als die momentane, widerstandslose Verbindung der beiden Pole Prosa und Lyrik bezeichnen will, bei der ein extremer Stromfluss zustande kommt. Ein Übermaß an poetischer Energie, herbeigeführt durch die Zusammenschau von Anfang und Ende, Offenheit und Geschlossenheit, der Kollaps identitätsstiftender Grenzen in einem Augenblick durchlässigster Gleichzeitigkeit: „Die Orte, die wir sahen, sehen uns an“, heißt es in dem Gedicht „Stadtmitte“, und in „Börsegasse“ finde ich den Satz: „Das Blau ist weggezogen und hinterließ sich selbst, drum ist der Himmel blau.“[59]

Drittens: „How can I empty an entire inbox?“

Ich habe von Absätzen gesprochen, von Gräben und jambisch zersägten Mädchen, davon, dass die Form des Prosagedichts nicht die Abwesenheit von Form ist, und will doch auf etwas Anderes hinaus, oder hinein. „Gegenrede“ habe ich gesagt, auch „Zwitterwesen“, und die Frage, die sich mir stellt, ist: Wie verhalten sich nun einzelne Prosagedichte gegenüber ihren – sagen wir – Eltern, der Lyrik und der Prosa, welche Strategien wenden sie an, um sich als Gegenentwürfe, als das jeweils Andere zu positionieren. Ein Versuch, den ich wagen will, ist, zwei Arten der Abwesenheit und damit zwei Prosagedichttypen zu unterscheiden, ohne den Anspruch, der Vielgestaltigkeit des Genres damit gerecht zu werden.

Ich will zunächst von jenen Gedichten sprechen, die ich „leere Boxen“ nenne. Diese Gedichte orientieren sich, allgemein gesagt, deutlicher an der Prosa, übernehmen bewusst narrative Verfahren. Ihr subversives Potenzial richtet sich nicht gegen den Satz selbst, dringt nicht in syntaktische und semantische Strukturen ein. Länge oder Kürze eines Prosagedichts sagen wenig über seinen *modus operandi* aus, so sind längere Prosagedichte nicht automatisch prosaischer als kurze. John Ashberys *Three Poems* besteht aus

59 Ilse Aichinger: Kurzschlüsse. Wien 2001, S. 11 und 17.

drei langen Prosagedichten, deren erstes, „The New Spirit“, fast 50 Seiten umfasst; ich glaube aber, dass ich diese Gedichte nicht zu den narrativen Prosagedichten zählen würde. Vielleicht liegt das an den ersten Zeilen, in denen die Problematik des Prosagedichts – sein Potenzial – zwischen Vollständigkeit und Abwesenheit zusammengefasst scheint:

> Ich dachte, wenn ich alles hinschreiben könnte, wäre das ein Weg. Und dann kam mir der Gedanke, dass alles wegzulassen ein anderer, ehrlicherer Weg wäre.
>
> (I thought that if I could put it all down, that would be one way. And next the thought came to me that to leave all out would be another, a truer, way.)[60]

Tagebucheintrag, Brief, Telegramm, Rezept, Märchen, Fabel, Anekdote, Liste, Artikel, Essay, Lexikoneintrag, Dialog – das Prosagedicht kann allen diesen Formen ähneln, sogar Romanen. Es ist nicht aus dem Nichts geboren, seine Identität als das Andere gewinnt es, indem es Prosaformate und ihre Konventionen nachahmt, um von ihnen im entscheidenden Moment abzuweichen, sie eben wie ein Maulwurf zu untergraben, auszuhöhlen. Eine Leerstelle klafft da auf: Ein Prosagedicht ist ein Prosatext, der etwas zu sein scheint, was er nicht ist. Diese Abweichung kann sich auf der narrativen Ebene ereignen, also das Genre als Genre infrage stellen, oder Referenzialität als solche unterlaufen. Im Herzen all dieser Spielarten aber liegt die anarchistische Weigerung, Codes zu gehorchen, ein Formwillen, der zugleich polymorph und amorph ist, permanent in Bewegung. Ein fast klassisches Beispiel für die Form der Abwesenheit als Nichteinlösung von Genrekonventionen ist das Prosagedicht „The Thirteenth Woman“ (Die dreizehnte Frau) von Lydia Davis:

> In einer Stadt aus zwölf Frauen lebte eine dreizehnte. Niemand gab zu, dass sie existierte, niemand schrieb ihr Briefe, niemand sprach von ihr, niemand fragte nach ihr, niemand verkaufte ihr Brot, niemand handelte mit ihr, niemand erwiderte ihren Blick, niemand klopfte an ihre Tür; der Regen fiel nicht auf sie, die Sonne beschien sie nie, der Tag brach nie für sie an, die Nacht legte sich nicht auf sie; für sie vergingen keine Wochen, die Jahre gingen nicht ins Land; ihr Haus hatte keine Nummer; ihr Garten wurde nicht gepflegt, ihr Weg

60 John Ashbery: Three Poems. New York 1989, S. 3. Übersetzung von mir.

nicht betreten, ihr Bett nicht beschlafen, ihr Essen nicht gegessen, ihre Kleider nicht getragen; trotz allem aber lebte sie weiter in der Stadt und verargte nicht, was man ihr antat.[61]

(In a town of twelve women there was a thirteenth. No one admitted she lived there, no mail came for her, no one spoke of her, no one asked after her, no one sold bread to her, no one bought anything from her, no one returned her glance, no one knocked on her door; the rain did not fall on her, the sun never shone on her, the day never dawned on her, the night never fell for her; for her the weeks did not pass, the years did not roll by; her house was unnumbered, her garden untended, her path not trod upon, her bed not slept in, her food not eaten, her clothes not worn; and yet in spite of all this she continued to live in the town without resenting what it did to her.)[62]

Diese Story – ist es eine? – lässt mich einigermaßen verblüfft zurück. Um in Baudelaires Worten zu sprechen: Ich suche Kopf und Schwanz, finde beides nicht und werde übers Suchen eingefangen in ein Netz aus Verneinungen, die plötzlich einen Körper ergeben, „und zwar abwechselnd und jeweils aufeinander bezogen". Das meint auch auf sich selbst bezogen. Es ist ein Text, der eindeutig mit der Genreerwartung spielt. Eine Geschichte beginnt so, ein Märchen vielleicht, schon beim Titel, die dreizehnte, mit der ging alles schief. So auch hier. Ein paar Worte lang schöpft man keinen Verdacht. Auf eine Aussage folgt eine Reihe von Verneinungen, in deren Folge wiederum man unweigerlich einen genrekonformen Widerstand erwartet, eine Wiedergutmachung, wenn die Aussage als solche bestehen bleiben soll. Doch was so anfängt, leistet keinen Widerstand, jedenfalls nicht den, den wir erwarten, auch wenn wir, an Kafka geschult, möglicherweise bereit sind, unsere Erwartungen schon einzuschränken. Der Text mündet in einer nur durch Kommata und Semikola leicht getakteten Endlosschleife, statt *plot* und *dots* eine Serie von *nots*, die sich zu einem *knot* verschlingen, einem Knoten. Es ist das Narrative selbst, das sich hier aufhängt, in scheinbar sinnlosem Tuten, nichtigem Tun: nicht, nicht, nicht. Die Erwartung, dass der Text über

61 Lydia Davis: Fast keine Erinnerung. Erzählungen. Aus dem Amerikanischen von Klaus Hoffer. Graz – Wien 2008, S. 15. In diesem Kontext verwende ich meine eigene Übersetzung.

62 Lydia Davis: Almost no memory. Farrar, Straus and Giroux. New York 1997, S. 14.

diese Frau und ihre Stadt etwas auszusagen hätte, wird eben nicht eingelöst, stattdessen wird vorgeführt, wie man mit Märchen, Sage, Story, mag sein mit Prosa an sich, das Sagen nicht haben kann.

In ihrer simplen Perfidie ist dies fast eine unheimliche Situation. Was wir hören, ist Sprache, die sich selber hört. Als anonymer Anrufer. Erstaunlich konkret, wie das Atmen am anderen Ende der sonst stillen Leitung, ist das Nichts, das uns hier begegnet. Brot, Namen, Briefe, Bett. Wir kennen all dies, und die Verneinungen löschen es nicht etwa aus, sondern stellen es uns noch deutlicher vor Augen. Stellen leere Sprachhülsen aus als nicht geglückte Anwendung von Einzelheiten und Vereinbarungen innerhalb des Genrerahmens.

> ... trotz allem aber lebte sie weiter in der Stadt und verargte nicht, was man ihr antat.

Etwas ist doch geglückt, diese einigermaßen überraschende Wendung im letzten, im zweiten Satz. Wie Jona vom Wal wird die dreizehnte Frau von demselben Satz, der sie verschlang, wieder ausgespien. Es gibt sie, trotz des rhetorischen Aufgebots, das einem Verbot gleichkam; ihre Existenz ist jetzt fast die Aufdeckung eines Verbrechens: Man tat ihr nichts, ihr Nichtsein, ein Nichts an. Die Stadt, das Weltall, die Leser, wir. Als hätten wir eine andere Wahl gehabt. Vielleicht ist diese Wahl, diese Möglichkeit, von deren Existenz wir nichts wussten, der entscheidende Schritt aus der Prosa in die Fragwürdigkeit des Prosagedichts, aus der Geborgenheit der Genrekonventionen in die Bedrängnis eines brüchig gewordenen Verhältnisses zwischen Repräsentation und Wirklichkeit. Das Wiedererscheinen der Frau, nicht ihr Verschwinden, ist die eigentliche Leerstelle. Der Umstand, dass Lydia Davis diese letzte Wendung nicht in einem eigenen Satz unterbrachte, sondern gleichsam als Wurmfortsatz anhängte, zeigt, wie bewusst auf diesem kleinen Raum mit der Sprache und gegen ihre eingebauten Mechanismen gearbeitet wird. Ich denke, es liegt nahe, die Leerstelle auch als Statement zum Prosagedicht zu lesen. All denen, die an seine hybride Existenz nicht glauben, erwidert es: Ich verarge es euch nicht, aber mich gibt es.

Viertens: Blue Box

Ich habe vorhin davon gesprochen, dass ich zwei Formen der Abwesenheit im Prosagedicht unterscheide. Die erste, könnte man sagen, ist die „leere Box", die Aushöhlung der Narration. Der andere, zweite Typus des Prosagedichts übernimmt von der Prosa nicht narrative, sondern deskriptive Verfahren. Tatsächlich besteht eine enge Beziehung zwischen Prosagedicht, Abbildung und bildender Kunst, seit Bertrand seinen *Gaspard de la Nuit* im Untertitel *Fantasiestücke in Rembrandts und Callots Manier* nannte (damit auch auf E.T.A. Hoffmann verwies).[63] Baudelaire gesteht in seinem Brief an Houssaye, etwas Ähnliches versucht zu haben, nämlich das moderne, abstrakte Leben so zu schildern, wie Bertrand ein *Bild* des alten Lebens („la peinture de la vie ancienne") in der Sprache zeichnete. Vielleicht ist schon die äußere Form des Prosagedichts eine Einladung, es als eine Art Leinwand zu sehen. Doch auch wenn Bildbeschreibung, überhaupt: Beschreibung einen Ausgangspunkt bildet, ist die Umleitung vorprogrammiert; seinen Status als das Andere gewinnt das Prosagedicht auch hier, indem es sich der Konvention widersetzt, und das meint vor allem einen grundlegenden Zweifel an sprachlicher Repräsentation. In seinen extremen, experimentellen Varianten kündigt das Prosagedicht jegliche Referenzialität der Sprache auf: eine Abweichung, die auch den „Satz" – was auch immer darunter zu verstehen ist – nicht intakt lässt. Das Gebrochene der Zeilen, den weißen, auf die Sprache übergreifenden Seitenrand und Gestaltungsmöglichkeiten, die im Versgedicht gegeben sind – Spannung oder „mismatch" zwischen Zeile und Satz oder Sinneinheit, der signifikante „turn" am Ende der Zeile (Rosmarie Waldrop)[64] –, transportiert das Prosagedicht hinein in den Text, seine neue Kompositionseinheit, den Satz oder Absatz, der nun keine logische Einheit mehr sein muss. Ein Überschuss an Bedeutung entsteht so, eine „Unverfügbarkeit", wie Anja Utler sagte, der diese Prosa von der herkömmlichen Prosa wie auch von der alltäglichen Rede trennt und der Rede des Gedichts annähert. Rosmarie Waldrop hat vielleicht die pointierteste und eindringlichste Beschreibung dieses Prozesses formuliert; in ihrem Essay spricht sie davon, was es heißt, sich bewusst diesem

63 In deutscher Übersetzung unter anderem von Rainer G. Schmidt (Berlin 2002) und von Jürgen Buchmann (Leipzig 2010).

64 Rosmarie Waldrop: Why Do I Write Prose Poems When My True Love Is Verse. In: Dies.: Dissonance (if you are interested). Tuscaloosa 2005, S. 260.

unstrukturierten, untopografierten Raum des Prosagedichts auszuliefern: „The excitement and terror of the open." Doch diese Offenheit reicht ihr nicht:

> Ich muss versuchen, Leerraum und Inkongruenz vom Seitenrand nach innen zu bewegen. (...) Ich muss die Schnitte, Risse, Klüfte, Spalten, Löcher, Haken, Kurven, Sprünge, Referenzwechsel und Leeren *in* der semantischen Dimension ansiedeln. *Im Inneren* des Satzes.
>
> (I must try to move the vacancy and the mismatch from the margin inward (...) I must cultivate the cuts, discontinuities, ruptures, cracks, fissures, holes, hitches, snags, shifts of reference, and emptiness *inside* the semantic dimension. *Inside* the sentence.)[65]

Ein doppelter Lückensprung: Vom Vers in die Syntax, von der Syntax in die „semantische Dimension". Rosmarie Waldrop hat darum für das Prosagedicht den wundervollen Begriff *Gap Gardening* geprägt. Lückenpflege, statt Irren in pfadlosen Wäldern die Gartenarbeit an der Differenz. Permutation, Wiederholung, Löcher, Montage und Collagierung von Wortmaterial. An die Stelle der hierarischen Vertikalen der gebrochenen Zeilen, ihres Arrangements im Raum, ihres Vergehens in der Zeit, setzt das Prosagedicht einen anderen, rhizomatischen, intern gebrochenen, nicht linear organisierten Raum, eine immer in Bewegung gehaltene Gleichzeitigkeit, eine fast befremdliche, vordergründige Präsenz der Sprache selbst. Rosmarie Waldrop spricht von einem „Tanz der Syntax". Man könnte auch sagen, dass der Vers in dem Moment, wo er umbricht, die Bewegung wie auch immer kunstvoll unterbricht, Sprache fest-stellt. Anders das Prosagedicht. Vielleicht sollte man seine Gestalt weniger mit der Leinwand der Malerei als vielmehr der des Films, also mit Bewegung, in Verbindung bringen. Gertrude Stein hat, gefragt nach den vielen Wiederholungen in ihren Texten, geantwortet: „The emphasis is different just as the cinema has each time a slightly different thing to make it all be moving." (In Barbara Köhlers Übersetzung: „Die betonung ist unterschiedlich genau wie beim film wo durch geringe unterschiede alles bewegt wird.")[66] Ich will diese Art des Prosagedichts darum die „Blue Box" nennen, in Anspielung auf das

65 Ebd., S. 262. Die Übersetzung stammt von mir.

66 Gertrude Stein: Tender Buttons – Zarte knöpft. Deutsch von Barbara Köhler. Frankfurt am Main 2004, S. 151. Im Folgenden abgekürzt zitiert mit ZK und Seitenzahl im Text.

filmtechnische Bluescreen-Verfahren, bei dem vor einem blauen Hintergrund entstandene Bilder in andere Bilder einmontiert werden können. Der blaue Hintergrund: Prosa, von der sich das Prosagedicht, wie mit magischer Blaupause, die wenigen formalen Verfahren, die es benötigt, abluchst und die so gewonnenen Elemente in ein der Prosa fremdes Element, die Lyrik, überführt. Ich borge mir den Begriff von Barbara Köhler, deren Gedichtband *Blue Box* einige Prosagedichte enthält und die in ihrem Buch *Niemands Frau* an der Ausweitung und Verfeinerung der subversiven Kräfte dieser Zwitterform gearbeitet hat. Auch als Übersetzerin ermöglichte sie der deutschsprachigen Lyrik den (Neu-) Zugang zu Prosagedichten; ich spreche hier von Gertrude Steins *Tender Buttons*. Im ersten Kapitel „Objects" finden sich zwei Gedichte mit dem Titel „Box". Ich will von einem nur den ersten Satz zitieren, der vielleicht als Programmatik des Stein'schen Prosagedichts gelesen werden könnte:

> A large box is handily made of what is necessary to replace any substance.

Barbara Köhler übersetzt diesen Satz so:

> Ein großer karton ist handlich gemacht aus dem was not tut um jeden inhalt zurückzulegen.[67]

Ich schätze Barbara Köhlers Übersetzungen für ihre ungeheure Beweglichkeit sehr, aber an dieser Stelle helfen uns ihre Entscheidungen, so nachvollziehbar sie für mich sind, leider nicht weiter. Wir brauchen eine Box.

> eine große box ist handlich gemacht aus was not tut um jede substanz zu ersetzen.

Das „System Box" nämlich, das Gertrude Stein hier propagiert, ist eines, das die Quintessenz der Box – Container zu sein für *contents* – nur vortäuscht. Der Text gibt keine Erklärung dafür, warum dies vielleicht das bessere System ist, aber man könnte weiterspinnen, dass die Box mit ihrer Funktion, *content* zu enthalten („Substanz, Inhalt"), der im Folgenden beschrieben oder abgebildet werden könnte, nicht mehr *content* ist („zufrieden"). Ein Text, der wie die Beschreibung eines Objektes beginnt, verabschiedet sich gleich im ersten Satz

67 Ebd., S. 17.

von der Tradition, ja sogar der Möglichkeit, Sprache eine referenzielle Funktion zuweisen zu können. Die „Substanz" des Textes wird durch das neue System Box jedoch nicht einfach nur „ersetzt". Das Verb *replace* kann genauso gut *auswechseln, erneuern* bedeuten und, wenn man es verfremdend wörtlich liest: *umsetzen*, das heißt *anders verorten*. Möglicherweise hat Barbara Köhler *replace* darum mit „zurücklegen" übersetzt, mitschwingend hier die Bedeutung von *zurückstellen* im Sinne von *für später, für woanders verwahren*. In ihrer Lesart ist das System Box noch intakt, und die Inhalte werden nicht etwa substituiert, sondern es ist die Möglichkeit gegeben, sie in ihre jeweiligen Behälter zurückzulegen. Mir scheint gerade das Gegenteil der Fall zu sein: *replacement* kann als Strategie gelesen werden, mit der Gertrude Stein Sprachkonventionen unterläuft. Die erwarteten Inhalte einer solchen Beschreibung werden wir nicht an ihrem angestammten Platz finden, sie sind verrückt, deplatziert, an ihrer Stelle begegnen uns ungrammatikalische, unlogische Konstruktionen, die uns die Fiktion der Beschreibung umso deutlicher vor Augen führen. An dem zweiten „Box"-Gedicht Gertrude Steins lässt sich diese Strategie des Ersetzens und Erneuerns sehr gut nachvollziehen. Hier ist es in seiner Gänze, Kürze:

> Out of kindness comes redness and out of rudeness comes rapid same question, out of an eye comes research, out of selection comes painful cattle. So then the order is that a white way of being round is something suggesting a pin and is it disappointing, it is not, it is so rudimentary to be analysed and see a fine substance strangley, it is so earnest to have a green point not to red but to point again.

Auch hier wieder Barbara Köhlers wunderbare Übersetzung, die für *Box* wiederum ein anders Wort verwendet, nämlich „Fach". Im Folgenden werde ich aber nur über das englische Original sprechen, nicht sein deutsches, ebenso subversives *replacement*, weil wir, wie Ihnen schnell klar sein wird, ansonsten über mindestens zwei Texte sprechen müssten.

> Aus froheit geht rotheit hervor und aus rohheit flink selbige frage, aus aug und öhr geht forschung hervor, aus auslese peinliches rindvieh. Dergestalt regelrecht schlägt ein weiss weg sich zu runden etwas vor eine nadel und ist das enttäuschend, ist's nicht, ist derart elementar um gedeutet zu werden und feinstoffliches zu sehen sonderbar, so ernst ist's einen grünen deut nicht röten zu müssen doch erneut ein deut. (ZK 13)

Eine Objektbeschreibung? *Out of* signalisiert uns, dass eine Untersuchung dessen ansteht, was die Box enthält, die Wiederholung der Phrase verstärkt diesen Eindruck, legt logische Abfolge nahe, parallele Beispielführung. Die Worte *so then* und *order* versprechen überdies eine Zusammenfassung der logischen Sequenz. Doch die Substantive und Adjektive, die in diese sprachliche Struktur eingefügt werden, wirken *replaced*, um nicht zu sagen *displaced. Kindness, redness, rudeness, rapid, research*: eine Reihe konkreter und abstrakter Eigenschaften, dazu gesellen sich im letzten Satz die Worte *green, point, red*, deren syntaktische Funktionen ambivalent bleiben. Einheiten, die keinen Sinn ergeben, dabei aktiv und eigenständig keinen machen, *nonsense*, die an unsere Sinne appellieren, indem sie lautlich-assoziative Aspekte der Sprache in den Vordergrund rücken. Kleine Bedeutungsinseln entstehen freilich durch Nachbarschaften zwischen einzelnen Worten wie *eye* und *research* oder *pin* und *disappointing*, wobei es im wahrsten Sinne des (nur deutschen) Wortes eine Pointe ist, dass die Nadel, die Spitze, der Stift sich hier nicht wegweisend, sondern irreführend verhält: sie oder er *dis-(ap)points*.

So tauscht der Text Stück für Stück das uns Bekannte aus, täuscht, enttäuscht, führt in die Irre, ins Spiel. Mit einer Diktion, die zu erklären scheint, die einfache syntaktische Konstruktionen verwendet, sich dabei biegt und wendet und an jeder Wendung überrascht, lockt uns Gertrude Stein in ihre verbale Box, ihre phonetisch gesteuerte *voice box*. Der Leser wird zum Hörenden, nicht zum Sehenden: Die fragmentierten Bruchstücke einer Sprache der Beschreibung, der Beobachtung, der Entzifferung (*eye, research, analysed, see*) sind nicht mehr als ein Gerüst, um uns die Unmöglichkeit dieses Unterfangens, die Abwesenheit eben jener sicheren Annahmen, auf denen es fußt, vor Augen und Ohren zu führen. Vielleicht wird man trotz allem versuchen, selbst ein wenig *research* anzustellen, das Spiel als Rätsel zu lesen, zu entziffern. Doch ein Dahinter gibt es nicht, auch kein Darin, nur diese fluktuierende Oberfläche: eine Box *made of what is necessary to replace any substance*. So schreibt Barbara Köhler in ihrem Nachwort zu den Übersetzungen: „Nicht der zugriff auf ein verborgenes, ein enthüllen, ausweiten von wissen auf unbewusstes, ein verfügbarmachen, ist ihr interesse", und sie fügt hinzu: „eher ein wiederum wörtliches dazwischenkommen", „bewusste gegenbewegung" (ZK 148). In einem anderen Prosagedicht mit dem Titel „A dog" wird noch deutlicher, wie aus *replacement* fundamental Neues entstehen kann, dazwischenkommt:

> A little monkey goes like a little donkey that means to say that means to say that more sighs last goes. Leave with it. A little monkey goes like a donkey.

Barbara Köhlers Übertragung:

> Ein kleiner affe geht wie ’ne giraffe, so liesse sich sagen so liesse sich sagen dass mehr klagen schliesslich geht. Geh damit fort. Ein kleiner affe geht wie ’ne giraffe. (ZK 41)

Ein einzelner Buchstabe wird hier ersetzt, ein *d* für ein *m*, und was der Text uns durch das Verb zwischen beiden Substantiven suggeriert, nämlich dass ein kleiner Affe wie ein kleiner Esel (und damit wie der Hund des Titels?) geht, läuft, sich bewegt, kann getrost außer Acht gelassen werden. Stattdessen kommt die zweite Bedeutung von *goes* ins Spiel: Das eine Wort „funktioniert“ wie das andere, klingt ähnlich, wie in *a song goes like* ... Das Lied, das diese Wortbedeutung aufruft, wird auch sogleich hörbar, nicht nur in Reim und Rhythmus des ersten Halbsatzes, sondern in der anschließenden Wiederholung von *that means to say that means to say*. Worte wieder wie in einer Schleife gefangen, als hätte die Platte – oder sollen wir auch hier sagen: die Jukebox – einen Sprung. Man könnte ebenso lesen: *das meint sagen das meint sagen*. Sprache, die sich zur Stimme emanzipiert, keinen Inhalt mehr transportiert, sich stattdessen aussagt, verausgabt, präsent ist und gleichzeitig unverfügbar. Dieses andere Sagen mündet in einem Stakkato aus vier einsilbigen Wörtern: *more sighs last goes*. Auch hier ist die syntaktische Funktion der einzelnen Bestandteile des Satzes unklar. Als wäre das Gedicht von dem Hund, den zu beschreiben es vorgibt, gebissen worden – tollwütig, man hört das, wenn man sich bei *rapid* verhört: *rabid*. Ist *sighs* ein Substantiv oder ein Verb, ist *last* ein Adjektiv, ein Verb oder gar ein Substantiv ohne Artikel, etwa: *(der) letzte geht*? Auch das uns bereits bekannte *goes* scheint hier in einer anderen Bedeutung verwendet zu sein, nämlich im Sinne von *leaves*, *geht (fort)*, was der nächste Satz nahelegt, der jemanden (uns?) auffordert, ihm zu folgen, mit ihm abzugehen: *Leave with it*.

Womit? Vielleicht mit dem Wort *more*, das unmissverständlich und unverständlich zugleich wie ein Monolith in dieser Folge steht. Vielleicht ist es eben jenes „Mehr“ an Bedeutung, das sich aus der Doppelhelix eines *monkey-donkey* zwirbelt. Beide sind nicht, was sie zu sein scheinen, sie sind weniger – keine symbolischen Repräsentanten einer Wirklichkeit – und zugleich mehr, Ereignisse, Objekte im Mund, Körper aus Klang und Sinnspiel, die durch *replacement* entstehen. Ein Überschuss an Differenz: „the difference is spreading", heißt es im Eröffnungstext von *Tender Buttons*. Ein *more*, mit dem der Mund sich öffnet, ein Loch entsteht mitten im Text, ein Loch wie *hole* oder *dog*, durch das der Text abgeht, wir mit ihm: *Gap Gardening*.

Auch Ilse Aichinger, auf die ich noch einmal zurückkommen möchte, betreibt *Gap Gardening*, die Kunst der Brüche, der Abwesenheiten, des Verschwindens, auch wenn sie es vielleicht anders nennen würde. „Hemlin", ein Prosagedicht aus dem Band *Schlechte Wörter*, zeigt uns, wie vermeidbar Zusammenhänge sind, wie an ihrer Stelle Diskontinuität, Stockung, Verstörung unserer Sprach- und Sehgewohnheiten das größere, das notwendigere Potenzial entfalten. „Hemlin" ist vielleicht eine Beschreibung, die Geschichte eines Wortes in acht Absätzen, oder Prosastrophen. Doch das Objekt der Beschreibung ziert sich von Anfang an:

> Komm herunter, Hemlin, errate, was ich für dich habe. Geh noch tiefer. Du errätst es nicht. Verschwinde nur nicht hinter deiner bescheidenen Figur, das hast du nicht nötig, laß sie auspendeln. Auspendeln, sage ich, schleif nicht.[68]

Als würde der Titel angesprochen, als sollte er hinabsteigen, hineinsteigen in seine Box. Die Beschreibung. Verweisungen. Da gehört er doch hin. Hemlin aber leistet Widerstand, und es wehrt sich auch dann, als es längst im Text angekommen ist. Sein *Verschwinden hinter einer bescheidenen Figur* wird inszeniert als Aufspaltung, Fragmentierung: Diese Figur – dieses Wort? – ist so bescheiden, dass es keine eigene, stabile Identität ausbildet. Stattdessen ist Hemlin, einmal angesprochen, eingesprochen in den Text, in jeder Strophe etwas anderes. Dialogpartner, Siedlung, Briefkopf – „Mit Adresse, P.O.B., das übliche, keine schlechte Adresse" –, eine Zeichnung von Veronese oder „eine Art unvernünftiger Freude aus in sich vernünftigen Anlässen". Es ist ein imaginäres Wort, ein Substantiv, das nicht existiert. Es ist die Abwesenheit, um die der Text kreist und die er nie füllt, erfüllt, nie *tilgt*. Wie Roland Barthes' Eiffelturm ist Hemlin ein fast leeres Zeichen[69], das wegen seiner virtuellen

68 Ilse Aichinger (wie Anm. 24), S. 81–82.

69 Roland Barthes: Der Eiffelturm. Berlin 1970, S. 43.

Leere unentwegt Bedeutung anzieht wie ein Blitzableiter den Blitz. So heißt es im vorletzten Absatz, der nur eine Zeile lang ist:

> Hemlin muß ein Monument sein, rund, macht Schwierigkeiten.

Ein Monument, herausragend über seine Umgebung, gilt als Zeichen einer Abwesenheit, das Aufmerksamkeit anziehen soll, Bedeutung annimmt durch den vom Betrachter hergestellten Zusammenhang mit etwas, das im Verschwinden begriffen oder bereits verschwunden ist. Es stabilisiert die Erinnerung, stiftet Identität. Doch Hemlin stiftet nicht, stabilisiert nicht, Hemlin *macht Schwierigkeiten*, verweist auf keinen übergeordneten Kontext, keine Realität. Es vereinheitlicht nicht, es differenziert sich aus. Zieht sich auf sich selbst zurück, erinnert höchstens an seine Zeichenhaftigkeit, daran, dass es selbst ein emanzipiertes Sprach-Objekt ist. Der letzte Absatz des Gedichts besteht folgerichtig aus nur einem Wort:

> Hemlin.

Ein Grenzwort. Angesiedelt zwischen Bildung, Abbildung und Auflösung. Zwischen dem Hemmnis, das es uns als Leser dieser Zwitterform aufgibt, und *hemline*, dem englischen Wort für *Saum* oder *Einfassung*. Sprachsaum, Waldsaum vielleicht, im Sinne Valérys: Sprache, eingefasst in etwas, „mit dem ausdrücklichen Vorsatz, verloren zu gehen“. Die Grenzen, zwischen denen Hemlin *pendelt* – Weg und Abweg, Ordnung und Unordnung, Prosa und Vers –, es hebt sie zugleich auf, wie der zerrissene Zentaur aus Matthea Harveys Gedicht. Ich habe von Abwesenheiten gesprochen, und es ist vielleicht deutlich geworden, dass dies nur eine andere Art ist, von eindringlichen Präsenzen, Überschüssen, Kurzschlüssen zu sprechen. *Hem* im Englischen ist auch der Räusper, ein Rattern in der Stimmbox, das Pausen anzeigt, Zögern, Verstörungen und als das Andere einer Äußerung die binären Oppositionen zwischen Körper und Sprache, Subjekt und Objekt, Form und Formlosigkeit, Innen und Außen für einen Augenblick zum Einsturz bringt. Vielleicht ist ein Räusper die kleinste Variante des Prosagedichts, die wir kennen.

Skopje, September 2009

SPRACHE GUTER HOFFNUNG

Ein mazedonisches Reisewörterbuch

Michel Butor schrieb: Reisen ist Lesen. Die amerikanische Schriftstellerin Lydia Davis macht daraus: Schreiben ist Reisen, Schreiben ist Lesen, Lesen ist Schreiben, Lesen ist Reisen. Ich möchte hinzufügen: Reisen ist Verlesen. Wenn man, wie ich, ein Land wie Mazedonien besucht, dessen Sprache man nicht spricht, wird daraus ein Reisen, das sich nicht vornehmlich aufs Verstehen, sondern vernehmlich aufs Entdecken konzentriert. Zum Beispiel steht neben dem Haus im Zentrum von Skopje, in dem ich für zwei Monate wohne, dieses Schild: гинеколошка ординација (Ginekoloschka ordinazija). Weil ich acht Jahre Russisch gelernt habe, kann ich das Schild entziffern und als gynäkologische Praxis verstehen. In der mir fremden, mazedonischen Adjektivendung verlese ich aber den Löffel, russisch *loschka*, der dort nicht hingehört. Dann sehe ich das glänzend blanke Hasenohreninstrument, mit dem die Untersuchung beginnt. Es wird Uteruslöffel genannt, aber das wusste ich nicht, als ich mich verlas. Die Sprachen wussten es in ihren Namen.

Ein Fresko in der Kirche Sveta Sofija in Ohrid, der bedeutendsten mittelalterlichen Kirche Mazedoniens, zeigt eine *Maria Gravida*, Maria der guten Hoffnung. Aus einem eiförmigen weißen Raum, lichtdurchflutet, lichtspendend, der auf oder in dem Körper der Gottesmutter liegt, schreitet Jesus auf den Betrachter zu. Man unterscheidet, lese ich später, zwischen extrauterinen *Maria Gravida*-Darstellungen, also außergebärmutterlichen, und intrauterinen, wenn der Christusknabe im Leib der Mutter steht wie in der Hagia Sophia. Ich muss unwillkürlich an einen Essay von Yoko Tawada denken, „Sprachpolizei und Spielpolyglotte", in dem es heißt: „Haben einige Wörter eine Gebärmutter im Leib?" Ich frage mich eher, ob Wörter guter Hoffnung sein können. Vor Maria stehend, fällt mir *Miss Liberty* ein – extrauterines Hoffen, ein Wort wie ein Schild, dass sich Einwanderer in Amerika vor die müden Körper hielten, vielleicht auch Mazedonier, die sich dann in New Jersey niederließen oder Boston. Eingewanderte und eingebildete Wörter dagegen sind intrauterin voller Hoffnung, weil sie Reisende sind, Reisende bleiben, die Bewegungen der Sprachen in ihnen wohnen. Auch im Mazedonischen gibt es eingewanderte Wörter, türkische, deutsche, österreichische, die beim

Wandern ihre Bedeutungen, ihren Klang, manchmal ganze Buchstaben umgeschichtet haben. Ich erkenne diese Worte wieder und sehe in ihrer Verstellung, Entstellung die klandestinen Möglichkeiten der Sprache aufbewahrt.

Im Mazedonischen könnte man vielleicht sagen, die Sprache ist ein фраер (freier). So wurden in Jugoslawien seit den siebziger Jahren jene Jungs genannt, die unabhängig, cool und anders waren, die Marlboros rauchten. Keine Kents. Ein Wort, das aus dem halben, westlichen Deutschen, in dem diese Freiheit nicht vermisst wurde, zuerst nach Serbien kam und sich auf dem Weg seiner – zumindest in der Substantivform enthaltenen – anzüglichen und ausbeuterischen Bedeutung entledigte. Das patriarchale Gepäck nahm es freilich mit. Ein späteres Wort, das von Belgrad nach Skopje reiste, war шизик (šizik). Hier wurde es verstanden als der Superlativ des Freiers, man rief es coolen Typen zu. Dass es abwertend gemeint war und jemanden bezeichnete, der als kaputt, verdächtig, kurz: „schizoid" galt, dieses Wissen war, jedenfalls für eine Weile, irgendwo hinter der innerjugoslawischen Grenze geblieben. Durch diese Entfremdung aber wird шизик zu einem Wort, in dem das weit gereiste Wissen wohnt, dass Sprache dem, der sie spricht, nicht gehört, auch wenn es die einzige ist, die er hat: Schizolinguismus. Dass Sprache eine Sache lokaler Identitäten ist, die sich permanent austauschen und überall bilden können, nicht unbedingt nur als festgelegte Identitäten auf den Territorien sogenannter Nationalstaaten. Und dass Sprache, so verstanden, mehr Asyl ist als Heimat.

Ein solches Asyl hat auch das Wort *Liebe* in alten mazedonischen Liedern gefunden. Auf der Reise hat es seine Gebärmutter verloren, seinen langen, inneren Vokalgrafen, es heißt jetzt nur noch либе (libe) und benennt nicht das Gefühl, sondern den oder die Geliebte. Ein anderes verdichtetes, umgeschichtetes Wort ist шрафцигер (šrafciger), der Schraubenzieher. Die Schraube darin ist verschwunden, das bezeichnete, bearbeitete Objekt. Stattdessen lese ich die Arbeit selbst darin, den Vorgang des Straffziehens, die Schweißstriemen auf der Stirn, die angestrengte Falte, die den Streifen im Schraubenkopf ersetzt. Im heutigen serbokroatischen Wörterbuch gilt das Wort als Barbarismus, weil es ein einheimisches verdrängt hat. Ob das die мутер (muter) weiß, die die Schraube einfasst; kümmert es sie, da sie umfassen kann, was sie will? Die Arbeit sieht man vielen deutschen Worten im Mazedonischen an. Handarbeit, Werkarbeit, гастарбајтер (gastarbajter). Eine штангла (štangla) zum Beispiel ist Werkzeug und, als рум штангла (rum štangla), Süße. Aus dem Kurzschluss wird ein куршлус (kuršlus): Das Versagen im Schaltkreis wird verwandelt in einen langen Feierabend oder das Ende einer Heilbehandlung. Mit Allgegenwärtigkeit deutscher Kosmetikprodukte hingegen scheint zusammenzuhängen, dass bestimmte Cafés, die man bzw. frau nie anders als hergemacht betritt, in der Umgangssprache шминкер (šminker) genannt werden. Vielleicht lässt sich in diesen „entstellten Ähnlichkeiten" (Benjamin) auch ein unbewusstes Sprachbegehren erkennen. Nicht unbedingt in Benjamins messianischen Spuren, aber doch in dem Sinne, dass das Andere der Sprache zugleich Entfremdung und Wunschvorstellung ausdrücken kann. Das Adverb *ganz* beispielsweise, dem im Deutschen nur über Umwege auch der Glanz der Vollkommenheit anhaftet, ist im Mazedonischen volksetymologisch (oder durch reisende Rückübersetzung?) in *glanz* umbenannt worden. So sagt man hier, etwas, vielleicht ein Haus, sei гланц ново, гланц чист (glanc novo – glanz neu, glanc čist – glanz sauber). Das kann, je nachdem, wie verwandert der Sprachsinn ist, der das hört, mazedonisch *glanz* im Sinne von *glänzend* heißen oder *glanz* im Sinne von *ganz*. Was alles zwischen Sprachen spiegelt und spielt! Daran muss ich denken, als ich in Bitola, der Heimat der Fotografie- und Filmpionierbrüder Manaki, vor einem neuen Gebäude stehe, dessen Fassade nur aus verspiegelten Glasplatten besteht. Hier treffen sich abends die Jugendlichen der Stadt, ihr Spitzname für das Haus ist рејбан (rejban – Ray-Ban), nach dem Sonnenbrillenhersteller. Wie das mazedonische *glanz* ein Wort guter Hoffnung. Trotzdem höre ich, wenn jemand гланц ново, гланц чист sagt, darin *glanz neu, glanz tschüss*.

Vielleicht ist das so, weil *neu und tschüss* auch die Pole sind, zwischen denen sich die mazedonische Sprache heute bewegt. Als eine relativ junge, kleine, anderen Sprachen so ähnliche Sprache ringt sie noch immer um ein Gleichgewicht zwischen teils übersensiblem Selbstverständnis und einer mal latenten, mal offenen Nichtakzeptanz durch manche Nachbarn. Sie trägt, so kommt es mir vor, im Bewusstsein ihrer Sprecher und Dichter das schmerzhaft Andere mit sich. Die mazedonische Sprache gibt es offiziell seit 1944/45. Im Zuge der kommunistischen Staatsgründung im entstehenden Jugoslawien arbeiteten zwei Sprachkommissionen daran, durch Auslassen bestimmter Buchstaben, Festlegen von Grammatik und Lexikon etc. das Mazedonische als ein Eigenes im Abstand zu etwa dem Serbischen oder dem Bulgarischen festzuschreiben. Die Kommissionen konnten zurückgreifen auf Krste Misirkovs *Za makedonckite raboti* (Über die mazedonischen Angelegenheiten) von 1903, in dem der Philologe, Historiker und Linguist für die Schöpfung einer eigenständigen mazedonischen, dialektbasierten Schriftsprache eintrat. In den Augen der meisten Mazedonier ist die Geschichte ihrer Sprache dennoch älter, ohne dass sie dafür einen schriftlichen Beweis erbringen könnten. Neben der politisch-administrativen gibt es eine ethnisch-kulturelle Ebene, nämlich das Sprachbegehren vieler Menschen, die sich nicht erst seit Krste Misirkov als ethnische Mazedonier begriffen. Ihre Sprache aber war vor 1945 zugleich auf viele Dialekte verstreut und im Bulgarischen verortet, das heißt, sie war immer auch die der Anderen, oder: der Andere war immer der Ort ihrer virtuellen Einsprachigkeit.

Das Ringen um die Sprache der Brüder Miladinov, das noch heute anhält, ist ein Beispiel für diesen Schizolinguismus. Konstantin und Dimitar Miladinov aus Struga im heutigen Mazedonien kämpften Mitte des 19. Jahrhunderts um die Zulassung des Mazedonischen in Schulen und Kirchen zu einer Zeit, als dort das Griechische regierte. Mazedonisch steht hier synonym für Ostsüdslawisch. In bulgarischen Geschichtsbüchern wird man lesen, dass sie das Bulgarische einführen wollten. Das Vermächtnis der Brüder ist (neben Konstantin Miladinovs berühmtem Gedicht „T'ga za Jug", Sehnsucht nach Süden, nach dem ein mazedonischer Wein benannt wurde) eine Sammlung von Volksliedern, die 1861 unter dem Titel *Bulgarische Volkslieder* in Zagreb gedruckt wurden. Als das mazedonische Staatsarchiv in Zusammenarbeit mit der Soros-Foundation vor einigen Jahren ein Faksimile des Buches veröffentlichte (es ist noch heute im Internet zu sehen), fehlten laut der englischen Wikipedia die oberen Zentimeter des Buches; es hieß jetzt nur noch »Volkslieder« und wurde präsentiert als die erste systematische Arbeit zu mazedonischer Folklore auf mazedonischem Territorium. Das Bulgarische war verschwunden. Es ist schwer, eine Sprache zu haben, die einem lange Zeit nicht gehörte, schmerzhaft, ihren Ort im Anderen anzuerkennen. Die trotzige Auslassung aber muss, so verstehe ich, im Kontext gesehen werden mit bulgarischen Einlassungen und Aneignungsrhetoriken. Wegen seiner Nähe zum Bulgarischen gibt es heute noch Menschen, die die Ansicht vertreten, das Mazedonische sei keine eigene Sprache. Als der erste Präsident der unabhängigen Republik Mazedonien, Kiro Gligorov, Mitte der neunziger Jahre nach Sofia reiste, um den umfassenden Willen zur Kooperation beider Länder zu demonstrieren (Bulgarien hatte die Republik als erster Staat anerkannt), kam es nicht zur Verabschiedung diverser Vereinbarungen, weil sich die bulgarische Regierung weigerte, eine mazedonische Fassung zu unterschreiben. Ihrer Meinung nach war das Bulgarische die Sprache beider Länder. Unter anderem wurde so die längst fällige Verknüpfung der Eisenbahnlinien zwischen Kjustendil (Bulgarien) und Kriva Palanka (Mazedonien) vereitelt.

Aber Sprachen reisen. Reisen ist Lesen. Reisen ist Verlesen. Die Gedichte des mazedonischen Lyrikers Nikola Madzirov lese ich als eine Art Gegenprogramm zu sprachpolitischen Identitätsbekenntnissen. In seinen Versen entfaltet sich eine melancholische Topografie temporärer, instabiler Identitäten, deren Erinnerungen, Orte und Nicht-Orte sich nie zu einer einzigen Geschichte fügen. Und doch findet sich auch bei Nikola Madzirov ein Bekenntnis zu Kontinuität – es ist dies die Kontinuität der wandernden Namen, der Beweglichkeit von Sprache und Geschichte, das Bewusstsein, dass die Geschichte vielen gehört und die Sprache auch dem Anderen. Erst wenn dieses Wissen selbstverständlich wird, kann die Bedeutung der Sprache als exklusives Identitätsmerkmal zurücktreten zugunsten eines durchlässigen, entspannteren, nicht-exklusiven Umgangs mit Sprache, Identität und Nation. Ich sehe das Mazedonische, jung wie es ist, in diesem Sinne als eine Sprache guter Hoffnung, eine, die in ein Europa offener Grenzen gehört, wie ihr Dichter Nikola Madzirov, der sich in seinen Zeilen nationalistischen Tendenzen entgegensetzt:

> Ich trennte mich von jeder Wahrheit über die Anfänge
> der Stämme, Flüsse und Städte.
> („Getrennt")[70]

Ich kannte dieses Gedicht noch nicht, als ich nach Skopje kam, und habe dennoch zuerst die Worte für Abschied gelernt. Ich lernte чао (čao) zu sagen und пријатно (prijatno). Ich lernte die Wörter von ihrem Ende her begreifen, weil man im Mazedonischen stets auf der dritten Silbe von hinten betont. Danach lernte ich danke zu sagen. фала. Fala mnogu. Eines Tages

70 Nikola Madzirov: Versetzter Stein. Aus dem Mazedonischen von Alexander Sitzmann. München 2011, S. 58.

schrieb ich meiner kanadischen Freundin Erín Moure. Erín ist Dichterin und Übersetzerin unter anderem aus dem Galicischen. Ich gab mit meinem neuen Sprachschatz an und dankte ihr für ihre Gedichte mit vielen *falas*. Daraufhin schrieb sie zurück, dass *fala* im Galicischen *Rede*, *Sprache* oder *Idiom* bedeute, und dass das galicische Verb für sprechen *falar* sei. So könne man sagen: *Son da fala inglesa* (I am an English speaker). Ich hatte Erín *vielen Dank* schreiben wollen, ihr stattdessen viele Sprachen geschickt. Nun musste ich ihr noch einmal danken. Und auch der mazedonischen Sprache. Denn ich konnte jetzt sagen: *Son da German fala* und dabei wissen, dass ich, sprechend, schreibend, reisend, mit meinem Deutsch, das mir nicht gehörte, im Anderen dankend aufgehoben war, wie der Rum in der Stange, die Schraffur in der Schraube, wie Namen in nie ganzen, aber immer glänzenden Spiegelkabinetten der Sprache.

Skopje, Oktober/November 2009

IN DIE KARTEN GESCHAUT

„look on my card“

wir wollten über diesen satz wie eine stadt uns beugen, punkt erzeugen, mundraum, traum vom hören, oder sagen: hier, in diesem netz aus zungen, ist ein weg gelungen, ein versehen, verstehen. auf unseren stirnen, die sich fast berührten, klebte lingua franca, schon legende: you are here, ich bin who, ein routenspiel, doch was wir sprachen, kam nicht an. die roten linien schnalzten, rollten sich zurück in ihre eigenen namen, kamen mit den griechen chartis, carta aus italien und karte, also mir: sieht aus, als wären wir hier. my almost true friends. so fanden wir, mit falschem wort, den ort, und falteten den rest der stadt, nach art des landes, wie man sagt, in mappen ein.[71]

I

Das Gedicht vielleicht wie eine Karte zu entfalten, hieße nicht, an einer Fläche anzukommen, ausgebreitet, in der alles nacheinander aufgereiht, mit Legende versehen, zum Verstehen markiert ist, sondern hieße, meine ich, dass man von einer Falzkante zur nächsten, von einer Falte zur andern gelangte 🚍 und länger verweilend so eine Vielfalt gestaltete, multiplizierend, die dem Gedicht, wenn nicht eben bündig, so doch ebenbürtig sein könnte.

II

Obiges Gedicht, das den Leser nicht in seiner Muttersprache einlädt, auf seine *card* zu schauen, steht am Ende meines Gedichtbands *falsche freunde*, und ist selbst ein solcher. Als „falsche Freunde“ gelten in der Sprachwissenschaft Wortpaare aus zwei verschiedenen Sprachen, die sich phonetisch oder orthografisch ähneln, aber unterschiedliche Bedeutungen haben. Genauer gesagt ist also der Titel des Gedichts falsch, weil er das, was er so freundlich fordert, in der gewählten Fremdsprache, indes mit seiner sogenannten Muttersprache

71 Uljana Wolf: falsche freunde. Gedichte. Idstein 2009, S. 85.

im Sinn, und deshalb weder richtig Englisch noch Deutsch sagt, sondern in einer Art Gedicht-Pidgin. Ja was denn für eine card? De visite, vielleicht? Ma tente? Will das Gedicht am Ende Fisimatenten machen? Aber von Französisch, gar von falschem, war ja nicht die Rede.

III

Ein Spiel, das wir früher spielten, hieß „Wer bin ich". Jemand bekam einen Zettel mit einem Wort auf die Stirn geklebt und musste sich raten, war die Frage. Das fremde Wort war der momentane Eigenname. Das Ratespiel war auch ein Versteckspiel, nur war man selbst das Versteckte in einem zugewiesenen Namen und das heiße oder kalte Tasten fand nur in der Sprache statt. Fühlt man sich so, wenn man eine neue Sprache lernt? In fremder Zunge spricht? Erst befremdet man sich selbst, dann lernt man die Sätze, dies zu erfragen. Zu beschreiben. Die fremden Sätze. Die Fragewege, würde man sie zeichnen, ergäben die Linien eines neuen Körpers oder Straßen einer Stadt, den Mississippi, mäandernd, ein U-Bahnnetz mit Punkten zwischen sämtlichen noch nicht verbundenen Stationen.

IV

Wer dem Gedicht in die Karten schaut, entdeckt, dass es sich in diesem Fall bei Karten eigentlich um Pläne handelt, Stadt- und Sprachpläne, Unterwanderungspläne. Gefaltetes aus der Mappe einer *citizen*, die auch eine Reisende ist, vor allem aber Bürgerin ihrer/seiner Sprache. Sich als Dichter und als Bürger einer Sprache zu sehen, hieße, dass man sich nicht vorrangig als *citizen* eines Staates definiert, dem dann zwangsläufig und meistens nur eine Sprache zugeordnet, gestattet, geortet wird (territorial). Es hieße vielmehr, dass sich die *citizen* durch ihre Beziehung zur Sprache definiert, die notwendigerweise in Beziehung zu ihrem Körper steht, geht, der wiederum wirklich oder virtuell über Staatsgrenzen wandert und sie unterwandert, wenn er spricht (global, lokal). Notwendigerweise spricht. Von einer Körperposition, die darum immer eine Sprach- und eine politische Position ist.

V

Die Sprachmacht des Englischen als koloniale Hegemonialsprache und Sprache des globalen Kapitalismus ist evident. Damit einher geht aber auch eine Erweiterung des Englischen durch Zweit- oder Vielsprachensprecher auf der ganzen Welt (*International Disco Latin* ✈). In den Kartenfalten tanzen neue Worte, die nur Englisch anmuten: Handy, Beamer. Das Wort für Landkarte oder Stadtplan ist im Englischen *map* und nicht Karte, aber wenn zwei oder drei in ihren Heimatsprachen Karte, carta usw. sagen und dieses Wissen auf das Englische übertragen, können sie sich verstehen, obwohl sie Falschefreunde-Englisch sprechen. So wird das Englische zugleich angewandt und unterwandert, eine Vielfalt erzeugt. Auf diese Vielfalt, und nicht die Einfalt der vermuteten Vorherrschaft einer als unveränderlich gedachten Sprach- und Warenmacht, kommt es mir an. Auch halten Gemengelagen geschmeidig, oder „Unterschiedenes ist gut". ⓘ

VI

Édouard Glissant hat einmal gesagt, es sollten immer mindestens zwei Sprachen zugegen sein, wo sich viele begegnen. Man kann sich das als Treffpunkt von Fremd- und Eigensprache vorstellen oder als Kollision von Wörtern, die erst falsche Freunde sind, dann echte. Man kann paar Sprachen sehen, die sich um einen Stadtplan scharen und ihren Standpunkt suchen im *Mundraum Manhattan.* (Man könnte auch sagen, dass, wo immer Menschen Fehler machen, sich versprechen oder verlesen, Wörter verdrehen, ob in ihrer Eigen- oder Fremdsprache, eine zweite Sprache in der Sprache auftaucht. Oder die Sprache Falten schlägt, die zu neuen Falten führen. This, I imagine, happens in every good poem.

Berlin, Mai 2010

III

- 🚍 *Gilles Deleuze, Gottfried Wilhelm Leibniz*
- 🛏 *Jorge Semprún, Erín Moure*
- ✈ *Hito Steyerl*
- ⓘ *Friedrich Hölderlin, Oskar Pastior*
- (*Thomas Kling*

FIBEL MINDS

A conversation between Uljana Wolf and Simen Hagerup

(Im April 2014 war ich zum *Audiatur-Festival for ny poesi* in Bergen eingeladen. Richtig gesagt, war mein Gedichtband *falsche freunde* (2009) eingeladen, da die Kuratoren Karl Larsson und Paal Bjelke Andersen bestimmte Werke ausgewählt hatten, die miteinander ins Gespräch kommen sollten oder ohnehin schon waren – Werke, die sich im weitesten Sinne mit Übersetzung als Widerstand beschäftigten. So kam es, dass ich einige Tage mit bewunderten und geschätzten Kolleg*innen wie Cecilia Vicuña, Lisa Robertson, Jena Osman, Sean Bonney und Jean-Marie Gleize verbringen durfte. Das Festival produzierte eine Edition kleiner Hefte zu den Werken mit Interviews oder Interventionen, wofür ich im Vorfeld dieses Interview mit dem norwegischen, in Berlin lebenden Dichter, Kritiker und Übersetzer aus dem Deutschen Simen Hagerup führte – auf Englisch, per E-Mail, zwischen Berlin, New York und Bergen.)

*

Intro by Simen Hagerup

Living in Berlin, the interviewer had expected to meet with the poet, and was stumped to learn she, in the meantime, had crossed the Atlantic. Still, the correspondence found its natural rhythm: as one slept, the other wrote, and the exchange went back and forth as migratory bird questions, with a velocity measured in bits per second.

While the answers in the Q&A are in themselves inquisitive, the title „Fibel Minds" has the foible of underscoring questions asked. Other possibilities:
„Onwards, one-eyed-Jane!"
„The familiar entstellt"
„De-putting language"
„watercress wor(l)ds,"
„Cultivation of watercress in fat soils" ...

Simen Hagerup (SH)

Dear Uljana Wolf, first of all, thank you for your time and thoughts. I hope we can talk a bit about *falsche freunde*, false friends, the work(s). This year, the Audiatur committee makes a point of inviting the works as such to take part in the festival, with the authors more or less tagging along as required props. Yet, *falsche freunde* is striking in how it constantly activates the humans connected to it; the reader and author both seem present at every turn. The suite of poems that gave the book its name, is a collection of 26 texts, from A to Z, based on false friends, ie. words which are written or pronounced similarly between two languages, but carry different meanings. In your case, you are writing in German hybridized with English, based on puns between (and within) both languages.

It may be a false start, but hoping that false starts are in the spirit of the texts themselves: reading *falsche freunde*, I did become curious about your own language background. At the time of this interview, you are in New York, but you write in German and have close ties to Berlin. And, if I'm not mistaken, you have a relation to the Polish language? How would you say this in-between of languages has affected what and why you write?

Uljana Wolf (UW)

Great to start with false starts. I love them. Slips, glitches, splinters, Holz, mistakes. Because what they do is multiply the possibilities of what might actually be there, create space—to wonder, to stumble, to question. A glitch, a stutter makes a language multiple by creating space for another word that could have been there instead of the one that we currently use. *wenn du forst bist. Saatsgewalt. Eine Runde Vogelfragen*. They jiggle us out of our tracks. And the truth is, I felt this way always with the German language, and perhaps all writers do, not with German (although Mark Twain might very well say so), but with their own language. Benjamin called this encounter *Entstellung* —which means deformation but literally „de-putting," so you're opening up a new path of perception or knowledge by removing the familiar. Which is what poetry does. Which is where it can be political. Going abroad and immersing yourself in another language enhances this process—physically, emotionally, intellectually. But my first book, which was written during a period when I spent a lot of time in Poland and learned some Polish, actually doesn't necessarily explore this deformation on a linguistic level. There are Polish words in the title of the book and in some poems but they function more as sign-posts, pointing towards the experience of defamiliarization and disrupted communication on a personal and historical level, between Germany and Poland (my grandmother came from the German-speaking population of Silesia). But since then, the reality of living in or between two languages—in this case English and German—has had a much more direct impact on how I write, although all of my books (*falsche freunde* and also my new book *meine schönste lengevitch*, 2013) have explored issues similar to those in *kochanie*, issues around identity, nation, state, border, history, control, exclusion, inclusion. And *falsche freunde* explores, as you say, the actual meeting of languages in controlled experimental set-ups, *Versuchsanordnungen*. It is ‚translantic' writing because it is informed as much by my transatlantic or transnational movements as it is by translation as a poetic practice.

SH

The linguistic phenomenon of false friends is most keenly felt by learners of foreign languages. Learning can be anguishing as well as rewarding. Consider how language makes life difficult for lower class immigrants (with low mastery of the official language) all over the world. These are the people who really get backstabbed by false friends. So there is that, but mostly anyone will have experiences with false friends, and they can also entail one of the true joys of discovering, and even creating, language. I would be interested in some of your views on what constitutes the epistemological and social world of *falsche freunde*.

UW

It's very interesting that you raise the issue of language learning and class here. Or mastery. In Germany, for many years the deep-rooted hesitation to overcome the socio-cultural imagination born during the Romantic period that Germany is a German-language nation state that comes with a German ‚Leitkultur,' or leading culture, has influenced the educational system with regard to language acquisition. The languages of working class immigrants were seen as an obstacle to their assimilation into German culture and thus the focus would be on repressing those languages in favor of all-German-all-the-time, in childcare, in schools, even at home. Parents were advised to speak German to their children at home, even if their own German was wobbly because they had themselves just recently or barely learned it. So the educational system in a way created its own illiterates by disregarding the language and embedded knowledge those kids had brought with them, by attaching a lower status and therefore less desirability to certain languages, or even discrediting existing bilingualism if it didn't come with the right set of languages (Turkish—German). But success in second language learning rests mostly on knowing one's mother tongue and learning intuitively all the grammatical structures, and on having a positive, powerful, blooming relationship to that language.

So there is a need for a rethinking, and this has already started: more bilingual classrooms, experiments, more offers for the first language, much like they already exist for more desired and officially sanctioned language-pairs like English—German or French—German. (Because there is multilingualism in Germany, but it is a multilingualism from above, sought out by middle or upper class parents.) In those classrooms, of course, false friends and other transfers and overlaps will play an important role. But not as danger or lack of mastery—rather as plurality, spilling, Überfluss, fluidity, excess, cross-over and crossing-back of culture, of knowledge, heritage. Or that's what I imagine, anyway. Autrement dis, the autre ment this.

SH

Your writing is constantly researching a lingual mutability like this, yet you never outright switched languages (as so many writers have done to various effects). Rather, you ‚stayed' with the German, which strikes me as a very conscious choice in your work, and not an unambiguous one. Precisely by sticking to the mother tongue, you seem to be seeking out positions in the border zones.

UW

Yes, that is true. I've stayed with German—whatever that really means—because there is a constant low-level experience of deformation that keeps me on my feet and my language moving. Satelliting instead of settling in, testfly instead of testify, and this opens up the language and world to experiences of displacement, destabilization, pathologization, periphery—be it the experience of asylum seekers in German and European camps, the pathologizing physical examination of immigrants in Ellis Island or the intricate and complicated socio-linguistic history of hysteria in a case like Anna O. My latest book, *meine schönste lengevitch*, takes its title and important cues from a book called *Die schoenste Lengevitch*, published in Chicago in 1925, by a Germarican writer named Kurt M. Stein, probably a pseudonym. His book contains a series of satirical poems written in a kind of German-American Creole, poking fun at the mother language loss among German immigrants who nevertheless think they can still master their Vaterdeutsch correctly. He attaches a negative value to this loss and subsequent language mix but he also uses it to generate some hilarious words and lines. But I am interested in fluidity, in erring, in what is perhaps perceived, by the writer of this book, as linguistic disloyalty. In my own book, I am also dealing with Schleiermacher's assertation (in his otherwise wonderful essay on translation) that people who write literature in a language that is not their mother tongue are doppelgängers, ghosts—„they are rather like an artful man who causes watercress to sprout on a white cloth without soil"[72]. This of course brings us right back to the roots of our present problems with regard to language acquisition and identity in German education. This is where it comes from, the idea that thought and expression are one, and thought deeply steeped in, shaped by and shaping, a cultural identity that can only rightfully be represented in the yet-to-be-created nation-state, that one can, in other words, belong to and speak in only one Vaterland, Vaterlanguage: „One must be loyal to one language or another, just as to one nation, or else drift disoriented in an unlovely in-between realm."[73]

I like this in-between realm (a middle of periphery, that is) and yet while my writing is invested in questioning and loosening and rejecting those knots, I find myself thrown back to the watercress man when thinking about why I don't write in English: I would be missing those roots, the hypodermic ability to connect and branch out and reach far back and down into a language depot, a place where endless voices roam, where the banal is next to the beautiful, all half-present, half-remembered (falsely, of course) fairy tales! Grimms!... It would be hard to reach this thicket level in English, though of course one doesn't have to write vertically at all. And in staying within this one language and deforming it, mistakes and false friends point to a lack—of mastery, of presence, of accuracy, what have you. But they also, and maybe more importantly

72 Friedrich Schleiermacher: On The Different Methods of Translating. Translated by Susan Bernofsky. In: Lawrence Venuti (Hg.): The Translation Studies Reader. Third Edition. New York 2012, S. 58.

73 Ebd.

so, point to an excess, a too-much, of languages, possibilities, as well as to the places where cultures meet in languages, out of their own volition or forcibly, and as a consequence are changed, shaped, or even erased by this experience.

Édouard Glissant comes to mind, who in his intro to *Poetics of the Diverse* laid out why it is impossible to write „in a monolingual manner" even if one writes only in one language: „That is to say that I return and force my language not into syntheses but toward linguistic openings which permit me to conceive of the relations between today's languages on the surface of the earth—relations of domination, connivance, absorption, oppression, erosion, tangency, etc.—as the fact of an immense drama, an immense tragedy from which my own language cannot be exempt and safe."[74]

SH

How did you conceive of the idea of a text collection devoted to false friends? Did it crystallize from dissimilar drafts, or do you have some Eselsbrücke leading straight to the source?

UW

I began working on the DICHTionary, the first chapter of *falsche freunde*, in the fall of 2006 after falling in love and experiencing ‚mistakes' and false friends in the language (of love and beyond). I started to write down false friends, made lists, read dictionaries, etymologies. I began to collect false friends for every letter of the alphabet and started to write small prose poems based on these words, their histories and misunderstandings, translations and mistranslations, idioms, overheard phrases, songs—really whatever came to mind, I followed every path. This was a crazy little journey that lasted for about two weeks in which I wrote a first draft of the DICHTionary and made a small book, gluing the poems into an old „Fibel", a sort of chap book dictionary used in elementary schools which I had found at a flea market. Going over these drafts later, I found that I was unable to trace back certain connections or links or jumps: false friends had become autonomous and almost created a third language, „archipelagizing" myself and any potential future reader, to borrow another term from Glissant.

74 Édouard Glissant: Introduction to a Poetics of the Diverse. Translated by Pierre Joris. In: *boundary* 2, Vol. 26, No 1, 1999: An International Poetics Symposium (Spring 1999), S. 119.

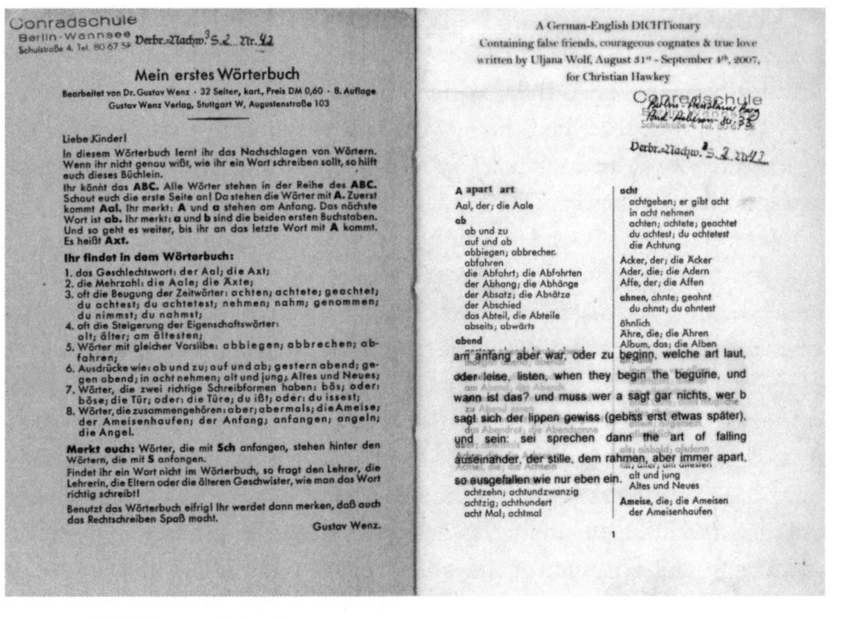

Conradschule
Berlin-Wannsee
Schulstraße 4, Tel. 80 67 58
Verbr.=Nachw. S. 2 Nr. 42

Mein erstes Wörterbuch

Bearbeitet von Dr. Gustav Wenz · 32 Seiten, kart., Preis DM 0,60 · 8. Auflage
Gustav Wenz Verlag, Stuttgart W, Augustenstraße 103

Liebe Kinder!
In diesem Wörterbuch lernt ihr das Nachschlagen von Wörtern. Wenn ihr nicht genau wißt, wie ihr ein Wort schreiben sollt, so hilft euch dieses Büchlein.
Ihr könnt das **ABC.** Alle Wörter stehen in der Reihe des **ABC.** Schaut euch die erste Seite an! Da stehen die Wörter mit **A.** Zuerst kommt **Aal.** Ihr merkt: **A** und **a** stehen am Anfang. Das nächste Wort ist **ab.** Ihr merkt: **a** und **b** sind die beiden ersten Buchstaben. Und so geht es weiter, bis ihr an das letzte Wort mit **A** kommt. Es heißt **Axt.**

Ihr findet in dem Wörterbuch:

1. das Geschlechtswort: der Aal; die Axt;
2. die Mehrzahl: die Aale; die Äxte;
3. oft die Beugung der Zeitwörter: achten; achtete; geachtet; du achtest; du achtetest; nehmen; nahm; genommen; du nimmst; du nahmst;
4. oft die Steigerung der Eigenschaftswörter: alt; älter; am ältesten;
5. Wörter mit gleicher Vorsilbe: abbiegen; abbrechen; abfahren;
6. Ausdrücke wie: ab und zu; auf und ab; gestern abend; gegen abend; in acht nehmen; alt und jung; Altes und Neues;
7. Wörter, die zwei richtige Schreibformen haben: bös; oder: böse; die Tür; oder: die Türe; du ißt; oder: du issest;
8. Wörter, die zusammengehören: aber; abermals; die Ameise; der Ameisenhaufen; der Anfang; anfangen; angeln; die Angel.

Merkt euch: Wörter, die mit **Sch** anfangen, stehen hinter den Wörtern, die mit **S** anfangen.
Findet ihr ein Wort nicht im Wörterbuch, so fragt den Lehrer, die Lehrerin, die Eltern oder die älteren Geschwister, wie man das Wort richtig schreibt!
Benutzt das Wörterbuch eifrig! Ihr werdet dann merken, daß auch das Rechtschreiben Spaß macht.

Gustav Wenz.

A German-English DICHTionary
Containing false friends, courageous cognates & true love
written by Uljana Wolf, August 31st - September 4th, 2007,
for Christian Hawkey

Conradschule
Schulstraße 4, Tel. 80 67 58
Verbr.=Nachw. S. 2 Nr. 42

A apart art
Aal, der; die Aale
ab
ab und zu
auf und ab
abbiegen; abbrechen
abfahren
die Abfahrt; die Abfahrten
der Abhang; die Abhänge
der Absatz; die Absätze
der Abschied
das Abteil, die Abteile
abseits; abwärts
abend

am anfang aber war, oder zu beginn, welche art laut, oder leise, listen, when they begin the beguine, und wann ist das? und muss wer a sagt gar nichts, wer b sagt sich der lippen gewiss (gebiss erst etwas später), und sein: sei sprechen dann the art of falling auseinander, der stille, dem rahmen, aber immer apart, so ausgefallen wie nur eben ein.

achtzehn; achtundzwanzig
achtzig; achthundert
acht Mal; achtmal

acht
achtgeben; er gibt acht
in acht nehmen
achten; achtete; geachtet
du achtest; du achtetest
die Achtung
Acker, der; die Äcker
Ader, die; die Adern
Affe, der; die Affen
ahnen, ahnte; geahnt
du ahnst; du ahntest
ähnlich
Ähre, die; die Ähren
Album, das; die Alben
alt und jung
Altes und Neues
Ameise, die; die Ameisen
der Ameisenhaufen

1

DICHTionary, September 2007

SH

Achieving that sense of wonder at the language one grew up with does demand a great deal of either work or (good or bad) fortune. You manage to turn the sense of wonder experienced when learning a foreign language inwards toward the „Vatersprache". There is an aspect here of de-working one's own mastery of that language, which may be seen as at once solidary with those who lack that mastery, but also to a certain degree almost envious of the astonishment with which they may discover fabulous words like *Schnabeltier* (taking into consideration, here and now, that the word *snabel* in Norwegian is translatable with the German *Rüssel*, and thus: OMG *Rüsseltiere!*)—reconstructing the language as a means to reconstruct the orders of social identity?

UW

You cannot imagine the shivers of delight I feel when I read this. *Rüsseltassen!* Worthy of Borges's *Manual de zoología fantástica.* My one and a half year old daughter says *elephant* by pressing two fingers to her nose and shaking her head up and down as if dipping it under water. There is no *Elefantenrüssel* in her sign—she forgot about this feature entirely—but now I wonder if perhaps she's actually saying *Rüsseltier* in Norwegian, which would be *Schnabeltier!* A water-bending being, thick-skinned duck, a diving Phant. I believe you very beautifully described the movements of solidarity and desire at the heart of *falsche freunde*, and also of *lengevitch*, with regard to father-language and other languages. There is of course also always a sense of loss, and lostness, but also of wonder. I have a very distinct memory of a *Rüsseltier* moment in my childhood, a moment of wonder and failing, falling out of understanding and *Selbstverständlichkeit*, almost out of bed. I was perhaps 11 years old and couldn't fall asleep because I obsessed about the impossibility of the word *Sternschnuppe*, which means falling star. I thought, how could a word like *schnuppe*—if it even existed, if I didn't just make it up in its complete *schnoddrige* inappropriateness—with its meaning of *egal* (unimportant, unworthy) ever come to be attached to a word like *Stern* (star)? I climbed out of bed and luckily my father was still up, looking at me in disbelief, confirming the existence of the word.[75] I was relieved but also wasn't. It didn't matter anymore whether the word existed or not. What mattered was that one could so utterly fall out of one's language, get lost. This was one year after Mauerfall, amidst large and destabilizing cultural, linguistic and socio-economic changes, and I've only slowly come to understand the full meaning of this non-instance, the reverberations of this non-coincidence in my thinking and speaking as a writer born in East Germany, in a country that does not exist anymore, even though my parents' apartment and many things around it have not migrated much.

SH

Going off on a tangent: A political and/or existential aspect to *falsche freunde* may be found in the seemingly mechanic workings of the poems. For example, a fairly loaded word like *ich* crops up, but not so much as a central point of view, rather as one of several elements that can be worked by the text. In the end, the constraints end up destabilizing their very starting point. The simple trope of a quotidian misunderstanding isn't present any longer in, say, the comparison between the German noun *Fell* and the imperfect conjugation of the English word *fall*. Cross-fertilized with *flog* this gives rise to the F-text in *falsche*

75 And much later I realized *Schnuppe* is an older word for *burnt wick*.

freunde, a very interesting piece about verticality, but hardly anything a teacher of Deutsch als Fremdsprache would feel compelled to mention. More like the text-machine is launching some sort of post-Foucaultian revolt from the border zones. Interestingly, it is in some of these cases—where the underlying system of the poems seems to collapse—that the human author becomes the most noticeable.

UW

I love your observation of how the poems sometimes start to dismantle the system that brought them about. If this wasn't the case I would probably be worried about my tools. The poems are rule-based in a very loose sense, meaning I came up with the rules as I was working (create lists of alphabetical false friends words, react to those words, make a very short prose poem, i.e. no line breaks, just a paragraph) but I allow for glitches and excuses and serious play and side-steps (phonetic explorations in Z, thoughts on phenomenology and sameness in V, an Inger Christensen homage in X). Also, the way in which I work with the material changes throughout the series. Sometimes the actual false friends words appear in the poem, sometimes they don't. I'm not interested in creating a closed system or mastery.

SH

In *falsche freunde*, there is even a poem playfully devoted to the disappearance of the I (elegantly assigned the letter J, as it originates in the false friend *jot*):

> JOT / JOTA
> dear smallest letter! dachte grad, ist es gerecht, dass wir dich ständig übersehen, da schallte jemand: jot this down! so schrieb ich, wie ums leben, grimmig eben, hui, im nu, und spürte schon den speer dazu, den ritterlichen stoß auf deine brust, als der geheimrat brüllte: schluss! von einem wort lässt sich kein jota rauben! meinst du, man kann ihm glauben? just ihm? herzlich, ota.

> *Size matters not. Look at me.*
> / Yoda[76]

76 Uljana Wolf: falsche freunde (wie Anm. 71), S. 19.

Susan Bernofsky's translation:

> *dear smallest letter, i was just thinking: how unjust that we so often abjure you—then somebody shouted: jot this down. and so i wrote for dear life, whirling in a jota, whew, already feeling the spear, the chivalric jab upon your breast as the ancient poet bellowed: enough! a word may not be robbed of so much as an iota! do you suppose he can be taken at his word? that old jouster? xo, ota*[77]

It's a great example of how far you stretch the concept. We are a long way away from the everyday misunderstandings that false friends usually give rise to. Since the letter *iota* in English is actually *I*, the *smallest letter* to which the text is a (brief) letter can also carry the significance of the first person singular.

The English *I* doesn't show up in the text, but there is an *ich*, existentially threatened as we're talking about striking an iota from that word from which „(sich) kein jota rauben (lässt)". Various readers (or one and the same) may think of Virginia Woolf's bemoaning of how the letter *I* has come to dominate so much of male literature, or Beckett's assertion that „I shall not say I again, ever again (...), if I think of it."[78]

UW

You're absolutely right, it's far, -stretched and -fetched, and I really love your reading of the—wait! I broke my glasses yesterday and they are now taped together with purple striped masking tape. As I was writing this last sentence, the left lens fell out. I am now officially mono-lensical. Onwards, one-eyed-Jane!—the disappearing *I*, is what I meant to say. And this points to your earlier observation of some instances where the false friends material is taking over, is taking the writer and the reader into ungoverned territory—and the Geheimrat (read: Goethe) here is perhaps just another version of the threat and presence of systematic thought, mastery, omnipresent authority. This is not to say that the texts are afraid of first person singulars. In general, I guess I am doubtful of the rejection of such person-occurrences

77 Uljana Wolf: false friends. Translated by Susan Bernofsky. New York 2011, ohne Seitenzahl.

78 Samuel Beckett: The Unnamable. In: Three Novels, New York, S. 348.

(i.e. of embodied politics and poetics) when it occurs within the experimental or conceptual scene, seeing how the desire to not be limited or discredited by lyrical subjectivity can possibly blind-spot discourse with regard to the many ways in which personhoods—breathing, physical, local, biological, sexual, incomplete—constantly permeate and necessarily ground our experience as writers, translators, readers, critics, activists. So the dominance of the lyrical *I* was never a looming threat in *falsche freunde*—the opposite was the case. I paid a lot of attention to pronouns in the book because the pronouns multiplied all over the place. The pronoun question was especially difficult in the Ellis Island poems of the ALIEN section which contain a lot of material from original documents and immigrant testimonies. There is a strong *we* in those poems, and I almost took it out fearing it could give the poems an usurpatory tone, overwriting the experience of displacement with a sort of proper pronoun-domestication. But the truth is, for both the I and the we, that they represent fractured, multiple, traversed-and-traversing, fluid, collaged perspectives, bubbly nodes of experience, between languages, and it is also true that they've all lost the *i* in *iota*, that they are ota, other.

SH

Your work with literary constraints makes me think of precursors like Oulipo, who owed so much to Gertrude Stein(!), as well as Inger Christensen, L=A=N=G=U=A=G=E, and so forth. Raymond Roussel's crazy holorhymes also spring to mind. In German, I can at least think of Unica Zürn's anagrams and Monika Rinck's dictionary of precious words, as well as obscure (to me, at least) stuff like *Spiegelgedichte* by Anton Bruhin. Is there a Germanophone tradition for the kind of poetry you're working with, or did you have to go elsewhere for inspiration?

UW

Actually, writing *falsche freunde* became possible only after stepping out of the German literary scene and tradition and wandering around in Canadian (Erín Moure, Oana Avasilichioaei, pbNichol), North American (Rosmarie Waldrop, Susan Howe, Cole Swensen, Mónica de la Torre) and various other (Caroline Bergvall, Cia Rinne, Ida Börjel) literatures of hybrid writing, dinged conceptualism, translation-poetics, and forms of transpoetics—not only by women, but these are names that come to mind right now. These were begleitet by Stein always, as well as some L=A=N=G=U=A=G=E. Yes, Christensen certainly (*alfabet*)!

SH

I was originally surprised to learn that *falsche freunde* has been translated. This might seem an impossible task due to the texts' reliance on puns and hierarchies of meaning (or rather: rotating these hierarchies 90°). However, the English translations work quite well and the Ugly Duckling edition even includes variant translations of single texts.[79] More than anything, these texts live between English and German rather than in a ‚pocket' inside the German language. How do you yourself feel about the English translations? And what about other languages—do you think it would be plausible to translate *falsche freunde* into Hungarian, for instance?

UW

The Ugly Duckling chapbook (which can, by the way, be read as a PDF on their website—it's out of print) gives a wonderful idea of the various ways in which *falsche freunde* can be translated. When Susan Bernofsky started to translate the series (at first for a *Chicago Review* issue, "Seven Poets from Berlin", edited by Christian Hawkey, 55:1, Winter 2010), I just sat and watched because I had no idea how a translation would be possible and of course I wanted the translator to find her very own answer to this question. Susan chose, because she knew she was translating for a more or less monolingual or at least pretty much Germanless readership, not to attempt to translate the bilinguality, but rather the multiplicity within one language, i.e. the puns, slips, distorted idioms, associations, sound plays. So her translations capture a lot of the vibe, tone, and of the actual encounters that happen within the poems (for I often saw the things that happen in the poems, mostly between an I and a you, as encounters of languages) but only within one language.

Then a bit later a New York magazine devoted to experimental translation, *Telephone Journal* (run by Paul Legault and Sharmila Cohen) picked *falsche freunde* to be translated by multiple American poets (whether or not they

79 Variant translations by Eugene Ostashevsky, Traver Pam Dick, Erín Moure, Uwe Weiß (= Paul Legault) and Ute Schwartz (= Sharmila Cohen).

knew the original language). Out of this came very different approaches, translation as reversal of German and English, rewritings, bastardizations. Eugene Ostashevsky translated the B poem by mistranslating the key false friends within the English language: he chose to represent them with homophones (hair—hare, letter—ladder, hear—ear etc.). I'm very happy to have these translations side by side—ones that focus more on the actual language material, i.e. the finished poem, and others that focus on the rule or constraint, or more simply put, the process. I know that two poets in Brazil are working on translations that would utilize false friends between Spanish and Portuguese which will most certainly generate entirely new poems. I can't wait to read them![80]

New York/Berlin, März 2014

80 Uljana Wolf: Nosso amor de trincheira – Nosso trânsito de fronteira. Tradução e seleção de Guilherme Gontijo Flores & Ricardo Pozzo. Belo Horizonte 2019.

„HEIMLICHE HEIMAT“

Else Lasker-Schülers Ankunftssprachen

Wie kann man heute Else Lasker-Schüler lesen? Ein Lesen, das Dialog ist, Zusprechen, Weiterschreiben, Antippen – wie so vieles ihrer Dichtung? Das ihre „fernsten Nähen“ und Zugvögel zwischen Orient und Okzident ganz weit heranholt und gleichzeitig ganz nah bei sich lassen kann? Das also annähernd so kostbar verwoben wäre wie ihre Gedichte – „Sinn und Klang, Wort und Bild, Sprache und Seele“, wie Karl Kraus überschwänglich über das Gedicht „Ein alter Tibetteppich“ schrieb?[81]

> Deine Seele, die die meine liebet,
> Ist verwirkt mit ihr im Teppichtibet.[82]

*

Tippe Else schnell und du erhältst Lese. Tippe Else Englisch und du erhältst else. Tippe Else von innen rechts nach außen links und du erhälst Seel’. Tippe Else stur und du erhältst einen Esel. Lies noch einmal: Lese else Seel’ Esel. Lese: der anderen Seele Esel. Lese: Esel, die andere Seele. Der Name ist ohne Zweifel ein sehr kleines Gedicht. Der Name ist ohne Zweifel eine sehr kleine Grenzüberschreitung. Der Name bedarf ohne Zweifel einer Übersetzung. Der Name ist ohne Zweifel eine Art Zwiebel. In der Zwiebel wohnt der Zweifel. Der Zweifel zwickt. Der Zweifel hat Schalen, Tränen. Die Zwiebel hat kein Zentrum. Ziel der Zwiebel ist ein anderer Zweifel. Im Grimm’schen Märchen ist die kluge Else eine, die zu viel Eigensinn hat. Die am Ende neben sich steht. Die ausgeschlossen wird aus ihrem eigenen Haus. Es bleibt ihr die Gewissheit: „Ach Gott, dann bin ich’s nicht.“ Noch heute hört man das Klingeln der Schellen, man hat sie aber nie wieder gesehen.

*

81 Karl Kraus zum Abdruck des Gedichts in *Die Fackel*. Jg. 12, Nr. 313/314 vom 31. Dezember 1910. S. Else Lasker-Schüler: Werke und Briefe. Kritische Ausgabe. Hg. von Norbert Oellers, Heinz Rölleke und Itta Shedletzky. Bd. 1.2.: Gedichte. Anmerkungen. Bearbeitet von Karl Jürgen Skrodzki unter Mitarbeit von Norbert Oellers. Frankfurt am Main 1996, S. 169f.

82 Else Lasker-Schüler: Sämtliche Gedichte. Mit einem Nachwort von Uljana Wolf. Frankfurt am Main 2016, S. 133. Im Folgenden abgekürzt zitiert mit „SG“ und Seitenzahl im Text.

Was hat Else Lasker-Schüler mit der Grimmelse zu tun?[83] Was ihr Name mit Eigensinn, mit Zweifelrede, Übersetzung? Ist ihre Lyrik auch eine Grimmsprache, Gemeinsprache? Oder vielmehr Geheimsprache? Aber wessen Heim wäre dann darin versteckt? „Heimlich zur Nacht" (SG 112) – ein großer Herzhimmel, ganz viel Wachsein? Oder doch eher Wachsamsein am Geheimnis? Ist vielleicht die Idee von Heim darin versteckt? Oder versteckt sich die Idee vielmehr selbst darin, wovor – vor ihrem deutschen Zuhause? Ist darum auch ein Weh an dem Heim, wie in dem folgenden Gedicht „Heimweh"?

> Ich kann die Sprache
> Dieses kühlen Landes nicht,
> Und seinen Schritt nicht gehen (SG 119)

1911 schrieb Else Lasker-Schüler dieses Gedicht, mit zweiundvierzig Jahren, obwohl sie bei sich selbst und gegenüber ihren Zeitgenossen ein ganz anderes Alter gehabt haben mag. Sie legte mit diesen Zeilen eine Spur der Nichtübereinstimmung, die sich wie ein roter Faden durch ihr Leben, ihr Schaffen und die Rezeption ihrer Dichtung zieht. Eine Spur, der man beim Wiederlesen und Neuentdecken ihres Werkes folgen kann, der man folgen muss – und die sich dennoch als Irrweg entpuppt. Gilt es doch heute nicht mehr, die Heimatlosigkeiten von Else Lasker-Schüler zu erhellen, sondern vielmehr zu fragen: Ob das Land die Sprache dieser Dichterin „konnte"?

*

Zwei Mal, zwei folgenreiche Male, lautete die Antwort *Nein*. Für die Jahre des Dritten Reiches ist das keine überraschende Diagnose. Während die vielfach veröffentlichte Autorin, die aus einer aufgeklärten jüdischen Familie aus Elberfeld stammte, 1932 noch den Kleistpreis erhielt, galten ihre Werke ein Jahr

83 Die Schellen klingen am Kleiderrand des Ichs im Gedicht „An zwei Freunde", das zärtlich die eigene tätowierte, mandelkernige Fremdheit beschwört. Und sie rasseln zornig in einem Brief an Ludwig von Ficker, Anfang Dezember 1914, in dem sich Else Lasker-Schüler über die antisemitischen Äußerungen von Margarethe Langen beklagt, der Schwester des expressionistischen Dichters Georg Trakl, mit dem sie befreundet war: „Ich bin zu feierlich für solche Mätzchen, zuviel Schellen hängen an mir um diesen Ton zu hören und nicht Ekel zu kriegen." Georg Trakl war kurz zuvor in Krakau gestorben. Auf Bitten Ludwig von Fickers hatte Lasker-Schüler Margarethe mehrmals in ihrer Berliner Wohnung besucht und sich um sie gekümmert. S. Else Lasker-Schüler: Werke und Briefe. Kritische Ausgabe. Hg. von Norbert Oellers, Heinz Rölleke und Itta Shedletzky. Bd. 7: Briefe 1914–1924. Bearbeitet von Karl Jürgen Skrodzki. Frankfurt am Main 2004, S. 73.

später als wertlos und „zersetzend“. Am 19. April 1933 flüchtete Else Lasker-Schüler aus ihrem geliebten Berlin, das jahrzehntelang Heimat gewesen war, nach Zürich, aufgerüttelt durch die Zunahme der antisemitischen Pöbeleien nach der Machtergreifung Hitlers. „All verry schwer here to be in Germany, allready 2 jears – all Pleite and all like the animals and only wild Tigers and also piks“, schrieb die Dichterin in seltener, anderssprachiger Deutlichkeit an ihren amerikanischen Großneffen.[84] In den Schweizer Jahren, geprägt von Armut und Drangsalierung durch die Fremdenpolizei, pendelte sie zwischen Zürich und Ascona. Mit Geldern von Freunden und Gönnern gelang es ihr, zwei Reisen nach Jerusalem zu unternehmen, denen sie ihr damals international erfolgreiches Buch *Das Hebräerland* verdankte. Nach der dritten Jerusalemreise 1939 verweigerte man Else Lasker-Schüler die Erlaubnis zur Einreise in die Schweiz. Sie verbrachte ihre letzten Lebensjahre in jener Stadt, die sie lyrisch-mythisch beschworen hatte und die ihr nun widerstrebend ein letztes fremdes Obdach wurde, von Ängsten, Trauer, später Liebe und Produktivität durchwebt:

> Ich wandele wie durch Mausoleen –
> Versteint ist unsere Heilige Stadt.
> Es ruhen Steine in den Betten ihrer toten Seen
> Statt Wasserseiden, die da spielten: kommen und vergehen. (SG 288)

*

Das zweite folgenreiche *Nein* hat etwas zu tun mit ihrem Heim in der deutschen Nachkriegsliteratur – ein Haus versteckter Ankünfte und fortgesetzter Verstreuung. Es ist weniger offensichtlich als die Exilierung durch das Hitlerregime. Es versteckt sich zum Beispiel in der berühmten, als Würdigung getarnten Rede des Dichters Gottfried Benn, der Anfang 1933 die Nationalsozialisten in einer Radioansprache begrüßt hatte und während des Dritten Reichs als Arzt in Deutschland geblieben war. Sieben Jahre nach Else Lasker-Schülers heimatlosem Tod, am 22. Februar 1952, wollte er im Berliner British Centre an die Dichterin erinnern. Doch die Rede, ihre höchste Preisung, erweist sich als Benn’scher Bärendienst. Und das nicht nur wegen

84 Allerdings schrieb sie es nicht als „aunt, but an Indian from Berlin [...] where are the dear brothers the Inkas and the last of the Asteks“. Brief an Louis Asher vom 11. Januar 1933. In: Else Lasker-Schüler: Werke und Briefe. Kritische Ausgabe. Hg. von Norbert Oellers, Heinz Rölleke und Itta Shedletzky. Bd. 8: Briefe 1925–1933. Bearbeitet von Sigrid Bauschinger. Frankfurt am Main 2005, S. 332.

der historischen Amnesie oder dem chauvinistischen Zugriff, mit dem zuerst die „unmöglichen Obergewänder“ und „Dienstmädchenringe“ der Dichterin beschrieben werden, sondern weil die Rede etwas über die Sprache sagte, das doch eigentlich unerhört war und auch fast nicht gehört wurde. „Das Jüdische und das Deutsche in einer lyrischen Inkarnation!“, feierte Benn, als sei nichts geschehen. „Dies war die größte Lyrikerin, die Deutschland je hatte. Ihre Themen waren vielfach jüdisch, ihre Phantasie orientalisch, aber ihre Sprache war Deutsch, ein üppiges, prunkvolles, zartes Deutsch ...“[85] Mit der Heimholung der jüdischen Autorin ins Gedächtnis der Deutschen *und* in ihre Sprache gelang es Benn, seiner Anwesenheit in der deutschen Nachkriegsgesellschaft den Nimbus der Versöhnung zu geben. Eine Art privatliterarische Entnazifizierung, nicht zuletzt durch die Erinnerung an die erstaunliche Beziehung zwischen dem großen deutschen Sprachchirurgen und der deutsch-jüdischen Verwandlerin, die sich vierzig Jahre zuvor in Berlin abgespielt hatte und von der auch Else Lasker-Schülers Gedichte zeugen.[86]

Doch was wird da eigentlich gepriesen? Warum heißt es, „aber ihre Sprache war Deutsch“? Ist es nicht selbstverständlich, vielfach jüdisch Deutsch zu schreiben? Oder fantasievoll orientalisch Deutsch? Deutsch mit unmöglichen Obergewändern? Deutsch mit pechschwarzem Haar? Deutsch mit lauter Krimskrams? Deutsch mit Theben und Bagdad? Deutsch als Frau? Deutsch mit Nüssen und Obst? Ist es nicht selbstverständlich? Wenn *all das* auf Deutsch geschrieben ist? Versteht sich da ein bestimmtes deutsches Selbst nicht mehr? Mehr als mit jeder Zeile von Else Lasker-Schüler wird hier, im ungesagten negativen Raum, auf dem wie ein Pfropfen das Aber sitzt, eine Art Nichtzugehörigkeit unterstellt. Eine Nichtübereinstimmung, die viel mit dem zu tun hat, was früher, was damals, was heute vielleicht noch als deutsche Literatur und Kultur verstanden werden soll. Oder warum sonst steht genau dieser Benn'sche Satz, sein Deutschpfropfen, noch immer unkommentiert im Klappentext jeder Ausgabe der Gedichte?

85 Gottfried Benn: Werkausgabe III. Essays und Reden in der Fassung der Erstdrucke. Hg. von Bruno Hillebrand. Frankfurt am Main 1989, S. 541 und 542.

86 Auf die Eigentümlichkeiten der Else Lasker-Schüler-Rezeption durch ihre Wegbereiter Werner Kraft und Ernst Ginsberg im Umfeld des (katholisch geprägten) Kösel-Verlags geht detailliert Jakob Hessing ein: Dichterin im Vakuum. Die Heimkehr einer Emigrantin als kulturpolitisches Phänomen. In: Text+Kritik: Else Lasker-Schüler. Hg. von Heinz Ludwig Arnold. Heft 122, München 1994, S. 3–17.

*

Von Franz Kafka ist bekannt, dass er sich intensiv mit der Situation der deutsch-jüdischen Schriftsteller in Prag auseinandersetzte. Das Gefühl, nicht zur deutschen Mehrheitskultur zu gehören oder gehören zu dürfen, schnürte ihm die Sprache enger zusammen. Eine Art Verpfropfung auch hier, von der aus Kafka seinen strengen Furor der Entortung entfachte. „[E]ine von allen Seiten unmögliche Literatur", schrieb er im Juni 1921 an Max Brod über jüdisches Schreiben, „eine Zigeunerliteratur, die das deutsche Kind aus der Wiege gestohlen und in großer Eile irgendwie zugerichtet hatte, weil doch irgendjemand auf dem Seil tanzen muß. (Aber es war ja nicht einmal das deutsche Kind, es war nichts, man sagte bloß, es tanze jemand)"[87]. Die Unmöglichkeit wendet sich hier auf den Satz selbst an und entlarvt in der Klammer (in Kafkas anderem *Aber*) die Narration der Mehrheitskultur als Fama, Sage, Zuschreibung: Es war *nichts*, man *sagte bloß* ... Was bleibt, ist der Tanz der Worte.

Nun kann man Kafkas geopolitische und literarische Situation als Prager Jude nicht mit der Situation Else Lasker-Schülers vergleichen. Lasker-Schülers Familie stammte aus dem intellektuellen jüdischen Bürgertum Elberfelds und Frankfurts; sie zog mit fünfundzwanzig Jahren nach Berlin, ins Zentrum des Kunstschaffens der Zeit; sie stand – nach der Scheidung von ihrem ersten Mann Berthold Lasker und der kurz darauf, 1903, erfolgten Heirat mit Herwarth Walden (Georg Levin), dem Begründer der expressionistischen Zeitschrift „Sturm" – an der Spitze der deutschen Avantgarde.[88] Doch ihr Schaffen entstand, auch wenn sie sich nie so deutlich wie Kafka darüber geäußert hat, aus einem ähnlichen Spannungsverhältnis, das sich von einer grundlegenden historischen „Verwundbarkeit" herleitete. Verwundbarkeit angesichts der marginalisierten und gefährdeten Stellung der Juden in Deutschland, derer sich Else Lasker-Schüler von Kindheit an durch Pogromerzählungen ihrer Eltern bewusst war und die sie literarisch verarbeitete.[89] Verwundbarkeit auch

87 Franz Kafka: Briefe 1902–1924. Hg. von Max Brod. Frankfurt am Main 1975, S. 338.

88 Kafka war nicht gut auf Else Lasker-Schüler zu sprechen. An Felice Bauer schrieb er: „Ich kann ihre Gedichte nicht leiden, ich fühle bei ihnen nichts als Langweile über ihre Leere und Widerwillen wegen des künstlichen Aufwandes." Franz Kafka, Brief an Felice Bauer, 12./13. Februar 1913, in: Franz Kafka: Briefe 1913–März 1914. Hg. von Hans-Gerd Koch. Frankfurt am Main 1999, S. 88.

89 Unter anderem in der Erzählung *Arthur Aronymus und seine Väter* von 1932. Vgl. auch Erika Klüsener: Else Lasker-Schüler in Selbstzeugnissen und Bilddokumenten. Reinbek 1980, sowie Sigrid Bauschinger: Zur Biographie Else Lasker-Schülers. In: Text+Kritik (wie Anm. 86), S. 88.

angesichts ihrer Stellung als Frau im Kulturbetrieb, die nach zwei gescheiterten Ehen ihren Sohn Paul allein aufzog, bis er am 14. Dezember 1927 an Tuberkulose verstarb; als Künstlerin, die jahrzehntelang keine Wohnung hatte, immer unter dem Existenzminimum lebte. So lassen sich die einzigartigen ästhetischen Verfahren im Werk von Else Lasker-Schüler auch – aber nicht nur – als Reaktionen auf Marginalisierungen als Jüdin, Frau und Alleinstehende lesen. Die sprachlichen Arabesken und Orientalismen; das Spiel mit Neologismen und syntaktischer Verfremdung; die Inszenierung als männlicher Herrscher über ein mythisch-poetisches Reich (Jussuf, Prinz von Theben); die literarische Viel-Liebe in unzähligen Widmungsgedichten und halbfiktionalen Briefromanen; die Verwandlung von Personen in literarische, luminös benannte Charaktere. Das ernsthafte Spiel, das Else Lasker-Schüler betrieb, war zugleich eine aggressive Aneignung der mehr oder weniger heimlich abgesteckten Territorien und versteckten *Abers*. Sie widersetzte sich ihnen vielfach, sie übersetzte sich – rollenspielend, rasend, liebesagend, kalauernd – aus ihnen heraus.

„Ich bin in Theben (Ägypten) geboren, wenn ich auch in Elberfeld zur Welt kam im Rheinland“, schreibt Else Lasker-Schüler in ihrem kurzen Lebenslauf für Kurt Pinthus’ Expressionismus-Anthologie *Menschheitsdämmerung*[90]. Liest sich diese fabulierte Urszene, diese nach Ägypten versetzte Biografie, nicht auch wie eine Art, das „deutsche Kind aus der Wiege“ zu stehlen? Und das scheinbar entfremdete Kind dann, in einer Elberfelder Klammer, augenzwinkernd aufzulösen in Tanz? Literarische Entortung auch hier, aber nicht als Eskapismus oder Bestätigung des kategorischen Andersseins, sondern vielmehr als konstante Performanz des Anderen, zärtliche Öffnung und Verantwortung dem im Eigenen gefundenen Anderen gegenüber, diesem Verwirktsein des Tibetteppichs oder – „Vielleicht ist mein Herz die Welt.“ Dies geht nur, indem man sich selbst, seine Anfänge und Identitäten, vervielfacht, dem Zugriff monokultureller Zuschreibung entzieht.

> Mein Heimatmeer lauscht still in meinem Schoß,
> Helles Schlafen – dunkles Wachen … (SG 102)

90 Kurt Pinthus (Hg.): Menschheitsdämmerung. Ein Dokument des Expressionismus. Berlin 1920, S. 294.

Romanzen, Sternbeschwörung, Verflüssigung, das waren Else Lasker-Schülers Strategien, um „in der eigenen Sprache Nomade, Fremder, Zigeuner" zu werden, wie Gilles Deleuze und Félix Guattari in ihrer Kafka-Studie über die kleine (minorisierte) Literatur schreiben. Wie findet man innerhalb der eigenen, der nie eigenen Sprache diese subversive, poetische Kraft? „Kafka sagt: Indem man das Kind aus der Wiege stiehlt, indem man auf einem Seil tanzt."[91]

*

Else Lasker-Schülers Sprache tanzt. Sie seiltanzt anders als Kafkas Hungerkünstlersprache. Ihre Akrobatik ist chaotischer, kindlicher, kabarettistischer, ausgeschmückter. Sie schweift vom Leben ins Schreiben und von diesem funkelnden Möglichkeitsraum, seinem uralten Steinstaub, angereichert zurück ins Leben. Ihr Werk ist Gesamtkunstwerk, Gesamtwirken, das sich wenig um Genregrenzen oder andere Regeln kümmert. Und darum liest, wer die Gedichte von Else Lasker-Schüler liest, immer nur einen Teil dieser Sprache. Und wer nur eine Teilsprache liest, der geht Gefahr, sich ein allzu lyrisches Bild zu machen vom „schwarzen Schwan" (Gottfried Benn). Lasker-Schülers Allsprache aber ist nicht nur Lyrik, nicht nur Schrift, sie ist auch Bild – verflüssigte Schrift. „Ich bin Wasser darum bin ich keine Frau", heißt es in einem ihrer Briefe, die oft kleine Performancestücke waren.[92] Oft sind ihre Texte mit dem zornig-tänzerischen Strich der Zeichnungen versehen. Bildsendungen und Zeichnungen wiederum kommen selten ohne die „Sternoglyphen" der Dichterin aus. Lasker-Schüler war Überschreiterin, Textmalerin mit sehr eigenem grafischem Blick: Viele Widmungsgedichte auf Personen lesen sich wie Bildbeschreibungen. Ekstase lag immer nahe bei Ekphrasis. Der Untertitel ihres höchst unterhaltsamen und komischen Briefromans *Mein Herz* von 1912 ist demnach nicht nur wörtlich, sondern auch ironisch zu lesen, als Reflexion auf ihre eigene künstlerische Praxis: *Ein Liebesroman mit Bildern und wirklich lebenden Menschen*. Ihre vielen literarischen und künstlerischen Freundschaften, besonders aber die Freundschaft

91 Gilles Deleuze und Félix Guattari: Kafka. Für eine kleine Literatur. Übersetzt von Burkhart Kroeber. Frankfurt am Main 1976, S. 29 (Hervorhebung UW).

92 „Man kann im Wasser ertrinken oder bis auf den Grund schadlos tauchen wo Rosen und Tang wachsen; Wasser sucht immer, manchmal nimmt Wasser Gestalt an und dann bin ich heimatlos – wohin." Else Lasker-Schüler an Hanns Hirt, wahrscheinlich Januar 1915. In: Briefe 1914–1924 (wie Anm. 83), S. 78.

mit Franz Marc, dem „Malik“ und blauen Reiter, legen ein bewegendes Zeugnis von dieser synästhetischen Textkunst ab.

Neben der Verflüssigung von Schrift und Bild ist auch die Durchmischung von Genres charakteristisch für Lasker-Schülers Werk. In den Prosabänden, die sich oft selbst wie Prosagedichte lesen (etwa *Das Peter Hille-Buch* oder *Die Nächte der Tino von Bagdad*), stehen wie selbstverständlich Gedichte; Gedichtbände wiederum enthalten Prosatexte. Das wirkt sich auch auf die Textgestalt aus. Zuweilen ist nicht gesichert, wo ein Gedicht aufhört und wo es anfängt. Ist der Titel die erste Zeile – oder ist der Titel die Anrede – oder ist der Titel die Widmung? Ist das Ende die letzte Zeile – oder ist das Ende der Abschiedsgruß der schreibenden Figur, zum Beispiel des Bibelprinzen in dem Gedicht „David und Jonathan“:

> Durch den ich wieder neu und scheu mich sehne ...
> O Jonathan, dein spielerischer Bibelprinz
> Nippt sterbend noch von deiner Liebe Minz. (SG 208)

Fasst man die Grenzen zu eng, klamüsert man die Genres zu sehr auseinander, fallen diese Zeilen einfach weg. Fällt auch ihre kalauernde Draufsicht weg, die eine gewisse Distanz zum lyrischen Ton des Gedichts aufbaut. Bis zu der verdienstvollen „Kritischen Ausgabe“ der Gedichte von Karl Jürgen Skrodzki (unter Mitarbeit von Norbert Oellers), die sich an den Erstfassungen orientiert, ist die Grenze eher enger gefasst worden; das entsprechende lyrische Bild hat lange Zeit die Rezeption Lasker-Schülers bestimmt.[93] Sicher kann man über die Stärke jener Zeilen diskutieren – über den eher unscheuen Reim, den klebrigen Genitivminz. Vielleicht bevorzugt man seine Lyrik aufgeräumter, ernsthafter, gefeilter. Doch beides, Unernst und Unschärfe, gehören zur literarischen Wirklichkeit von Else Lasker-Schüler, zu ihrer poetischen Radikalität, die voller Brüche war. Auch die „Scherzgedichte und Gelegenheitsreimereien“ gehören dazu, die der Herausgeber der lange Zeit prägenden Kösel-Ausgabe, Werner Kraft, nicht aufnahm. Doch mit untrüglichem, erschütterndem Schalk

93 Die Orientierung an den Erstdrucken hat andererseits zur Folge, dass manche später korrigierten und modernisierten Schreibweisen verschwinden und die Gedichte zum Teil ferner wirken, als sie sind („eisenfarb'ne“ statt „eisenfarbene“). Zudem wird manche gewinnbringende Änderung nicht abgebildet – so die spätere Streichung der letzten redundanten Zeile in „Sterne des Fatums“ ... Brüche, Unschärfe: q.e.d.

hat Else Lasker-Schüler stets Erhabenes neben Albernes gestellt, sei es auf Hochdeutsch, Jussufdeutsch oder Wuppertaler Platt.

Springt einen in solch schnoddrigen Gesten, in der produktiven Unschärfe der Übergänge, nicht ein anarchischer Grundgestus an? War Else Lasker-Schüler eben nicht aberdeutsch, sondern geradedeutsch? War sie denn gar nicht die dunkle, jüdische Märchenerzählerin, die sich mit orientaler Liebeslyrik in deutsche Herzen schrieb? Sondern trieb sie vielmehr mit ihrem Orientpunk ein antibürgerliches Verwirrspiel, das gekonnt literarische und gesellschaftliche Regeln unterwanderte, ganz Crossdressing, ganz Genrecrossing? „Ich bin doch dein spielender Herzschelm, Erde" – dieses Understatement aus dem Gedicht „Mein Lied" darf man getrost ernst nehmen. Ihre Texte, Träume, Pläne changierten zwischen gekonnter Stilisierung und verwahrloster Burleske, zwischen Kabarett und Chaos. Mit ihnen weist Lasker-Schüler weit über das Format des deutschen Gedichts, seine formalen Grenzen, seine Einheits- oder Einzelsprachen hinaus. „Also, ich trage 3 oder 4 von meinen arabischen Erzählungen *auf arabisch* in London vor dabei sitzt ein Dolmetscher auch auf dem Podium, der übersetzt *jeden* Satz, den ich auf arabisch sage dem Publikum feierlich ins Englische." So entwickelt sie 1910 die Idee zu einer internationalen arabischen Vortragsnummer.[94] Später wurden aus den arabischen Texten Übersetzungen ins Syrische.[95] So leuchtet Lasker-Schülers Poetik der Beziehungen, leuchten die multiplen Identitäten und Mehrsprachigkeiten ihres Werks weit in die heutige gesamtdeutsche Gegenwart und die Zukunft ihrer neuen Gesellschaftsordnung zwischen Orient und Okzident hinein.

*

Wenn Walter Benjamin von der Übersetzung schreibt, dass in ihr „das Leben des Originals seine stets erneute späteste und umfassendste Entfaltung"[96] erlange, so gilt Gleiches für das Wiederlesen kanonisierter Lyrik. Vielleicht braucht es eine Art Übersetzung, braucht es einen anders-heimischen Blick, um die im Original angelegten Potenziale vollends zu neuer Wirklichkeit

94 Brief an den Schriftsteller und Literaturhistoriker Jethro Bithell in Manchester. Zitiert nach Peter Sprengel: Else Lasker-Schüler und das Kabarett. In: Text+Kritik (wie Anm. 86), S. 82.

95 Ebd., S. 83.

96 Walter Benjamin (wie Anm. 14), S. 185.

und Wirkung zu bringen. Else Lasker-Schüler hat in der deutsch-türkischen Schriftstellerin Emine Sevgi Özdamar eine solche Blick-Übersetzerin gefunden. Özdamars Roman *Seltsame Sterne starren zur Erde* von 2004 verwendet nicht nur eine Zeile der Lyrikerin im Titel. Die Protagonistin, die vor der repressiven Politik der türkischen Militärdiktatur flieht und im Exil zwischen Ost- und Westberlin pendelt, findet in den Zeilen von Else Lasker-Schüler tatsächlich eine „heimliche Heimat". Im realen Berlin dagegen wird sie von ihrer deutschen Nichtwillkommensgesellschaft als „Indianerin" bezeichnet oder mit dem Spruch „Ab in die Gaskammer" belegt. Einem flirtenden Faschisten am FKK-Strand antwortet sie: „Ich bin jüdisch. Rede nicht mit mir, sonst wird dein Blut beschmutzt."[97]

Die beißende Identifikation der türkisch-deutschen Autorin mit der deutsch-jüdischen Dichterin wirft ein Licht auf die Radikalität, mit der auch Else Lasker-Schüler auf die unsichtbaren Zuschreibungen der deutschen Mehrheitskultur reagierte. Nämlich nicht nur durch die zuerst von Benn und dann viele Male beschworene Verknüpfung christlicher, jüdischer und islamischer Motive, die in den fünfziger Jahren zu ihrer Rezeption als Versöhnungsdichterin führte, sondern gerade durch die aggressive Multiplikation und Entfesselung des Anderen, mit denen sie der Erzählung von Ursprüngen und eindeutigen Identitäten eine Absage erteilte: „Und bin nicht mehr und doch vertausendfacht." (SG 300) Dem Jüdischen gab sie stets auch indianische, arabische, persische, asiatische, afrikanische Züge. Es ist schmerzhafte Ironie, dass im Zürcher Exil vor allem ihre exotisierenden Zeichnungen eine Haupteinnahmequelle waren: „alle Indianer und Neger und asiatische Bilder"[98]. Schmerzhafter umso mehr, als sie im Duktus ihrer Zeit nicht vor rassistischem Sprachgebrauch gefeit ist. Und was bedeutet es, dass der Roman von Emine Sevgi Özdamar, wenn er über Lasker-Schüler nachdenkt, ausgerechnet jenen Satz zitiert, der mit dem

97 Emine Sevgi Özdamar: Seltsame Sterne starren zur Erde. Köln 2008 (2. Aufl.), u.a. S. 137, 166, 189. Andere Namen sind Kolchosin, Schneewittchen, Türken-Emi und Rumpelstilzchen, als das sich die Protagonistin konsequent selbst bezeichnet. Ihrer ersten deutschen Bekanntschaft gibt sie den Namen Albrecht Dürer. Wie bei Else Lasker-Schüler betont das Benennungsspiel die Fluidität jeder Identität, nicht das Festgelegte – und nimmt das Spiel so den Nazis weg.

98 Else Lasker-Schüler: Werke und Briefe. Kritische Ausgabe. Hg. von Andreas B. Kilcher, Norbert Oellers, Heinz Rölleke und Itta Shedletzky. Bd. 9: Briefe 1933–1936. Bearbeitet von Jürgen Skrodzki. Frankfurt am Main 2008, S. 134. S. auch Karl Jürgen Skrodzki: Else Lasker-Schüler in Zürich. Vortrag, gehalten auf Einladung des Vereins für jüdische Kultur und Wissenschaft (VJKW), Zürich, am 26. Januar 2014: http://www.kj-skrodzki.de/Dokumente/Text_079.htm#A35. Abgerufen am 16. Juli 2015.

Benn'schen „Aber" hantiert?[99] Özdamars Zweitsprachendeutsch ist – nicht durch Herkunft, aber durch die Fremdzuschreibung einer sich monokulturell denkenden Gesellschaft – dem Lasker-Schüler'schen Deutsch verwandt. Im Spiegel der türkisch-deutschen Prosaautorin finden sich die ästhetischen Verfahren der jüdisch-deutschen Dichterin einhundert Jahre später aktualisiert. Im Zeichnen, im Schreiben, aber auch im überinszenierten Erscheinen nahmen Else Lasker-Schüler und Jussuf und Tino mit feinen Antennen ihre versteckte Marginalisierung innerhalb der Mehrheitsgesellschaft auf – und schleuderten sie mit sternfunkelnder Übersteuerung zurück.

*

„Man darf nicht zu lange in Deutschland bleiben. Rette dich vor Deutschland." Diesen Rat gibt man 1977 der Protagonistin Emine in *Seltsame Sterne*. Sie hat den Rat nicht befolgt und stattdessen in der deutschen Sprache einen Ort für ihre Erzählung von Trauma, Muttersprache und Entfremdung gefunden. Else Lasker-Schüler hatte keine andere Wahl, als sich vor Deutschland, vor dem Hitlerregime, vor Vernichtung zu retten. Ihre Elsesprache ist eine Anderssprache, doch nicht in dem Sinne, dass sie, huch, *auch* deutsch ist, sondern unbedingt deutsch – eine angereicherte Wandersprache von „Votre Indianer blaue Jaguar Jussuf"[100], die innerhalb der national und ausgrenzend gedachten Machtsprache ihre Luftwurzeln schlug. Es ist Zeit für die Ankunft dieser Wandersprache, ohne Benn'sches Aber. Es ist Zeit, ihre Sehnsüchte und „Nachtlandfernen" ganz taghell und sprachoffen zu beheimaten, auf dass man sich ein Bild machen kann von der Dichterin, das so groß und so brüchig und so unerschrocken komisch ist wie die Welt, ihr Herz.

Berlin / New York, Juli – Oktober 2015

99 Emine Sevgi Özdamar (wie Anm. 97), S. 15.

100 So lautet eine der vielen angereicherten Namen, mit denen Lasker-Schüler ihre Schrift-Stücke unterzeichnete. Hier aus einem Brief an den französischen Schriftsteller Marcel Brion vom 29. Januar 1932. In: Briefe 1925–1933 (wie Anm. 84), S. 289.

IV

Etymologischer Gossip

Zu Mehrsprachigkeit im Gedicht

V

ETYMOLOGISCHER GOSSIP —— ZU MEHRSPRACHIGKEIT IM GEDICHT

WOVON WIR REDEN, WENN WIR VON MEHRSPRACHIGER LYRIK REDEN

I

Das Gedicht ist in einer Sprache geschrieben.

Das Gedicht ist niemals in einer Sprache geschrieben.

Das einsprachige Gedicht spricht mehr als eine Sprache.

Das mehrsprachige Gedicht spricht *als* Sprache.

Das Gedicht, das zwischen Sprachen schreibt, redet sich um Kopf und Kargen.

Diese Reden sind seine Ladung, seine Aufladung.

Fehler im tippenden Finger, schwankt,

Verschiebung des herrschenden Ausdrucks.

Das Gedicht ist dies, ihr cargo schmargo.

II

Ich möchte zwei Beobachtungen nachgehen, die widersprüchlich klingen, mir aber hilfreich scheinen bei dem Versuch, weiter einzukreisen, wovon wir sprechen, wenn wir von mehrsprachiger Lyrik sprechen.

Die erste Beobachtung lautet:

Ein mehrsprachiges Gedicht ist nicht notwendigerweise

ein translinguales Gedicht.

Die zweite:

Ein translinguales Gedicht ist nicht notwendigerweise ein mehrsprachiges

Gedicht.

Oder so:

Ein mehrsprachiges Gedicht kann in seinem Denken

einsprachig sein.

Und:

Ein einsprachiges Gedicht kann in seinem Denken

mehrsprachig sein.

>

III

Wir leben in einer Welt und wir leben in einer Stadt, in der unterbrochene Vergangenheiten und diasporische Zukünfte zu den grundlegenden Erfahrungen der Menschen gehören. Damit einher geht die Ausbildung verschiedenster Sprachkompetenzen – von fließender Mehrsprachigkeit übers Holpern der Lernsprachen zu Kiez-Kreol oder fröhlich brokener Literatursprache. Immer mehr Menschen wachsen polyglott auf. Andererseits navigieren auch solche Menschen, deren Alltag einsprachig bleibt, zunehmend durch heterogene linguistische Zonen und lernen, auf Verstehen und Nichtverstehen sprachlich zu reagieren – nicht nur mit Unverständnis. Erschreckenderweise aber wird diese Entwicklung ebenso flankiert, ja vielleicht sogar bedroht, von einem nationalsprachlich verankerten Denkmodus, der auf identitäre Formen des Beherrschens und Ausgrenzens aufbaut. Ich erinnere daran, wie der Bundesvorsitzende der FDP, Christian Lindner, 2018 die Brötchenbestellung in gebrochenem Deutsch beim Bäcker mit mangelnder Rechtschaffenheit oder Illegalität in Verbindung gebracht hat. Dass immer öfter Politiker aller Parteien mit solch zündelnden Verknüpfungen öffentlich diesem Sprachdenken Vorschub leisten, lässt für die Zukunft nichts Gutes ahnen. Gefragt sind gegendefinitorische Unterwanderungsarbeiten des nomadischen Denkens. Im Gedicht? Ja, im Gedicht.

Ich spreche von der Zunahme mehrsprachiger Wirklichkeiten und Biografien im Bezug auf Literatur, weil sie dafür gesorgt hat, dass literarische Mehrsprachigkeit viel Aufmerksamkeit erfahren hat. Ich meine jedoch nicht, dass sie notwendig ist, um ein mehrsprachiges Gedicht zu schreiben. Natürlich gehen viele poetische Impulse von Autor*innen aus, in deren Biografien Sprachwechsel, Bilingualität und Emigration eine Rolle spielen. Autor*innen wie die mehrsprachige Dichterin Caroline Bergvall, die im Zusammendenken bilingualer Verschiebungen zwischen Französisch und Englisch schrieb, zu sprechen hieße „mit einer Katze in der Kehle“ zu sprechen: „As I become aware that I'm trying to speak, my body morphs, my cat appears.“[101] Doch sind biografisch-nomadische Ereignisse kein Garant für polylinguales, geschweige denn translinguales Denken. Das stellt auch der

101 Caroline Bergvall: Cat In The Throat. In: Dies.: Meddle English. New York 2011, S. 157.

amerikanische Germanist David Gramling in seiner Studie *The Invention of Monolingualism* fest, wenn er schreibt: „Indeed speakers of multiple languages can and do use language in ways that are more monolingual, or monological, than those who ‚only' speak one language."[102]

Für mein Nachdenken über translinguale Lyrik heißt das: Die poetische Verstörung der Muttersprache oder Einzelsprache und der damit verknüpften Identitätsdiskurse kann auch von vordergründig einsprachigen Autor*innen ausgehen. Sie ist ein ästhetisches, kein biografisches Moment. Sie hält fest, was nicht festzuhalten ist: Dass die eigene Sprache nicht beherrscht werden kann, ein Ort der Unzugehörigkeit und Ungehörigkeit bleibt. Was hier vielleicht unmittelbar einsichtig klingt, ist noch lange keine Selbstverständlichkeit in den Literaturwissenschaften oder im Literaturbetrieb. Oftmals herrscht noch eine interpretative Rückkopplung an Autorbiografie und soziokulturelle Kontexte vor, die den Blick auf das produktiv sprachverstörende Potenzial solcher Literatur im Zaum hält. Dabei wird unterschlagen, so die Literaturwissenschaftlerin Esther Kilchmann, dass sich „Autorinnen und Autoren der sogenannten interkulturellen Literatur gerade auch avantgardistischer Verfahren des Sprachexperimentes bedienen. (...) Auch für mehrsprachige Literatur muss mithin gelten, dass der poetische Effekt nicht bereits allein aus einer Abweichung von der monolingualen Norm entsteht."[103] Im Umkehrschluss bedeutet dies, dass auch von *einsprachigen oder einmuttersprachigen* Autor*innen translinguale Literatur durch verschiedene Schreibstrategien erzeugt werden kann, um festgefügte Sprachordnungen zu verunsichern.

IV

Nun aber zurück zu meinen Beobachtungen. Diese lauten: Wenn wir von translingualer Lyrik sprechen, heißt das keineswegs zwangsläufig, dass wir nur von einer quantitativ messbaren Präsenz mehrerer Sprachen im Gedicht

102 David Gramling: The Invention of Monolingualism. New York 2016, S. 34.

103 Esther Kilchmann: Alles Dada oder: Mehrsprachigkeit ist Zirkulation der Zeichen! In: Das literarische Leben der Mehrsprachigkeit. Methodische Erkundungen. Hg. von Till Demeck und Anne Uhrmacher. Heidelberg 2016, S. 44.

sprechen müssen.[104] Im Gegenteil, ein mehrsprachiges Gedicht kann in seinem Denken nach wie vor einsprachig sein. Es gilt dann, was wir oben von mehrsprachigen Sprecher*innen konstatiert haben: Ein solches Gedicht, „can and does use language in ways that are more monolingual, or monological". Dies trifft beispielsweise zu, wenn ein Gedicht fremdsprachige Namen oder Äußerungen quasi touristisch verwendet, um Authentizität oder Verortung in anderssprachiger Wirklichkeit auszustellen. Oder wenn es aus Zeilen in mehreren Einzelsprachen besteht, die jeweils übersetzt werden. Wir hätten es dann zu tun mit einem Nebeneinander von Sprachen, einer Vielsprachigkeit als *glossodiversity* (M.A.K. Halliday), die auf dem Paradigma von klar geschiedenen Einzelsprachen aufbaut, zwischen denen Bedeutung hin und her übersetzt werden kann. Die beteiligten Sprachen aber werden vom Fremdsprechen wenig affiziert, sie bleiben stabil, Träger von Bedeutung. Die Differenz zwischen Sprachen ergibt zwar eine mehrsprachige Polyfonie, nicht aber eine Polysemie: Das Gesagte bleibt das Gesagte. Es entsteht aus der Sprachenmischung keine Dissonanz, kein Bedeutungsexzess, keine Bedeutungsarmut in einer unauflösbaren Unverständlichkeit, die die Aussagen produktiv entstellt.

Dagegen inszeniert translinguales Schreiben als *semiodiversity* (M.A.K. Halliday), als Vieldeutigkeit zwischen Sprachen, eine Form des Durch-Sprachen-Schreibens oder Schreibens am Rand, auf der Kippe, der Zungenspitze von Einzelsprachigkeit. Und solche Texte können, meine ich, auf der Oberfläche einsprachig sein und doch entweder durch eine ausgestellte Poetik der Anderssprachigkeit oder eine zugrundeliegende translationale Poetik translingual, das heißt zwischen Sprachen angesiedelt sein. Ich denke hier zum Beispiel an die innerlich exophonen Prosagedichte *Schlechte Wörter* von Ilse Aichinger. Oder die „Abziehbilder" des deutschen Dichters Schuldt, der Prosagedichte komponierte aus den deutschsprachigen Worten, die in einer bestimmten Zeit ins britische Englisch gewandert waren.[105] Oder die Gedichte von Paul Celan, beispielsweise im Gedicht „Bei Wein und Verlorenheit". Hier kartiert die Wortfolge *Neige – Schnee – Nähe – Wiehern* (dt. *Schnee*, frz. *neige*, engl. *near*, engl. *neigh*) ein Netz aus Sprachbeziehungen

104 Zur begrifflichen Unterscheidung zwischen translingual und mehrsprachig / multilingual siehe S. 133 hier im Buch.

105 Robert Kelly, Jacques Roubaud, Schuldt: Abziehbilder, heimgeholt. Graz 1995.

unter oder hinter dem Gedicht, welches (so steht zu vermuten) die Entstehung des Gedichts erst vorantreibt oder bedingt und so das monolinguale Postulat unterwandert, die deutsche Mutter- und Mördersprache minorisiert.[106]

V

Es ist schwierig, von einem Gedicht zu reden.

Es ist schwierig, von einem Gedicht in mehr als einer Sprache zu reden.

It is difficult for a poem in more than one language to speak.

Das Reden keimt in den Präpositionen.

The speaking chimed in dens, proposition.

The proposition was a tensed Kaiser.

Sie probierte was zum Tanz, Kleider?

After the naked dancing, key deers followed in rays.

Das Gedicht nackt sehen heißt, den Reh nicht rauszuhaben.

Dear dares, what are you talking about.

Berlin, November 2018

106 Vgl. Yoko Tawadas translinguale Celan-Lektüre in „Die Krone aus Gras". In: Dies.: Sprachpolizei und Spielpolyglotte. Tübingen 2007, S. 63–84. Sehr lesenswert ist auch die Studie von Yasemin Yildiz: Beyond the Mother Tongue. The Postmonolingual Condition. New York 2012.

WHY WRITE IN MANY LANGUAGES?

For my talk I want to focus on the translingual poetry of New York poet, DJane, sound artist and performer LaTasha N. Nevada Diggs, whose poems continue to be a source of inspiration, confusion, activation, exhilaration, multiplication; in doing this, I would also like to think about how to translate such translingual writing, or rather, how the failure of translating such writing can offer multi-tongued truths. I want to begin by trying to describe what kind of translingual writing these poems present, what they look like, what they sound like, and into what experience they invite the eyes and ears of their readers. LaTasha N. Nevada Diggs' poems from the collection *TWERK*, published by the Brooklyn-based feminist collective Belladonna* in 2013, are composed in a disorienting mix of languages: English, Spanish, Japanese, Hindi, Urdu, Maori, Hawaiian, Samoan, Caribbean dialects, Swahili, Runa Simi (Quechua), Yoruba, Portuguese, Cherokee (Tsa'lâgî), Tagalog, Chamorro, Papiamentu. In exploring translingual and Afrosonic soundscapes, Diggs zooms in on practices of othering, racist thinking and figurations of blackness in the global (white) imagination which are encapsulated within language as colonial residues and persisting cultural practices. Looking at a diverse range of cultural artefacts and surfaces—from Japanese anime culture to nearly extinct indigenous languages to the multilingual, sonically overflowing humming and tracks-a-thrumming of the New York subway, as well as Caribbean and African myths and Dancehall—Diggs' poems map a landscape of Creole overlaps, narrative gaps, linguistic ruptures and raptures.

Many poems make obvious use of translation or inter-lingual multiplication as a formal device: Sometimes a poem consists of lines written in multiple languages and their transcription into English in italics below *(la loca ningyo, icucumberi)*; sometimes languages rub shoulders or cheeks, as when a Hawaiian word describing a body part is put „literally beside" the English word for it; the poems in the cycle „March of the Stylized Natives" contain, among other languages, lines from the Dr. Seuss book *One Fish Two Fish Red Fish Blue Fish* in Cherokee (Tsa'lâgî). Often multiple languages touch upon each other without obvious markers, liquefying the grammatical, phonetic and visual features of the English language. The poems project a translingual imagination across territories, postcolonial landscapes, suppressed histories. They thus stage what is present but not visible, what is visible but not present.

As LaTasha Diggs pointed out during a panel on multilingual writing at the Poesiefestival in Berlin in 2015, she also does not know all the world's languages—but her writing relies heavily on the experience of their presence, as it can be felt, for example, in New York, with decolonized ears turned to and tuned into and to the other. She also moves towards linguistic openings by making the presence of languages, their speakers, the speakers' bodies and histories audible and palpable through multiple acts of collaboration—by including quotations from songs and myths as well as pop culture, by embedding lines of other poets in the „Golden Shovel" form invented by Terrence Hayes, or by asking friends to translate lines into other languages which are then included in the poems. In its complex multi-tongued collaboration, this kind of translingual writing differs from the exploration of linguistic openings of, say, Latinx poets such as Mónica de la Torre, Rodrigo Toscano, Edwin Torres, Heriberto Yépez or Urayoán Noel. In other words, it differs from writing which employs the tensions between the native and acquired languages of the speaker / poet and which tends to historical experiences of oppression or omission within a more specific geo-political sphere. To be sure, such bilingual writing can of course also be *trans*lingual, if translingual is a kind of writing where multiple languages interact and *interfere* with each other, transgressing and destabilizing in effect both languages and creating a third space.[107] However, in its critique of colonial monolinguistic identity politics, Diggs' writing still connects to Latinx explorations of language politics and border-linguality. Her work is, as Joyelle McSweeney wrote, „not unwriting the damage of globalism but defibrillating it, re-animating it, converting the damage to something else entirely: something *next*."

107 A few years after this panel, Sarah Dowling offers a compelling discussion of the terminology in her study *Translingual Poetics*. She writes: „While the term *multilingual* is typically positioned as the alternative to monolingual, it is increasingly critiqued because it simply describes the coexistence of languages in space and time and is generally silent about the relationships between them. I use the term *trans*lingual (...) because it describes the capacity of languages to interact, influence, and transform one another. (...) Unlike the term *multilingual*, which is often associated with dominant multiculturalisms, the term *translingual* typically describes critical, oppositional, and survival practices." Sarah Dowling: Translingual Poetics. Iowa City 2018, S. 4f.

The first result of reading works written in „something next", in a language of arrival, is that the reader becomes part of the arrival, that she is simultaneously disowned and gifted by this arrival. Arrival means that there is no immediate gratification of ‚making sense' through understanding; rather there is a continuous making sense through experiencing sound and body. In other words, in this arrival, stutter will be your new Mutter. You will probably—and you should!—read the poems out loud. Since you won't know all the words, this reading will put your words apart. This reading will put your lips apart. This reading will make you sound putzig. This putting putzige words in your mouth will make you feel dizzy. You will probably inhale too much air. You will probably not know how to arrange your jaw, lip, tongue, your inbreath and outbreath in the right order around the new sounds, the new sounds and their supposed meaning with neighboring sounds. Maybe you are japsing. Maybe your are jazzing. Maybe all this apart-putting puts your lips in a slippery arc. You will sound out of sync. You will sound like a Kind. You will sound like the child of a kind alien. You will sound like niño que nachmacht n Eistruck. Reading a translingual poem out loud topples the sounds, deterritorializes your mouth. It will rearrange your speech things. It will strange-range you from your mother tongue. (The tongue that was put into your mouth by the way your mother was taught to speak it from the mother who was taught to speak it from the guy who taught mothers to speak like natives.)

Now what happens when one attempts to translate such a poem? Words detach from their angestammte forms, they become liquid, they bubble and jump and make new words in multiple languages, or more accurately: on the threshold of languages. Instead of reading meaning you will read meandering. Instead of reading what you know you will remember new words which were there before. Perhaps this is true for any translation. As the French poet and translator Emanuel Hocquard wrote, translation is charting the „blank spots" on the map, a language within French that looks like French but isn't quite French. So maybe this is true with any poetic translation. But with translingual translation one is simultaneously charting a map and leaving it in arrival. One is leaving the realm of „enriching" one's own language by bending it „towards foreign likeness" as Friedrich Schleiermacher famously put it, because enriching it won't help when what is called for is a new poverty. And by that

I mean: The reader of a language-in-arrival needs to forget that there is such a thing as only one mother tongue, she needs to forget that there was a *first* way or a *best* way to say this or that. If „translation is the traumatic loss of native tongue" (Emily Apter), then translation of translingual writing is the loss of the *concept* that there ever was a native tongue.

Time for a concrete example. The footnote for the poem „damn right ... it's betta than yours" reads the following: „... contains several words from Barbadian dialect. Kaiso is a popular music from Trinidad and several other Caribbean islands. Kikongo (Congo) is one of several African nations that were transported to the western hemisphere and one of many where linguistic traces are still prevalent in what Kamau Brathwaite defines as Nation Language."[108] It is impossible to translate into German, even multilingual German, the charged colonialized narratives underlying the poem, plus its sexed-up transposed setting involving the echo of Kelis' milk bar. *Impossible. Unmöglich. Taea. Fukanō. Naa-mumkin.* But like the reader of these poems the translator is a translator of the future which has already arrived: She will be created by the questions that are asked by the words unbelonging from this collaboration. So when I set out to do a version of „damn right" in German, I firstly focused on the sound: the strange sonic echoes in my mouth, the rhythmical progression. I decided to leave many words that are not English in their other language. Then I decided that the German was going to be a German that included inflections spoken by Arab and Turkish minorities—a language that was long dismissed as a ‚corrupted' German or ‚aggressive youth slang,' but which has more recently been shown by linguists and sociologists to be a new hybrid-German with an elaborated grammatical, lexical, and syntactical system. Thus in translation German could be deterritorialized by employing different strategies such as omitting articles, deforming syntax (the position of the verb), using more dative than accusative case and including the doubling of endings such as *hotelschmotel* or *pastelmastel* (in the translation of „Pidgin Toe"). The result is a thickly sonic othered German that bears, in its language politics, little resemblance to the politics of the original poem. Which is a problem! How could the ‚Gastarbeiter' trajectory ever be an adequate translation of Caribbean slave

108 LaTasha N. Nevada Diggs: TwERK. New York 2013, S. 92.

history? While the desire to invent a *language of arrival* might be shared by translingual poets across the globe, the politics and results of translingual writing are necessarily local and historically grounded in specific silencings and linguistic ruptures (albeit one could maintain that there are two general translingual trajectories which relate to the two ways in which monolingualism was politicized and institutionalized: Empire/colonial or European/national, and yet foregrounding the parallel trajectories is a way to link disparate specificities within a shared space of common struggle against imperialism, nation-building and colonization). Perhaps the purpose of translating such translingual writing is not and never to produce adequate relations but to create most unmodest inadequate relations, multiply narrations, re-learn hearing, amplify common struggle, and to re-draw maps of diverse linguistic relations which ultimately detach from the concept of the mother tongue and its sociopolitical, limiting demarcations.

New York, September 2015

Zong! #14

the truth was

the ship sailed
the rains came
the loss arose

the truth is

the ship sailed
the rains came
the loss arose

the negroes is

the truth was

24

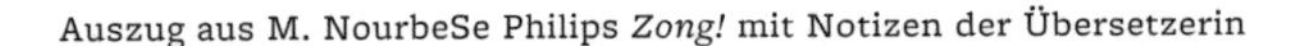

Auszug aus M. NourbeSe Philips *Zong!* mit Notizen der Übersetzerin

SICHTBARMACHEN IST EINE FORM DES ÜBERSETZENS

Zu M. NourbeSe Philips *Zong!*

Manchmal die einzige.

Bei dem Gedichtband *Zong!* (2008) der kanadischen Lyrikerin M. NourbeSe Philip handelt es sich um ein Werk, das nicht als Einzelgedicht anthologisierbar und aufgrund seiner Kompositionsregeln kaum übersetzbar ist. Und das dennoch, als einer der einflussreichsten und bedeutendsten englischsprachigen Gedichtbände der letzten Jahre, hierhingehört.[109] *Zong!* ist Archiv, Gesetzestext, Beschwörung, Erinnerungsarbeit, unmögliches Gedicht: Es legt Zeugnis ab von einem Sklavenmassaker. *Zong*! ist der Versuch, schreibt Philip, eine Geschichte zu bergen, die erzählt werden muss, ohne dass sie erzählt wird: „To not tell the story that must be told."[110] Die historischen Eckdaten sind folgende: Im November 1781 segelte das britische Sklavenschiff *Zong* unter Kapitän Luke Collingwood von der Küste Westafrikas nach Jamaika. An Bord waren 470 Sklaven. Die Reise sollte neun Wochen dauern, es gab genug Wasser und Proviant. Das Schiff und seine „Ladung" sind versichert. In der zynischen Rechnung weißer Übersetzbarkeit (mit gestresster erster Silbe) heißt das: Sterben Sklaven eines „natürlichen Todes", muss der Eigentümer für den Verlust aufkommen. Sterben sie eines unnatürlichen Todes, zahlt die Versicherung. (Wann wäre es je möglich oder rechtens, fragt Philip in ihrem Nachwort, beim Hinsterben versklavter Menschen von einem „natürlichen" Tod zu sprechen?) Wegen Navigationsfehlern des unerfahrenen Kapitäns dauert die Reise vier Monate. Etwa sechzig Sklaven sterben an Hunger und Krankheit. Als Luke Collingwood begreift, dass den Eigentümern seines Schiffes ein finanzielles Fiasko droht, spekuliert er auf die Versicherungssumme von 30 Pfund Sterling pro Sklave und entscheidet, etwa 150 Sklaven über Bord werfen zu lassen. Da sich die Versicherungsagentur später weigert, die Summe auszuzahlen, kommt es zum Prozess, von dem ein Schriftstück bleibt: *Gregson vs. Gilbert*, die einzige Spur, etwa zwei Seiten lang.

109 Der Text entstand auf Einladung von Jan Wagner zum Akzente-Heft *Nachdichten*, 2/2017, München.

110 M. NourbeSe Philip: *Zong!* Toronto 2008, S. 189. Im Folgenden abgekürzt zitiert mit „Z" und Seitenzahl im Text.

M. NourbeSe Philip, Juristin und Dichterin, nimmt das Sprachmaterial dieses Schriftstücks, das also ein Mordbericht ist, nimmt die Sprache des Gesagten wie auch das unermessliche Rasen des Nichtgesagten zum Ausgangspunkt ihres Gedichtbands. In immer neuen Anläufen wird das Material aufgesplittet, wiederholt, permutiert, werden Zusammenhänge veräußert und Klänge erinnert – die Sprache aufgebrochen, bis Stimmen reden in Zungen, auf Grund gehen („create semantic mayhem“, z 193), auch ululieren, neue Atemwege des Überlebens zirkulieren – auf der Suche nach einer Sprache der Bergung für die Unterdrückten, die Ertrunkenen, die Verstummten.

Der Auftrag, einige Texte aus *Zong!* für „Weltklang – Nacht der Poesie“ zu übersetzen, den Eröffnungsabend des *poesiefestivals berlin* am 16. Juni 2017, freute mich: Endlich wird NourbeSe auch hierzulande zu hören sein. Und schreckte zugleich: Wie soll ich es übersetzen? Die größte Beschränkung des Textes ist zugleich Bedingung für sein Entstehen, *Gregson vs. Gilbert* – Gedicht und Totenklage, sagt Philip, seien in der juristischen Sprache des Schriftstücks eingeschlossen wie die Toten im Meer. Hieße den Text angemessen zu übersetzen nicht vor allem: den dahinterliegenden Prozess zu übersetzen, also das Schriftstück ins Deutsche zu übertragen (es ist im Gedichtband abgedruckt) und daraus die Gedichte neu zu gewinnen, mit Philips Gedichten als Orientierung? Angesichts der Verbindung, im Deutschen, von juristischen Dokumenten und Vernichtung eine schwierige Vorstellung, unangemessen – aber eine angemessene Version wird es nie geben. Nicht mit diesem Buch. Nicht von ungefähr verbrannte Philip bei der Arbeit an den Texten regelmäßig Räucherwaren, *insence,* und fuhr nach Ghana mit dem unbestimmten Gefühl, dass sie, um die afrikanischen Stimmen ans Licht bringen zu können, einer „Erlaubnis“ bedürfe, traf sich dort mit Stammesältesten, sammelte Namen, studierte Gesetzestexte. Sie nennt den Text Totenwache, Trauerarbeit. Ich denke, dass *Zong!* darum nicht als prozessuales *re-enactment* übersetzt werden kann, jedenfalls nicht von mir. Ich muss mir meiner Position, meiner Privilegien, meiner Diskursmacht als weiße Mitteleuropäerin bewusst werden, der nicht das Recht zusteht, die Rituale der zungenredenden Ahnenschrift Philips nachzuahmen. Ich muss vor allem: zuhören. Nicht auf unhinterfragtes Gelingen hinarbeiten. Denn was hieße Gelingen in diesem Fall? Übersetzen, das Verb, die wandernde Betonung: mit gestresster erster Silbe. Körper, Kisten, Kinder, auch Waren,

Stoffe, Ballen – trockenen Fußes. Intakt. Ohne größere Verluste. Gestresste Silbe? Fragwürdiger Ausdruck. Nicht verlässlich. Eher schon *distress call*. So einen absetzen, statt über-. Irgendwas nicht haken lassen. Denn was wäre hinüberzutragen, was zu Ufer zu geben, wenn nicht, dass der Text ein mit unermesslichen Schmerzen gefülltes Wassermassengrab ist? 260 Menschen wurden in ein furchtbares Schicksal übergesetzt. Mindestens 150 und 60 andere wurden unübersetzt, unbeortet, unbestattet, unsagbar gemacht, *un*gebracht. In ihrem Nachwort spricht NourbeSe Philip von der Bedeutung, die der Ort des Knochenfunds für den Trauerprozess von Angehörigen und Überlebenden des Genozids in Ruanda haben kann: „I want the bones" (Z 201). Für die Sklavenschiffe zielt dieses Erinnerungsverlangen ins Leere, ihre Opfer haben keinen Ort, sie haben nicht einmal ein Wort. Kann man sagen: „exaqua", analog zu „exhume", fragt Philip? Die *Zong!*-Schrift muss zwangsweise unbehaust bleiben („hauntological"), die Seite wird „a negative space, a space not so much of non-meaning but anti-meaning" (Z 201). In Analogie zu Philips Versuch, diese Geschichte *nicht* zu erzählen (mit anderen Worten, die Texte nicht zu lyrisch, zu narrativ, zu einfühlsam werden zu lassen, zu sehr intakten Stimmraum füllend), müsste also eine Art gefunden werden, den Text sichtbar zu machen durch behutsames *unübersetzen*. Das wäre anders als „nicht übersetzen", wo also der Versuch nicht einmal gewagt, das Ufer nicht verlassen, der Text nicht in Bewegung gesetzt wird. Im Moment weiß ich noch nicht, wie diese Form der Übersetzung zu bewerkstelligen wäre – eine klare programmatische Antwort, ein einziges Verfahren wird es nicht geben. Vielleicht wäre eine Mischung zwischen interlinearer Übersetzung, Notizen, Austesten der poetischen Verfahren, Anverwandlung und begleitendem Essay vorstellbar – eine Schrift, die zeigend und durchscheinend, aber auch berührend, das heißt mit allen Rissen und Möglichkeiten, das Deutsche dysfunktional werden zu lassen, ausgestattet ist. Auf dem weißen Raum der Seite, der auch ein Herrschaftsraum ist, in dem manches sichtbar gemacht wird, vieles nicht, darunter, immer noch zu oft, das Schreiben vieler BIPOC-Autor*innen.

New York, März 2017

SZERCKARUZELKA DER SPRACHEN, AUFSPRINGEND

Laudatio auf Dagmara Kraus

spring bei steh bei hilf zärtlicher verstoß
wehr dem dichten regeltross
Edward Stachura, übersetzt von Dagmara Kraus

Vor einigen Jahren fiel mir ein Satz in die Hand, den ich mit Mitte zwanzig beim Studium in Krakau in einen geborgten Computer in der ulica Kremerowska getippt hatte. In der Küche am Ende des Flures, erinnere ich mich, war das leiernde Murmeln des *lektors* aus dem Fernseher zu hören gewesen, der alle englischen oder französischen Filmstimmen gleichförmig polnisch übersprach. In der Tonspur darunter ahnte man die Originalfassung, bekam sie aber nie zu greifen. Je lauter das Gerät, desto fester übergrantelte der *lektor* die Fetzen. „Nur noch reden, wenn es wie eine Übersetzung klingt." Das war mein Satz, den ich fand. Warum wollte ich in Krakau, als ich nach Russisch, Englisch, Spanisch auch ein wenig Polnisch lernte und an meinem ersten Gedichtband saß, übersetzerisch klingen? Wie hat man sich eine solche übersetzerische Rede vorzustellen? War es nicht so, dass das Übersetzte das Gesagte in einer anderen Sprache verständlich machen soll? Warum soll man merken, dass es übersetzt wurde, warum soll der Rede Übersetzerisches anhaften, Unverständliches gar? Und wie klänge etwas übersetzerisch?

Während ich mich durch die vielsprachigen Stränge von Dagmara Kraus' lyrischem und übersetzerischem Werk lese, die wie Zöpfe einer wundersamen Sprachhelixwelt miteinander verflochten sind, merke ich, dass ich hier, viele Jahre später, die Antwort auf meinen damals geäußerten Wunsch finde. Dieses wundersame Werk spricht so, dass alles wie eine hochmelodiöse, präzis ausgearbeitete Übersetzung klingt. Nur eben nicht von einer Sprache in die andere, obwohl auch das vorkommt. Sondern vielmehr: aus vielen Sprachen in eine neue, nie gehörte, betörende, die den Raum *zwischen* den Sprachen zum Klingen bringt. Dagmara Kraus erschafft sozusagen den Gegenpol zum monotonen Fernsehsprecher. Gleichzeitig, das ist das Verblüffende, kann man sich das Fernsehfetzenpalimpsest ohne Weiteres auch als einen Text von ihr vorstellen. Ein solches fließendes Vexierbild von Stimmgeräuschen,

Rhythmen und Minimalstrophen ist das Hörspiel *Entstehung dunkel*, das Kraus 2014 zusammen mit dem Klangkünstler Marc Matter realisiert hat. In neunundzwanzig Minuten wird darin flirrend ein Wabern von Wortauren inszeniert, die fortflogen von ihren Wortbedeutungskörpern und uns als selbstständige, ihre eigene Wirklichkeit einfordernde Klangmaterie wiederbegegnen. Für diese Erkundung poetischer Rede wurde sie 2015 mit dem Förderpreis zum Karl-Sczuka-Preis für avancierte Radiokunst und 2016 mit dem Heimrad-Bäcker-Förderpreis ausgezeichnet.

> mein herzkar ein kessel im karlingering mein herzkar ein kessel
> kein runder korund fessle mein marrherz so roher korund
> ...
> warst wunder korund herzkar mein kessel herzkaruzelka
> dein resselheer zësst im karlingeringen s airlein es fessle
> herzke verkëss i szerckaruzelkę sing z agonami. bin zung'kar.

So singt der Anfang und das Ende des Gedichts „mein herzkar ein kessel" aus dem band *kleine grammaturgie* (roughbooks 2013). Kraus verwebt hier kunstvoll Fachbegriffe, gefundene oder halluzinierte Fremdsprachen und (möglicherweise) erfundene Wörter zu einem hochkomplexen und stringent voranschreitenden lyrischen Ereignis. Die Talform Kar, die Berggipfelform Karling und ein tamilisches Mineral performen und verformen einen Liebesang, in dem in translingualer Traumschärfe das Sprachmaterial verwandelt wird. Hier entdeckt man im *herzkar* oder *herzkarlein* vielleicht ein kleines englisches Autoscooterherz, düsend durch das sparsam abgesteckte Viereck des Gedichts. Dort entdeckt man, nach mehreren Schleifen, das kesse luxemburgische Verb *zëssen*, was so viel heißt wie *besänftigen*. Das französische Wort für den Kar (die Talform) ist übrigens *cirque*, was auch Zirkus heißt und über die lateinische Wurzel *circus* mit dem *cercle*, dem Zirkel, verwandt ist. Solch einen Zirkelzirkus betreibt das Gedicht in der Rekombination kleiner Wortpartikel, die auf der Schwelle zwischen den Sprachen tänzelnd eine Behausung finden. Das Gedicht benennt diese kreisende Bewegung: Es ist ein *herzkaruzelka*, halb polnisch, halb deutsch. Und in einer letzten ironischen Schleife springt das Gedicht auf sich selbst auf, fährt im Kreis durch die nun französische Luft (*s airlein*) und verwandelt das Herzkarussell in ein *szerckaruselka*, einen Sprachscherz mit polnischer Orthografie.

Was sich hier im Kleinen ereignet, nämlich die ebenso schwungvolle wie radikale Absage an eine Vorstellung von Poesie als Angelegenheit nationaler Einsprachigkeit, das spielt Dagmara Kraus in allen Facetten ihres Werkes durch. Ein Forschungsvorhaben ist das, zur Findung einer poetischen, übersetzerischen, grenzüberschreitenden Sprache, ganz im Sinne dieses Preises. Man mag an den großen zweisprachigen Dichter und Übersetzer Georges-Arthur Goldschmidt denken, der schrieb: „Was den Sprachen fehlt, das passiert zwischen ihnen."[111] Dieses Zwischen lotet Dagmara Kraus auf vielerlei Arten aus. Seit ihrem Debüt *kummerang* (kookbooks 2012) gelingt es der Lyrikerin, das Deutsche in einen surrenden Surroundsound zu verwandeln, der offen für natürliche und nichtnatürliche Sprachen ist. Dabei lässt sich die Lyrikerin von der Übersetzerin oft kaum trennen, geht sie sowohl interlinguistisch als auch intralinguistisch wenig betretenen Sprachpfaden nach. Für einen Zyklus in *kummerang* beispielsweise bedient sich Dagmara Kraus einer frühen Sprachmaschine, ich meine den „Fünffachen Denckring der Teutschen Sprache" von Georg Philipp Harsdörffer aus dem Buch *Philosophische und mathematische Erquickstunden* von 1651. Mithilfe von fünf aus Papier geschnittenen Drehscheiben können unzählige neue Worte im Deutschen gebildet werden. Worte, die reich an „glarber wausen" sind – die also in ihrer erkennbaren Ferne zu bestehendem Material wie eine Übersetzung in ein Anderdeutsch scheinen, das uns die emanzipatorische Kraft von Sprache vorführt. Ähnlich räubert Kraus im Reservoir der Plansprachen für den Band *kleine grammaturgie* oder geht hellsichtig und lallsüchtig den Spuren ägyptischer Klagemädchen in dem Band *wehbuch. undichte prosagen* (roughbooks 2016) nach. Ob in eigenen Anagrammen, in Übersetzungen von Anagrammsestinen wie denen des Oulipodichters Frédéric Forte oder im anarchischen Abstauben alter rhetorischer Figuren und Gedichtformen – immer findet Kraus in der Anwendung „kleiner Kunstmaschinen"[112] die Möglichkeit, Traditionalisten sowie Monolingualisten ein Schnippchen zu schlagen.

Als Übersetzerin und Essayistin endlich erweitert Dagmara Kraus die Sagensmöglichkeiten des Deutschen bei der Übersetzung von französischen und

111 Georges-Arthur Goldschmidt: Freud wartet auf das Wort. Frankfurt am Main 2008, S. 11.

112 Dagmara Kraus: Héloïsiere eine Coda (die Aufgabe der Übersetzerin). Zu Frédéric Fortes einziger Anagrammsestine. In: Akzente. Zeitschrift für Literatur. 2/2017, München, S. 62. Kraus bezieht sich hier auf Oskar Pastiors Band: Eine kleine Kunstmaschine. 43 Sestinen. München 1994.

polnischen Autoren, die ihrerseits die Grenzen der eigenen Sprache erweitern. Dazu gehören die Lyrikerin Joanna Mueller, der Dichter und Sänger Edward Stachura oder der berühmte und hierzulande vor Dagmara Kraus' Pionierarbeit nahezu unbekannte Lyriker, Theaterautor, Chronist Miron Białoszewski. Neben dem *Geheimen Tagebuch* (Edition Fototapeta 2014) legte sie mit *Wir Seesterne* (Reinecke & Voß 2016) die erste übersetzte Gedichtauswahl vor und übersah als Herausgeberin die Veröffentlichung einer weiteren Gedichtauswahl, *Vom Eischlupf* (Reinecke & Voß 2015), in der zeitgenössische Lyriker unterschiedliche Nachdichtungen desselben kurzen Gedichts anfertigten. Wunderbar lässt sich in beiden Büchern die Pluralisierung der poetischen Rede verfolgen, wenn nämlich ein sprachspielerisch angelegtes Original nur mit potenziertem Sprachspiel übersetzt werden kann – eine auffächernde Erwiderung, die für das Deutsche nicht folgenlos bleiben kann. So findet sich in *Wir Seesterne* eine rätselhafte Figur namens *Schnäbi*, die auf Polnisch *Siulpet* (ausgesprochen: *schulpet*) heißt und die verkrauste Leserin an das Gedicht „Schulpbekenntnis" aus dem Band *kummerang* erinnert. Mit Białoszewski teilt Kraus das Interesse am Fehler als poetischem Zünder, an der Verschiebung grammatikalischer und orthographischer Grenzen, an Stille und – wie Białoszewski schrieb –, der „Ironie, die aus den Stille erzeugenden Wörtern entsteht". Spürbar ist dies in jeder Zeile in dem Gedicht „Namusowywannie", zu deutsch „Bemusung":

Muse
Inspiruse

so muss
ich dir
endungen
vor unschreibsamkeit

verinhalte
mir
die -keiten
und
das -use[113]

113 Miron Białoszewski: Wir Seesterne. Gedichte. Verbesserte Neuauflage. Polnisch und Deutsch. Übersetzt und hg. von Dagmara Kraus. Leipzig 2016, S. 65.

Um die Gedichte von Dagmara Kraus zu lesen, sollte man sich darum Wörterbücher zur Hand nehmen. Solche von Sprachen, die es gibt, und solche von Sprachen, die es nicht gibt. Man braucht viele Wörterbücher von beiden, aber am meisten die dritte Art, nämlich solche, die sich beim Lesen selber schreiben: Ortungsbücher, Entortungsbücher, Bücher möglicher Wörter, Örterns voll. So wie Anagramme das Phantasma des selbstausführenden Textes heraufbeschwören, gilt wohl für die Kraus'sche Sprachsause, dass sich die Gedichte in den Köpfen der Leser – oder besser, ihren Mündern, sind es doch keine schweigsamen Maulwürfe, sondern lachend ins Leben gelallte Lautwürfe –, dass sich also diese Krauswüchse selber hervorbringen, indem sie das Sprachmaterial unbekannter, ähnlicher, anderssprachiger und möglicher Wörter im Kopf forttreiben. Ganz so, wie es in dem Bändchen *das vogelmot schlich mit geknickter schnute* heißt, in dem Kraus Transkriptionen aus einem alten französischen Deutschlehrbuch verarbeitet:

> nehmen wir doch mal an
> das vogelmot schliche
> mit geknickter schnute
> vielleicht sogar leicht eingestochen
> und das noch mit guter vorsichtigkeit
> halb von auswärts
> und in lange schweife verschlungen
> zum domestizierten mund
> verhandelten kräfte
> verborgen und eilends
> die zeitstellung dieser widrigkeiten[114]

Solche Lehrbücher verwenden als wichtigstes Mittel eine transkribierte Lautschrift, die Lernende über das Nachsprechen erreichen wollen und damit eine Sprache mit der anderen in eins setzen. Für die übersetzende Schwellendichterin ist das gutes Material. Dagmara Kraus schneidet und collagiert daraus Elfzeiler, die man laut lesen und sich dabei verlesen muss. Man beginnt, eine auf Widrigkeiten durchlässige Ohrmembran zu entwickeln. Vermutete Wörter, vermotete also, mit denen man Kindern ähnlich wird, dem

114 Dagmara Kraus: das vogelmot schlich mit geknickter schnute. Berlin 2016, S. 8.

Staunen des Sprachenlernens, aber auch Migranten und allen Menschen, die sich nach Flucht und Vertreibung in einer neuen Sprache zurechtfinden müssen. Dem Mut zum flüchtigen Vogelwort öffnet Kraus das Mot zur Welt, zur Wut vielleicht auch. Durch polyglottes Aufrütteln von Denkformen und Schreibnormen betreibt sie, die in Polen geboren wurde, 1988 mit sieben Jahren als Kind von Solidarność-Flüchtlingen nach Deutschland kam und jetzt in Berlin und Frankreich lebt, eine Minorisierung der Sprachen. Sie deterritorialisiert das Deutsche, verwandelt es in eine sogenannte kleine Sprache, nomadisch offen, eine, die man sich nicht aneignet, die sich vielmehr widerständig ereignet. Das ist poetisch und politisch zugleich. Und es bleibt zugleich das Szerckaruzelka der Sprachen, auf dem wir mit der Dichterin kreisen dürfen.

Berlin, August 2017

DEUTSCH-POLNISCHE PORTMANTEAUGRAFIE

Zu einem Gedicht von Dagmara Kraus

I

Man kommt beim Übersetzen nicht umhin, „die Koffer der Worte zu öffnen“, wie es die Philologin, Übersetzerin und Dichterin Anne Carson einmal beschrieb.[115] Man kommt dann überallhin, denn, so Carson, „bei der philologischen Untersuchung eines altgriechischen Wortes zum Beispiel gibt es kein Ende“. Übersetzen heißt also, du packst unaufhörlich diese Klamotten aus. Etwas anderes ist es, schreibend die Koffer der Worte neu zu packen, vielleicht weil man vom Transfer zwischen Sprachen umgetrieben wird, vielleicht weil man vom Unterwegssein schreibt, von Flucht oder Vertreibung. Die Lyrikerin Dagmara Kraus, selbst auch Übersetzerin und Literaturwissenschaftlerin, geht einen Schritt weiter. Sie entwickelt eine translinguale Spielart der Wortkoffer, indem sie mit Kofferworten schreibt, also Worten, die aus zwei nicht zusammengehörigen Teilen zusammengesetzt werden und die zwischen Sprachen wandern – eine Art translinguale Portmanteaugrafie. So zum Beispiel in dem vierteiligen Gedicht „deutschyzno moja“, das zuerst 2017 im *Jahrbuch der Lyrik* erschien, 2020 Kraus' Gedichtband *liedvoll, deutschyzno* seinen Titel gab und auf das Schicksal tausender Geflüchteter in Deutschland 2015 sowie politische Entwicklungen in Polen Bezug nimmt. Hier ist der erste Teil in Gänze:

millionen flüchtige wörter stehen an
der grenze zu diesem gedicht
die beine in den bauch sich
schlange an der grenze

dunkle wörter, dunkle fremde
suchen nach zuflucht, wollen hier wohnen
verjaschmakt, betschadort, da warten
mummen von jenseits der pole

115 Den Koffer der Worte öffnen. Anne Carson im Gespräch mit Alexander Gumz, Karla Reimert und Uljana Wolf (in Berlin 2002). Neue Rundschau 2/2006, Frankfurt am Main, S. 119–129.

’sind welche von ungarn gekommen
zupełnie niedeutschałe słowa
drängen sich hier in die futura
ręce błagają, bebeten die grenzen

deine, deutschyzno moja

Der Titel besteht aus dem Kofferwort *deutschyzno,* das aus dem deutschen Wort *Deutsch* und dem polnischen Wort *ojczyzna* (Vaterland) zusammengesetzt ist, sowie dem polnischen Artikel *moja* (mein bzw. meine, da *ojczyzna* ein weibliches Substantiv ist). Es ist also nicht klar, welches Vaterland gemeint wäre, bzw. fallen zwei Länder im Aussprechen ineinander, die deutsche Silbe „eu“ ist gleichklingend mit der polnischen „oj“. Der Titel wird aufgegriffen (oder vice versa) in dem (in der Buchveröffentlichung gestrichenen) Motto *„liedvoll, dojczyzno moja“*, wo die abweichende Schreibung (*doj*) den gleichen Laut hervorbringt, dabei näher ans polnische Land tastet. Hinter dieser Zeile nämlich verbirgt sich eine klanglich verfremdete, also homophone Übersetzung, nämlich der ersten Zeile „Litwo, ojczyzno moja!“ des polnischen Nationalepos *Pan Tadeusz* von Adam Mickiewicz. Die ersten Zeilen lauten:

Litwo! Ojczyzno moja! ty jesteś jak zdrowie;
Ile cię trzeba cenić, ten tylko się dowie, Kto cię stracił.

(Litauen! Wie die Gesundheit bist du, mein Vaterland;
Wer dich noch nie verloren, der hat dich nicht erkannt.)[116]

Das Vaterland, das hier angerufen wird, ist das von 1569 bis 1795 bestehende Polen-Litauen, ein multikultureller und auch multilingualer Staat, bestehend aus dem Königreich Polen und dem Großfürstentum Litauen. Es umfasste etwa das heutige Litauen, Lettland, Weißrussland, Teile von Russland, Estland, Moldawien, Rumänien. In Mickiewicz’ Versepos erinnern sich polnische Emigranten 1834 in Paris an dieses Land, und obwohl dieses Vaterland „Litauen“ heißt, gilt das Versepos im heutigen Polen als Anrufung des eigenen Vaterlands, musste doch die polnische Literatur über ein ganzes

116 Adam Mickiewicz: Herr Thaddäus oder der letzte Einritt in Lithauen. In: Poetische Werke, Bd. 1. Übersetzt von Siegfried Lippiner. Leipzig 1882, S. 1.

Jahrhundert, in dem der Staat Polen nicht existierte, als Ort alternativer nationaler Identitätsbildung herhalten. Nun finden wir aber diese Anrufung in einem Gedicht, das sich auf Deutschland bezieht. Zugehörigkeit zu Sprache, Identität, Nation sind also fraglich und prekär geworden, bevor das Gedicht überhaupt begonnen hat. Hinzu kommen die Widerstände der homophonen Übersetzung: *litwo* (Litauen) wird *liedvoll* – was es in der Tat ist, das Versepos, aber die klangliche Übersetzung produziert einen komischen, diminutiven Effekt. Aus dem Landnamen mit Ausrufezeichen wird ein Adjektiv mit Komma, das Konzept des Vaterlands verkleinert zu einem liedhaften Schunkelbegehren. Eine Minorisierung findet statt, translinguales Zwinkern.

Im Folgenden werden Gedicht und Vaterland überblendet, oder vielmehr das Gedicht als Vaterland metaphorisiert. Vor ihm stehen Wörter (*słowa*) wie Fremde, Geflüchtete. Dabei ruft die Auswahl der Wörter die angstbesetzten, latent fremdenfeindlichen Reaktionen in Deutschland auf die Geflüchteten in Erinnerung: *millionen*, *mumme*, *dunkle*, dreimal das wort *Grenze*. Der von vielen sogenannte Flüchtlingsstrom wird vorgestellt als Wortstrom, der die Sprache derer, die sich in diesem Land angstvoll aussprechen, zu einem Sprachhandeln herausfordert. Dies mündet schließlich, im zweiten Teil, in der Frage: „aber was soll ein gedicht mit den millionen / flüchtigen wörtern nur anfangen". Das ist, meine ich, auch das Thema von Kraus' Gedicht. Nicht die fremden, die geflüchteten, die anstürmenden Worte. Sondern der Wortstrom derjenigen, die sich Macht mit der Angst vor dem Anderen verschaffen. Inzwischen schreiben wir das Jahr 2018 und Angstschaum vorm Mund der Sprache fliegt fleißig durch die Luft, ignoriert Statistiken, verschließt die Häfen, vernebelt die Sinne, installiert sich als Front des „Sagbaren", als das, was man sagen können muss, ein unverblümtes Beherrschenwollen von Sprache und Diskurs, welches Sprache als nationales Eigentum reklamiert. *millionen, mumme, dunkle, grenze. grenze. grenze.* Dies sind die Worte, mit denen wir uns als Dichter und Übersetzer beschäftigen müssen. Die Mein-Worte und die Nein-Worte, gemeine Handlanger der Angst, Worte der Unsicherheit und der identitären Vermauerung. Die Sprache derer, die auf Fremdheit mit Mummenverschanzung reagieren. Das sind die Worte, die jetzt vor einem Gedicht stehen und es zum Sprachhandeln herausfordern, weil sie hineinwollen: in unser Denken, unsere Zukünfte, unsere Ankünfte.

Die Sprache von Dagmara Kraus handelt, indem sie Grenzen überschreitet und einen eigenen Mummenschanz entwirft. Und zwar indem sie vorführt, wie das zunächst verunsichernde Potenzial fremder Worte in der Hauptsprache produktiv wirksam werden kann. Nämlich zum Beispiel durch translinguale Kofferworte: *verjaschmakt*, *betschadort*. Zwei Neologismen, die im Wortstamm Schleierformen aufnehmen, den türkischen Jaschmak und den iranischen Tschador, aber jeweils mit grammtisch korrekt gebildeten Präfixen und Endungen. Die deutsche Grammatik wird damit also gar nicht verschleiert, sondern eigentlich glasklar vorgeführt und poetisch produktiv kreolisiert. Mit ihren Hybridworten drängt Dagmara Kraus' Sprache *in die futura*, wie es in dem Gedicht heißt, einerseits in die Type, den gedruckten Text, andererseits in die Zukunft, wo es vielleicht eine dezentrierte, emphatische Wahrnehmung von Sprache als wandernder, sich wandelnder Rede mit und für Andere geben wird. Und sie führt, meine ich, zugleich in die Vergangenheit.

II

Dagmara Kraus wurde 1981 in Polen geboren und kam als Kind mit ihren Eltern, die Solidarność-Flüchtlinge waren, nach Deutschland. Die Zeilen „mummen von jenseits der pole / es sind welche von ungarn gekommen" könnten also auch als konkrektes zeitgeschichtliches Datum gelesen werden, das mit der Solidarność-Bewegung begann und über ostdeutsche Flüchtlinge in Ungarn mit dem Fall der Mauer endete. Oder eben nicht endete, weil es in deutsche Reaktionen auf die Geflüchteten der Gegenwart hineinreicht. Das Gedicht erinnert uns daran, dass vielen Deutschen die Erfahrung von Flucht, aber auch von Vertreibung oder Unmöglichkeit von Flucht (Eingeschlossensein) über Generationen eingeschrieben ist. So formulierte die Soziologin Naika Foroutan jüngst in einem Interview: „Sehr viele Erfahrungen, die Ostdeutsche machen, ähneln den Erfahrungen von migrantischen Personen in diesem Land. Dazu gehören Heimatverlust, vergangene Sehnsuchtsorte, Fremdheitsgefühle und Abwertungserfahrungen. (...) Ostdeutsche sind irgendwie auch Migranten: Migranten haben ihr Land verlassen, Ostdeutsche wurden von ihrem Land verlassen. Das setzt ähnliche Prozesse in Gang."[117] Mit anderen Worten,

117 „Ostdeutsche sind auch Migranten". Naika Foroutan im Gespräch mit Daniel Schulz. die tageszeitung, 13. Mai 2018.

die abwehrenden Reaktionen waren im Osten Deutschlands nicht nur auf Fremdenfeindlichkeit, sondern auf eine Art migrantischen Opferwettbewerb (Stichwort: „Integriert doch erstmal uns“) zurückzuführen. Diesem Wettbewerb setzt das Gedicht ein eher fluides Ineinanderdenken von Fluchterfahrungen entgegen – nicht als Gleichung, sondern als Gleichzeitigkeit, die einen emphatischen Prozess der Demystifizierung von Sprache, Heimat, Vaterland in Gang setzen könnte. Koffer aufgemacht, Koffer zugemacht. Am Ende der ersten Strophe finden wir ein weiteres folgenschweres Portmanteauwort:

> zupełnie niedeutschałe słowa
> drängen sich hier in die futura

Bei dem Wort *niedeutschałe* ist der Anfang polnisch (*nie*, ein negierendes Präfix), die Mitte deutsch (*deutsch*), die Endung eine polnische Adjektivendung, wie sie zum Beispiel in dem Wort „niezrozumiałe“ (unverständlich) vorkommt. Es erinnert klanglich auch an das Wort *niedojrzałe* (unreif). Das Wort *zupełnie* wiederum heißt *totale*, das Wort *słowa* heißt Wörter. Also *totale niedeutschałe Wörter*, die in die Zukunft drängen. In der Rückübersetzung wird ein halber Reim daraus, einer, der ein sehr eng mit der deutschen und der polnischen und jüdischen Vergangenheit verknüpftes Wort einführt – *total* –, das jedoch im Gedicht nicht vorkommt, oder nur als polnisches vorkommt. Das Gedicht, das vom „deutschen Flüchtlingssommer“ seinen Ausgang nimmt, spricht von deutscher Geschichte, hält sie in der Sprache wach, aber nicht als deutsche, sondern als zum Teil polnische, es nimmt also Bezug auf etwas, das es mit einem anderssprachigen, polnischen Wort belegt und damit einem anderen Gedächtnis öffnet, von einer subalternen Seite der deutschen Geschichtsschreibung her. Das Wort *deutsch* dagegen spricht sich selbst aus, spricht sich deutsch aus, umgeben von einer polnischen morphologischen Klammer. Es sagt also mit einer translingualen Volte, was es tut: Es ist nichtdeutsch, nichtdeutlich (*niezrozumiałe*). Als ob eine Sprache erst zu sich kommen (reifen) könnte, wenn sie andersprachig oder vielfach wird. Die Schleiermachung von *betschadort* und *verjaschmakt* wird hier umgekehrt praktiziert – als polnisches Portmanteau, als sprachübergeifende Notwendigkeit, im Reden über Geschichte einen verändernden Zugriff auf Subjektkonstitutionen zu finden. Im Zuge dieser Migrantisierung oder Minorisierung von Sprache durch Kofferworte oder Offenworte oder Wortofferten ist darum nicht mehr ganz klar, welches die poetische Sprache des Gedichts ist, da es sprachschöpferisch sowohl dem Deutschen als auch dem Polnischen Worte zufügt. Genau da aber, wo sich das Polnische abgrenzen will, wird es deterritorialisiert: Das Wort, das auf Polnisch *nichtdeutsch* sagen will, trägt das Wort deutsch in der Mitte, es kommt nicht (mehr) bei sich an. Und auch wir kommen nicht mehr hin, nicht mehr bei uns an, da wir, die Zeile lesend, *nie deutsch alle* werden.

III

Diese Nichtankünfte der migrantischen aufgeladenen Sprache in ihren nationalen Häfen ist hochaktuell. Zugleich birgt das neologistische Denken von Dagmara Kraus eine Erinnerung an vergangene Sprachdeformationen, die überall dort geschehen, wo Menschen zwangsweise ihrer Freiheit, ihrer Heimat, ihres Sprechens, ihres Sinnzusammenhangs und ihrer Menschlichkeit beraubt werden. Ich denke hier vor allem an die inoffizielle „Lagersprache", die sich im Grauen deutscher Konzentrationslager entwickelte. Sie entstand aus der perversen Notwendigkeit, mit der Menschen aus über 40 Nationen ihr Überleben an das Verstehen und Beantworten deutscher Amtsausdrücke und Befehle knüpfen mussten, wie Renate Birkenhauer beschreibt: „Die Gefangenen erfassten diese fremden deutschen Ausdrücke allein nach dem Gehör, modifizierten sie mit Hilfe rudimentärer morphologischer Elemente ihrer Mutterspache und übernahmen sie in ihr Vokabular."[118] Vor allem von Krakauer Autoren wurden im Umkreis der Zeitschrift *Przegląd Lekarski* (Medizinische Rundschau) nach dem Krieg über 1.500 solcher Begriffe gesammelt. Worte wie *ferlegować*, *abkochować* oder *heftlingi* wurden von den Gefangenen untereinander auch dann benutzt, wenn sie Gelegenheit hatten, sich nur in der Mutterprache zu unterhalten. Denn sie verwiesen auf eine Realität des Grauens, für die es in der Muttersprache keine Wörter gab. Die Deformierung der Sprache aber hatte nicht nur denotative Funktion zum Verweis auf die Realien des Lagers, sondern auch eine konnotative Funktion, wie Renate Birkenhauer schreibt, „weil sie (...) die Existenzbedingungen der Häftlinge unmittelbar widerspiegelt"[119]. Mir scheint,

118 Renate Birkenhauer: NS-Deutsch. Vier Lesarten des Deutschen zwischen 1933 und 1945. In: Im Bergwerk der Sprache. Eine Geschichte des Deutschen in Episoden. Hg. von Gabriele Leupold und Eveline Passet. Göttingen 2012, S. 253.

119 Ebd., S. 259.

die Wortschöpfungen von Dagmara Kraus, indem sie bewusst oder unbewusst die Wortdeformationen der Lagerspache aufgreifen, betreten einen Hallraum des kulturellen Gedächtnisses, durchquert von roaming memory, in dem sich die artikulierten Positionen minorisierter Sprachen und Gruppen dialogisch treffen. Und sich somit gegen die Majorisierung des Deutschen, aber auch des Polnischen wenden. In der Begegnung von translingualen Kofferworten werden so vielleicht Möglichkeiten geschaffen für überraschende und unerwartete Formen der Solidarität. Weil ein Verstehen, nomadisch gesehen, auch ein Unterstand ist.

Rom, April 2018

WANDERNDE ERRANDS

Theresa Hak Kyung Chas translinguale Sendungen[120]

Zwiesprache: Twosprach – ein Zursprache.
Tosprech – ein Zusprech.
Zusein auch oder Terrorsprech:
manchn zugemacht.
Verzurrtechnik und Zwieback.
Zwiewesen und Niedagewesen und
Tosend und Verfang und
manchmal tom èhcac

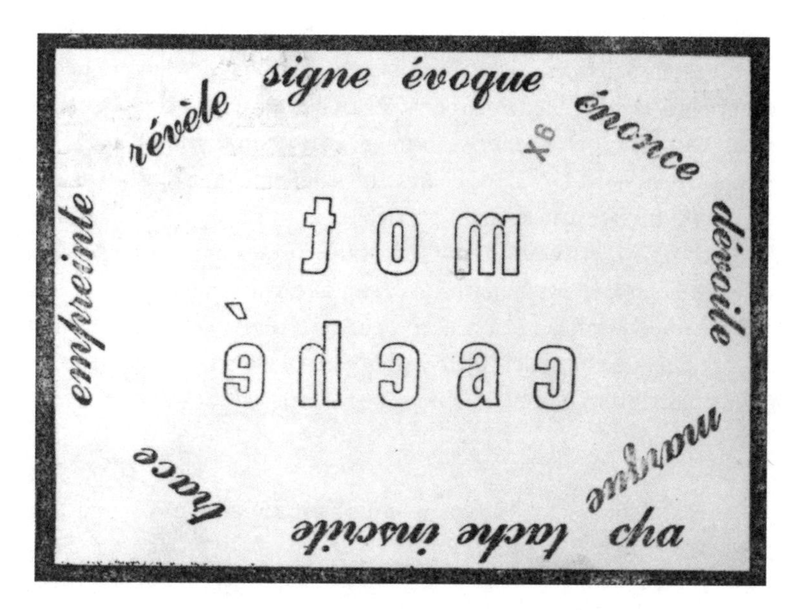

Theresa Hak Kyung Cha: *Mot Cache*, 1978 (Vorderseite)

120 Der vorliegende Text ist eine leicht bearbeitete und erweiterte Fassung eines am 11. Juni 2015 im Lyrik Kabinett, München, gehaltenen Vortrags. Alle mit „D“ gekennzeichneten Originaltexte stammen aus: Theresa Hak Kyung Cha: Dictee. Berkeley 2001 (abgekürzt zitiert mit „D“ und Seitenzahl im Text). Die Texte „Audience Distant Relative“, „High School September 1956 bis Juni 1969“, „Sehr geehrter Herr“, „Move“, „Was ich vergessen habe“ (sowie andere Zitate zu „Dust“), „comment de dire“ und „récit“ stammen aus dem Sammelband: Theresa Hak Kyung Cha: Exilée and Temps Morts. Selected Works. Berkeley 2009 (abgekürzt zitiert mit „ETM“ und Seitenzahl im Text). Etwaige Übersetzungen stammen von mir. Abdruck der Abbildungen mit freundlicher Genehmigung des Theresa Hak Kyung Cha Conceptual Art Archive, Berkeley Art Museum, University of California, Berkeley.

1978 fertigte Theresa Hak Kyung Cha, angehende Performancekünstlerin, Dichterin, Filmemacherin, einen Stempel an. Cha war 27 Jahre alt, hatte ihr Kunststudium an der University of California in Berkeley abgeschlossen. Anlass war eine internationale Ausstellung für Stempeldesign in Amsterdam, organisiert wahrscheinlich von dem Galeristen und *mail-artist* Ulises Carrión. Der Stempel ist fast so groß wie eine Postkarte. Im Zentrum stehen zwei Worte, durch schwarze Umrisse definiert: *mot caché* (verborgenes Wort). Oval angeordnet darum stehen andere Worte, die die Mitte einkreisen, allerdings spiegelbildlich: *empreinte révèle signe évoque énonce dévoile marque tache inscrite trace.*

Eine Spiegelschrift, durch die etwas entschlüpft, auf andere Seiten. Wenn der Stempel gestempelt wird, auf Papier, das zirkuliert, ist der äußere Kreis aus Worten richtig lesbar. Wird lesbar der Zyklus der Einschreibung. In der Mitte aber das Wort hat sich wieder verborgen, steht nun von links nach rechts gelesen als: *tom èhcac*. Der richtige Ausdruck, jedenfalls in dieser Lesart und Leserichtung, bleibt zurück, bleibt bei sich selbst auf dem Stempel, woanders. Impliziert impish, etwas in uns selbst wäre, ihn lesend, weranders. Oder etwas wäre immer, wenn man liest, verwandert, who anders. Oder etwas in uns wäre immer, wenn wir lesen, in einer anderen Sprache, unlesbar, unübersetzbar, unübersehbar in der Mitte verborgen. Die Worte der Einschreibung umhüllen das verborgene Wort, sind wie ein Handschuh. Drin: ein Zentrum, das nicht sendet.

The stamp is not transmitter in its own mitten.

Unlocke mein Haar. Das Schreiben ist nicht Haar im eigenen Haus.

The reading ist not master in its owl house.

The writhing ist not Meister aus Germany.

(She does not have a mailbox yet.)

Aber da ist noch ein Wort. In der rechten unteren Ecke des Stempels, klein geschrieben: *cha*, Theresas Familienname. Auf den ersten Blick liegt der

Name außerhalb des Wortkreises der Einschreibung. Jenseits des im Zentrum verborgenen Worts. Auf den zweiten oder dritten Blick aber merkt man, dass der Name auch verborgen liegt in der Mitte des Worts. In der Mitte des Stempels. In den Buchstaben nämlich des Wortes *caché: cha*. Versteckt sich das Wort in den Sprachen? Kommen die Sprachen darin zu Wort? Die Sprache des Stempels ist Französisch. Sie beherbergt mindestens zwei andere Sprachen: Das Wort *trace*, das auch Englisch gelesen werden kann, und den koreanischen Familiennamen, *cha*, der Fremdwort bleibt, nicht übersetzt wird, eigen-nämlich allen Sprachen gehört. Allen Sprachen und doch im Innern des verborgenen Worts bleibt, *displaced*, unerhört.

Theresa Hak Kyung Cha: *Mot Cache*, 1978 (Rückseite)

Aber die Karte hat immer eine andere Seite. Wo sind wir jetzt noch, Spieglein? Cha stempelte das Stempelbild auf eine Postkarte und adressierte sie an ihre Familie. An John & Kathy & Co Cha, 2904 E. Van Owen, ORANGE / CA 92667. Also ein französischer Stempel mit verborgenem Wort. Eine Karte, angefertigt für eine Ausstellung in Amsterdam. Eine Postkarte, gestempelt in Amerika (wahrscheinlich in Oakland), an die Familie koreanischer Einwanderer. Das einzige koreanische Wort: *cha*. Mit lateinischen Zeichen geschrieben, versteckt in einem französischen Wort (Französch, die Amtssprache des Weltpostvereins). Einem Wort, das nur auf dem Stempel lesbar ist, auf der anderen Seite.

Mot caché, less cha.

More cha, less caché.

More less, cha caché.

Mot less, cha cha.

Was wird mit dieser Karte gesendet? Und an wen? Ist mit dem verborgenen Wort ein koreanisches Zeichen gemeint? Wird überhaupt etwas gesendet? Oder ist der Transmitter in Wahrheit das unübersetzte verlorene Wort in der Mitte, eine Störung – *error* –, ein nicht ausgeführter Auftrag – *errand*? Und wer ist die Familie? Die Eltern, Geschwister? Sind mit „& Co" auch wir gemeint? Ist jede, die den Stempel sieht, die gestempelte Postkarte, Leserin des verborgenen Wortes? Leserin einer Erfahrung von *displacement*? Von einer anderen und ihrer eigenen? Und wo brächte uns dieses Lesen hin? Was bezeugt es, zeugt es, zeigt?

AUDIENCE DISTANT RELATIVE
PUBLIKUM FERNE VERWANDTE

sie sind das publikum
sie sind mein fernes publikum
ich spreche sie an
wie eine ferne verwandte
gesehn nur gehört nur durch worte von andern.

weder sie noch ich
wir sehn einander nicht
ich kann nur vermuten dass sie mich hören
ich kann nur hoffen dass sie mich hören

(ETM 18–19)

*

Theresa Hak Kyung Cha wurde 1951 in Busan, Südkorea, geboren. Chas Mutter wurde in der Mandschurei geboren, wohin ihre Eltern vor der japanischen

Besatzung Koreas geflüchtet waren. Der Koreakrieg und die repressive Politik der Militärregierung nach den Demonstrationen gegen die Regierung 1961 zwangen die Familie zu häufigen Ortswechseln und schließlich zur Emigration. 1962 reisten zuerst Chas Mutter und ein älterer Bruder nach Hawaii aus, der Rest der Familie folgte 1963. Ein Jahr später siedelten die Chas nach San Francisco über. Theresa und ihre Schwester Elizabeth besuchten die katholische Klosterschule zum Heiligsten Herzen (Convent of the Sacred Heart) in San Francisco. Sie lernten Französisch und Englisch.

HIGH SCHOOL SEPTEMBER 1965 BIS JUNI 1969

Zerbrechliche Ruhe wie Mantel
Hand die Psalme auf der Orgel
vereinzelt Glockentöne, unter
drücktes Husten, Räuspern
verrät leiseste, menschliche Gegenwart

(...)
Doch: die strenge obsessive Ordnung
abgemessener Röcke
verboten überschlagene Beine, Perlenohrringe,
Lacklederschuhe, Tanzen auf dem Campus,
Haarspitzen färben
Gänsemarsch synchronisierter Gesten:
Knie, Öffnen und Schließen der Pulte,
Treppen zum Mittagessen, Knicks.
Primzahlen, montagmorgens Hofprozedur,
Medaillen, Nachsitzen, weiße Handschuh.

(ETM 102–102)

Chas Entwicklung zur Künstlerin fiel in eine Dekade turbulenter Umwälzungen in San Francisco. An der University of California in Berkeley machte sie zwischen 1973 und 1978 vier Abschlüsse in Komparatistik und bildender Kunst.

Cha begann mit Keramikarbeiten und wandte sich inspiriert von ihren Lehrern und Kommilitonen dem Medium der Performance zu, experimentierte mit Video, begleitete alle ihre Arbeiten mit live gesprochenen Texten oder Aufnahmen ihrer eigenen Stimme. Daneben arbeitete sie als Kartenabreißerin und Platzanweiserin im Pacific Film Archive. Die Topografien von Leinwand, Projektionen und Sitzplätzen, von Licht und Schatten und Erinnerung schreiben sich in alle ihre Arbeiten ein.

Cha schrieb Gedichte, Texte, Skizzen für Ausstellungen, die sie auch als eigenständige Texte veröffentlichte, darunter die Arbeiten „Exilée" und „Temps Morts", die 1980 in einer Anthologie mit Texten bildender Künstler – unter anderem auch von Jenny Holzer und Laurie Anderson – im Verlag Tanam Press erschienen. Ihre Texte spielen mit Bedeutungsverschiebungen, sind zum Teil minimalistische, translinguale Botschaften – mehrsprachig und translatorisch. Wie dieser Text aus dem Künstlerbuch *Pomegranate Book*:

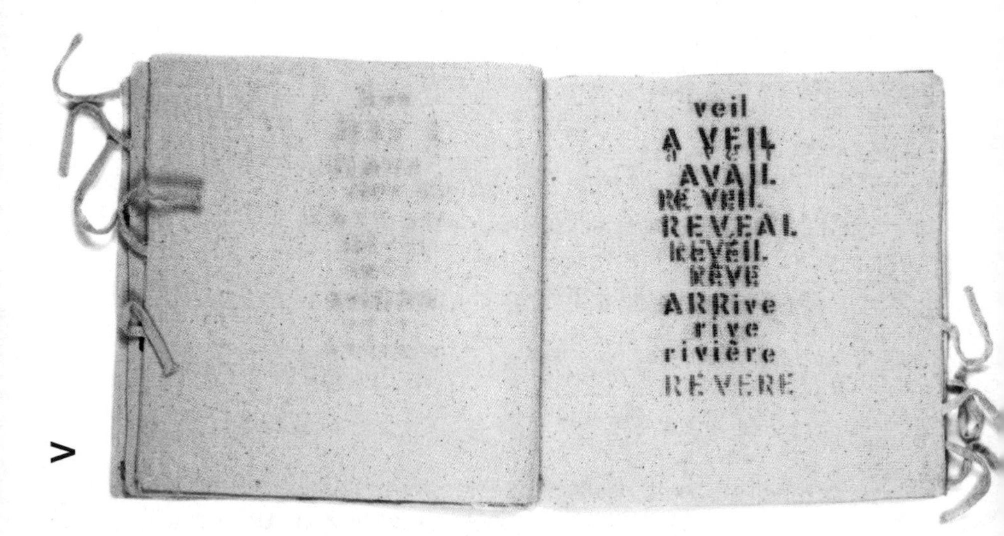

Theresa Hak Kyung Cha: *Pomegranate Offering* (Detail)

veil
A VEIL
AVAIL
re veil
REVEAL
revéil
rêve
ARRive
rive
rivière
REVERE

Zwei Jahre später veröffentlichte Cha ihr erstes eigenständiges Buch, *Dictee*, ein dichtes, dickichtes, explosives Werk, das zwischen Sprachen und Genres changiert. Es ist das Werk einer schreibenden Künstlerin und performenden Autorin, ein mehrstimmiges Palimpsest aus Fiktion und Nichtautobiografie – Mnemosynes Synonyme. Ein Palimpsest, das sich mit Abstammungen und ihren Einschreibungen auseinandersetzt, mit politischen, systemischen Zuschreibungen, trotz oder gegen oder wegen dieser ein *Ich* ist, verborgen, *woanders.*

*

Als mir das Buch vor einigen Jahren in New York zum ersten Mal in die Hand fiel, war es, als erhielte ich eine Sendung, eine Sprachnachricht, die ich nicht verstand. Sie blieb in meiner Hand, diese Sendung, denn es scheint wohl, dass ich auf der Suche war und bin nach Wegen – nicht aus dem Nichtverstehen, sondern aus den Arten des Verstehens, die mir mitgegeben wurden, Karten, Umschläge, verborgene Worte. Aus meinen Wegen als vielleicht ost-, vielleicht postost-, vielleicht mehrdeutschliche Schriftstellerin, aus den Wegen zwischen Entfremdung und Nichtentfremdung, die nicht erst zwischen New York und Berlin zu pendeln begannen. Wege, die ins Gedicht führen, in die Verkehrung von Haben und Sagen, einer Sage, die ich nicht habe.

Von weit*her* Ferne
welche Nationalität
welche Abstammung
oder Blut oder Verwandtschaft
welche Blutlinien aus Blut
welche Strippen oder Sippen
welche Rasse Klasse Gen/eration
welcher Clan Stamm Stammung Bestand
welches Haus Geschlecht welche Kaste Konfession
welche Familie Zucht Sorte Art Brut
welche Streuung Störung Verschollung
Tertium Quid nicht dies nicht das
Tombe de nues de Transplantat
eingebürgert aufgeräumt zu was

(D 20)

Wie im kleinen Viereck das Stempelprojekt, so entwickelt *Dictee* mit großer Intensität die Themen und Verfahren von Chas Werk: die Kombination von fragmentierter translingualer Sprache mit dem Scheitern von Übersetzung, von dokumentarischem Material mit der Unmöglichkeit des Zeigens, Sagens, einstimmigen Erinnerns. Es sind Verfahren, die die Leserin einbeziehen, aber nicht unbedingt die Leserin, die es schon gibt, sondern die, die durch das Buch erst erfunden wird. Erfunden wird man, indem man Beziehungen herstellt, *relations* knüpft – was sowohl Erzählung als auch Verwandtschaft heißen kann. Poesie der Beziehungen (Glissant), die Gemeinschaft stiftet. Und das ist möglich, weil es einerseits um ein spezifisches Exil, Entwurzelung, Sprachlosigkeit geht, um die Geschichte koreanischer Unterdrückung. Aber auch, weil Chas Werk eine Sprechhaltung oder Spracherfahrung entwirft, die universell ist und die ähnlich, meine ich, wie jener Stempel funktioniert, indem sie nachvollziehbar macht: Wie es ist, jemand zu sein, eine Sprache zu haben, die nicht die richtige ist, die nicht die eigene ist, die nicht „ursprünglich" oder die *uneigentlich* ist, die nur auf einem fantasierten, entfernten, im besten Falle: selbstgemachten Stempel existiert. Ein Stempel vielleicht wie: Heimat. Wie: Nation. Wie: Muttersprache.

Sie ahmt Sprechen nach. Was Rede ähneln mag. (Egal alles was.) Gefletschte Töne, Grunzen, Fetzen aus Worten. Weil sie strauchelt an Genauigkeit, begnügt sie sich, Gesten nachzuahmen mit dem Mund. Die untere Lippe zieht sich nach oben, sinkt wieder zurück an ihre Stelle. Sie presst beide Lippen zusammen und stülpts heraus als Schnute, um den Atem einzusaugen, der dann äußern könnte was. (Eins. Nur eins.) Aber der Atem fällt, verschwindet. Mit einem winzigen Rucken des Kopfes, nach hinten, sammelt sie Spannung in den Schultern, verharrt in dieser Stellung.

(D 3)

Chas *Dictee* hebt an – einer von vielen Anfängen des Buches – mit dem Sprechen einer Diseuse, einer Aufsagerin, Sprecherin im postkolonialen Kabarett der Stimmlosen, Sprachrohr fremder oder eigener Texte. Sprechen, gesprochen werden, schweigen, verschwiegen werden, empfangen, weitergeben – das sind die Grundbewegungen des Buches, die schon in der Einteilung der neun Kapitel deutlich werden, die nach den neun Musen benannt sind: „Clio – History, Calliope – Epic Poetry, Urania – Astronomy, Melpomene – Tragedy, Erato – Love Poetry, Elitere – Lyric Poetry, Thalia – Comedy, Terpsichore – Choral Dance, Polymnia – Sacred Poetry."[121] Wird dadurch zunächst eine westlich-europäische Tradition als Struktur aufgerufen, erfahren die einzelnen Kapitel eine Erweiterung durch Chas dezentrierte, zirkulierende Diktate, in denen vor allem weibliche Figuren aus der konfliktreichen koreanischen Geschichte heraufbeschworen werden: Hyung Soon Huo, die Mutter Chas, die als junge Frau im Exil in der Mandschurei Japanisch unterrichtete; die 17-jährige Revolutionärin Yu Guan Soon, die 1919 einen Aufstand gegen die japanische Besatzung Koreas anführte; Jeanne d'Arc; Thérèse von Lisieux, ihre Gotteskindschaft und kleinen Gesten der Liebe; aber auch Frauen in Filmen sowie eine Unbekannte, über deren psychische Krise im Faksimile eines falsch adressierten Briefes berichtet wird. Auch der anhaltende Konflikt zwischen Nord- und Südkorea spielt in den verflochtenen Ebenen der Gegenwart eine große Rolle.

121 Unnummeriertes Vorblatt in *Dictee*.

Motivisch durchziehen Variationen von Demeter/Persephone das Buch, Spiegelungen von Unter- und Oberwelt, Müttern und Töchtern, Teilungen, Umkehrungen, traumatischer und stillstehender Zeit.[122] Hinzu kommt die Ebene der weiblichen Schamanen aus koreanischen Mythen, der sogenannten *Mudang*. Das letzte Kapitel stellt eine Variation der koreanischen Erzählung von Prinzessin Pari dar (Pari Kongju), deren Name *die Verlassene* heißt. Paris Erzählung, ihre *relation* geht so: Weil sie kein Junge ist, wird sie von ihren Eltern ausgesetzt. Als das Königspaar erkrankt, ist einzig Pari bereit, den gefährlichen Weg in die Unterwelt anzutreten, um das heilende Wasser für ihre Eltern zu finden. Nach einer neun Jahre währenden Reise voller bestandener Aufgaben kehrt sie zu ihren Eltern zurück, die inzwischen gestorben sind. Pari kann sie mit dem Wasser zum Leben erwecken und wird zu einer Göttin und Botin der Unterwelt, zentrale Figur in schamanistischer Praxis, die fortan die Seelen der Toten sicher in die Nachwelt befördert. Pari ist im Grunde auch die Diseuse, die zu Beginn des Buches nachspricht, sprechen lernt, sich in der Verlassenheit eine Identität zimmert, die Reisende, die Tochter. Pari ist ebenso Demeter *und* Persephone: „Lass jene, die Diseuse ist, die Mutter ist und wartet neun Tage und neun Nächte, lass sie gefunden werden. Die Erinnerung beleben. Lass jene, die Diseuse ist, die Tochter ist, die Quelle erneuern mit ihrem Auftritt aus der Unterwelt." (D 133) Und Pari ist schließlich auch die junge Revolutionärin, die durch ihren historischen Mut Geschlechterrollen transzendiert, Erzählungen vervollständigt: „Die einzige Tochter von vier Kindern sie vollendet ihr Leben wie andere vollendet haben. Ihre Mutter ihr Vater ihre Brüder."[123] (D 31)

bewegen
bewegung
bewegt

mit augen, allen sinnen, auch 6ter

122 Ich verdanke viele Einsichten der äußerst detaillierten Studie von Michael Stone-Richards: A Commentary on Theresa Hak Kyung Cha's *Dictee*. In: Glossator, Vol I, Fall 2009, S. 145–210.

123 Im Original ist der Satz auch bewusst fehlerhaft oder unvollständig: „The only daughter of four children she makes complete her life as others have made complete. Her mother her father her brothers."

halten
haltung
gehalt
                er   fremder   freund
                  (atem)
if you could know
                je pense à toi si souvent trop peut-être
if i could say
ich weiß natürlich es geht um genau dies hier. versuchte enterbung.

weder bin ich intellektuelle noch asketische junge jüngerin

wie ich wander traurig freudig und als erwacht je t'appelle. ton nom.
name. eine strähne eine spur sie folgt uns ziel los doch so stark

unser nenner gemeinsam nämlich durchkommen komm durch barrière
der name in la jetée the jetty der steg un homme marqué par un image de son
enfance image de son propre mort

12, Avril

(ETM 129)

1976, in demselben Jahr, in dem Cha in Paris unter Christian Metz, Raymond Bellour und Thierry Kuntzel Filmtheorie studierte, erschien die einflussreiche Studie *Kafka. Pour une littérature mineure* von Gilles Deleuze und Felix Guattari. Darin definieren die Autoren eine „kleine Literatur" als das Schreiben von Minderheiten (im Fall Kafkas: die Literatur der Prager Juden), welches in einem Spannungsverhältnis zu den ästhetischen, politischen, distributiven Verhältnissen einer Mehrheit steht. Die kleine Literatur wird durch drei Eigenschaften charakterisiert: Sie ist erstens deterritorialisiert, weil sie von einer vielfachen Unmöglichkeit zu schreiben eingekreist wird. Weil sie von der Mehrheitssprache, der territorial und national verankerten Hochkultur, in eine Sackgasse gedrängt wird. Sie ist zweitens politisch, weil „ihr enger Raum bewirkt, daß sich jede individuelle Angelegenheit unmittelbar mit der Politik verknüpft“[124]. In kleinen Literaturen nimmt drittens alles einen kollektiven Wert an, weil es keine Literatur der großen Meister gibt. „Was der einzelne Schriftsteller schreibt, konstituiert bereits ein gemeinsames Handeln, und was er sagt oder tut, ist bereits politisch, auch wenn die anderen ihm nicht zustimmen.“[125] Ich weiß nicht, ob Cha damals mit dem Buch oder mit den Gedanken von Deleuze und Guattari in Kontakt gekommen ist. Vielleicht könnte man ihr Sprachengemisch, das sich zwischen amerikanischer Kultur, französischer Avantgarde und koreanischer Geschichte aufspannt, als eine solche kleine Literatur oder minorisierte Sprache ansehen, mit der die Autorin kulturelle und ästhetische Zugehörigkeiten und politische Implikationen im Zuhören hinterfragt.

> Sehr geehrter Herr,
>
> ich habe bereits geschrieben
>
>
> Sehr geehrte Herr~~en~~
>
> an dieser Stelle möchte ich mich
> erkundigen wo ein Brief geblieben
>
>
> ~~S~~e~~h~~ ~~r~~
>
> Damen und Herren,
>
> ich schreibe Ihnen bezüglich eines
> Briefs den ich geschickt und datiert
>
>
> Sehr geehrte Dame
>
> (ETM 67)

124 Gilles Deleuze und Félix Guattari (wie Anm. 91), S. 25.
125 Ebd., S. 26.

*

Oder, eine andere Adressierung: Jacques Derrida beschreibt ein ähnliches Spannungsverhältnis zur Mehrheitssprache in seiner viel später entstandenen autobiografischen Schrift *Le monolinguisme de l'autre* (Die Einsprachigkeit des Anderen), die sich mit seiner Beziehung zum Französischen auseinandersetzt. Er nennt Sprachen, die in einem problematischen Verhältnis der Nicht-Zugehörigkeit verharren, *Ankunftssprachen*: „Sprachen, denen es – eigenartige Struktur – nicht gelingt, bei sich anzukommen, weil sie nicht mehr wissen, von wo sie kommen und in welche Richtung ihre Überfahrt geht." Es sind Sprachen, von deren Ankünften sich ein Begehren herleitet, nämlich das Begehren nach der Erfindung einer Sprache, die in der Lage wäre, das nicht angekommene (nicht verzeichnete, von Unterdrückung, Trauma oder Kolonialisierung verborgene) Gedächtnis zu übersetzen.[126]

Dictee lässt sich auch lesen als ein Buch, das in Ankunftssprachen geschrieben ist. Als ein ständiges Werden und Kreisen und Unterbrochensein. Wie lauten diese Ankunftssprachen, wer diktiert sie? Das Englische reibt sich an Syntax und Lexik des Französischen, es ist zuweilen wörtliche Übersetzung, ungelenk. Es lebt und blüht in seiner eigenen Ankunft, es ist ein *broken English*, und zwar auch in dem wörtlichen Sinne, dass es aufbricht, den poetischen Spielraum intralingualer Verschiebung und Variationen in einer Sprache ausnutzt, in minimalen Schritten: „Memory less" (D 45). Der erste Text des Buches behandelt konkret ein Ankommen in Sprachen. Erst auf Französisch, dann auf Englisch wird die Ankunft von jemandem beschrieben, der oder die „aus der Ferne" kommt, vielleicht Immigrantin ist, vielleicht Sprachschülerin, vielleicht Amnesiepatientin:

> Aller à la ligne C'était le premier jour point
> Elle venait de loin point ce soir au dîner virgule
> les familles demanderaient virgule ouvre le guillemets Ça c'est bien passé le premier jour point
> d'interrogation ferme les guillemets au moins
> virgule dire le moins possible virgule la réponse
> serait virgule ouvre les guillemets Il n'y a q'une
> chose point ferme les guillemets ouvre les guille-

126 Jacques Derrida (wie Anm. 30), S. 34.

mets Il y a quelqu'une point loin point ferme
les guillemets

Erster Absatz Es war der erste Tag Punkt
Sie kam von fern Punkt Abendessen Komma
die Familie fragte Komma Anführungs
zeichen unten Wie war der erste Tag Frage
zeichen Abführungszeichen oben Wie sagen
Komma was irgend möglich Komma die Antwort
wäre Anführungszeichen unten Da ist nur eine
Sache Punkt Anführungszeichen oben dann
unten Da ist jemand Punkt Von fern Punkt
Abführungszeichen oben

(D 1)

Ein Diktat, direkt und wörtlich, mit Zeichensetzung. Ein Diktakt lässt uns die Strukturen hören, die in der Sprache als gegeben hingenommen werden, unerhört agieren, regulieren.[127] Zeichensetzung, Grammatik, kleine policen. Wenn die Strukturen an die Oberfläche der Äußerung geholt werden – was ist dann noch eine Äußerung, welches Außen? –, verlieren sie ihre Selbstverständlichkeit, verstellen die Aussage, mischen die Kanäle, muddlen die Message. Man ist sofort versetzt in den Zustand, in dem man ist, wenn man eine Fremdsprache lernt: Alles wird sonderbar, verzerrt, besonders die eigene Sprache. Oder, wie Yoko Tawada es in *Überseezungen* beschrieben hat: „Eine Sprache, die man nicht gelernt hat, ist eine durchsichtige Wand. Man kann bis in die Ferne hindurchschauen, weil einem keine Bedeutung im Weg steht. Jedes Wort ist unendlich offen, es kann alles bedeuten."[128] Bei Tawada gibt es dieses: *in die* Ferne, Sicht auf Neues, Offenes. Bei Cha: *aus der* Ferne, Sicht auf Vergangenes, das die Gegenwart verrätselt, Sendungen, die entziffert werden wollen.

127 So heißt es auch in dem Text „Diseuse": „She would take on their punctuation. She waits to service this. Theirs. Punctuation. She would become, herself, demarcations." S. Dictee (wie Anm. 120), S. 4.

128 Yoko Tawada: Überseezungen. Literarische Essays. Tübingen 2002, S. 33.

In *Dictee* sind in die „Ankunftssprachen“ Englisch und Französisch zusätzlich koreanische und chinesische Schriftzeichen eingelagert. Sie kommen neben anderen dokumentarischen Materialien als Bilder vor, als Zeichen und Fotokopien – das ist wichtig: nicht als schicke Faksimiles, sondern als erkennbar zirkuliertes, markiertes, kopiertes Material im Sinne von: nicht *ursprüngliches*. Die Dokumente und Bilder schreiben das Buch mit, und darum muss man eigentlich anfangen, von Bildern zu sprechen, will man das Buch lesen, seine Sprachen. In gewisser Weise ist dies eine wichtige Eigenschaft von Chas Werk, seiner Wirkung auf den Leser: die Deterritorialisierung des lesenden Blicks.

Theresa Hak Kyung Cha, *Dictee*, Berkeley 2011

Die erste Seite von *Dictee* (die in der Erstausgabe das Titelbild war) zeigt ein schwarz-weißes Foto auf schwarzem Hintergrund, eine Gesteinswüste mit einer Kette großer Gesteinsbrocken, rechts hinten eine pyramidenartige Struktur. Es könnten Gräber sein. Unbewegliches. Auf Französisch *tombe*. Englisch *tomb*. Im Bild kein Wort. (Worin wir, rückwärts blickend, ahnen das verborgene Wort, *mot*).

Theresa Hak Kyung Cha, *Dictee*, Berkeley 2011

Nach einer Leerseite eine zweite Kopie, diesmal auf weißem Untergrund. Sie zeigt eine kopierschwarz-körnige Fläche, überzogen mit einem Streufilm aus weißen Punkten, aus denen sich Zeichen retten, oder klettern sie hinab? Es sind koreanische Zeichen, genauer gesagt die Hangul, die 1444 für das einfache Bürgertum und für Frauen geschaffene Schrift. Hangul wurde erst 1919, im Zuge der antikolonialen Protestbewegung in Korea, zur offiziellen Schriftsprache. Unter der japanischen Besatzung von 1910 bis 1945 waren koreanische Sprache und Schrift in verschiedenen Abstufungen unterdrückt oder verboten. Die Sprache der koreanischen Literatur, die offizielle Schriftsprache der Autoren, waren viele Jahrhunderte die klassischen chinesischen Zeichen.

*

Cha gehörte theoretisch zur sogenannten Hangul-Generation, wie auch die südkoreanische Dichterin Kim Hyesoon, die vier Jahre nach Cha geboren wurde. Dies war die erste Generation, die mit Hangul aufwuchs und in dieser Sprache unterrichtet wurde. Ihre Eltern waren in Japanisch unterrichtet worden, die Generation davor in Chinesisch.

(Kleiner Exkurs: Kim Hyesoon ist eine der wenigen feministischen Dichterinnen Koreas, deren Hangul sich mit aggressiver, abjektiver Poetik gegen die noch immer patriarchalisch geprägte, nationale Ästhetik der Hochkultur richtet. Hyesoons Gedichte sind bevölkert von Ratten, Müll, urbanem Alltag, grotesken Echos weiblicher Verrichtungen. Eine Tochter verschwindet unter einem Quilt, der ihren verwundeten Körper wie Armut umwuchert. In dem Gedicht „Conservatism of the Rats of Seoul" tötet eine Rattenmama ihren Nachwuchs und frisst ihn auf, bevor der neue Wurf folgt:

> (...)
> Am Morgen ist alles still – wahrscheinlich ist er fort
> Mommy steht endlich auf und atmet
> Mommy beißt und tötet uns alle
> weil wir verdächtig riechen, Angst der letzten Nacht
> Sie tötet uns und frisst unsere Eingeweide
> schärft ihre Zähne an der Wand
> und gräbt unsere Augäpfel aus, isst sie
> bis es nichts mehr zu essen gibt
> Wie immer sind nur Daddy und Mommy übrig
> Sieht aus, als ob Mommy bald wieder wirft.[129]

Koreanisch, als Muttersprache, bei Hyesoon, ist nicht Besitz (*possession*), nicht selbstverständliche Aussprache eines nationalen Subjekts. Die Sprache ist besessen (*possessed*) von Widerstand, durchsetzt von und angereichert mit der Geschichte kolonialer und diktatorialer Gewalt. Körper und Subjekte befinden sich im Zustand ständiger gewaltsamer Auflösung, quellen auf und querelen, Schweine und Ratten, narren die grotesken Reste nationaler Sicherheit als Mülltanz, Quilting, zärtliche Exzesse. Auch die Struktur der Familie bietet keinen Rückhalt. Familie, *kinship*, wird identifiziert als Brutstelle emotionaler und häuslicher Gewalt und Unterdrückung. Exemplarisch dafür das Bild der Mutter und der nuklearen Familie, eine monströse Umschreibung von Nähe und Intimität, bei der Fortpflanzung und Defäkation in eins fallen, Schutzinstinkte zu Fressinstinkten werden. Und liest man Kim Hyesoon, wie ich, auf Englisch in der Übersetzung der koreanisch-amerikanischen

129 Kim Hyesoon: Mommy Must Be a Mountain of Feathers. Translated by Don Mee Choi. Notre Dame 2008, S. 16. Übersetzung der englischen Übersetzung stammt von mir.

Dichterin Don Mee Choi, tritt darüber hinaus das Bewusstsein von Korea als Neokolonie Amerikas zutage. Auch Prinzessin Pari spielt bei Kim Hyesoon eine große Rolle – ihr Todesreich figuriert als antipatriarchaler Raum, in dem die als Nicht-Sohn Verstoßene sich als Frau neu erfinden kann. Exkurs Ende.)

> Aus anderem Epos anderer Geschichte. Aus einer fehlenden Erzählung. Aus hundert Narrativen. Fehlende. Aus Chroniken. Für andere Versionen andere Rezitationen.
>
> (D 81)

*

Ich schrieb, dass Theresa Hak Kyung Cha theroetisch der gleichen Generation wie Hyesoon angehört. Aber ihr Weg wurde sehr früh in andere Irren, andere Konflikte geschickt, sodass „theoretisch" eine sehr weite Erzählung wird. Cha emigrierte mit 11 Jahren und wuchs in anderen kulturellen und sprachlichen Kontexten auf. Als Kind an einer französisch-katholischen Schule (dies vielleicht noch der kleinste Bruch – nämlich Fortsetzung der in Korea verbreiteten, kulturell prägenden Missionsschulen, die während der Unabhängigkeitsproteste eine wichtige Rolle spielten). Als Künstlerin in einer vor allem französisch geprägten, kalifornisch-cineastischen Avantgarde, intensiviert durch ein Auslandsstudium am *Centre d'Études Americain du Cinema* in Paris.

> alles was ich vergaß manifestiert sich nur in anderer form
> manifestiert in anderer form in zukunft formt die zukunft
>
> (ETM 157)

Ich schrieb „theoretisch" auch deshalb, weil Cha 1982, wenige Tage nach der Veröffentlichung von *Dictee*, in New York von einem Fremden (einem Wachmann) vergewaltigt und ermordet wurde. Weil ihr Leben brutal und sinnlos beendet wurde. Weil wir nur, oder nie, ahnen können, wie sich ihr Werk, ihre formalen Experimente, ihre Sprachen und die Beziehung zu Korea und dem Koreanischen entwickelt hätten. Ob ihre Ankunftssprachen solche geblieben wären oder ob sie sich angesiedelt hätten eines Tages, andernorts. Ob Cha weiter mit Prosa experimentiert hätte oder eher mit lyrischen Formen oder weniger geschrieben und mehr Filme gemacht hätte. Wir wissen es nicht, weil Cha Opfer sexueller und vermutlich auch rassistischer Gewalt geworden ist, durch die sie – sie, die von der Schwierigkeit schrieb, zu einer eigenen Stimme zu finden – wie viele andere Frauen stumm gemacht wurde. Wir wissen, dass Cha 1979 und 1980 nach Korea zurückgekehrt war, beim zweiten Mal gemeinsam mit ihrem jüngeren Bruder James als Kameramann. In der Tasche ein Script, zwei Stipendien in Höhe von 18.000 US-Dollar, ein Storyboard und Gedichte, Notizen. Mit dem Plan, gemeinsam einen Film zu verwirklichen, dessen Arbeitstitel *White Dust from Mongolia* lautete. In dem Film sollte es, wie Cha in ihrem Antragsschreiben für die Kulturstiftung *National Endowment for the Arts* (NEA) formulierte, um eine Reise gehen. „Zurück zu einer verlorenen Zeit und einem verlorenen Ort, immer im Imaginären." Sie fügte hinzu, das Thema aller ihrer Arbeiten sei das langsame Erkennen jenes „Abdrucks [*imprint*], jener Einschreibung [*inscription*], eingeritzt durch die Erfahrung der Auswanderung, der Ankunft in Amerika"[130].

Dust sollte von der (sprachlichen) Amnesie einer anonymen Frau im Exil handeln, die von einer zweiten, erzählenden Instanz – auch einer Art Diktat – Erinnerung, Sprache und Identität zugewiesen bekommt. Durch ihre Anonymität, schrieb Cha, kann die Figur multiple Identitäten annehmen, sie wird ein „Kollektiv", Metapher für mögliche Figuren, „ein junges Mädchen im Kino; auf dem Boden hockende Magd, die uns den Rücken zuwendet; Händlerin auf einer Fähre; Marktplatz; Waise; Nation, eine historische Bedingung, Mutter, Erinnerung" (ETM 148).

Theresa Hak Kyung Cha, *Dictee*, Berkeley 2011

130 Einführung zu *White Dust from Mongolia* von Constance M. Lewallen. In: Exilée and Temps Morts (wie Anm. 120), S. 147.

Das Filmprojekt konnte nie beendet werden, weil Theresa und ihr Bruder wegen der politischen Unruhen nach der Ermordung des Präsidenten Park Chung Hee im Oktober 1979 nach kurzer Zeit die Dreharbeiten abbrechen mussten. Zurück in New York trug sich Cha mit dem Gedanken, *Dust* in einen „historischen Roman" zu verwandeln. Dazu ist es nicht gekommen. *Dust*, seine Partikel, sind jedoch in *Dictee* abgelagert, verborgen, in einem Werk, das antihistorischer Antiroman und zugleich dessen Positiv ist.

> comment de dire
> how to say   wie sagen de dire comment dire wie soll man sagen wie sagen
> wie
>   gesagt
> comment on pourrai dire   how could one say
> das
> c'est ça das   this is the way this is the way wie gesagt
> the way done   wie gesagt how done
> comment c'est dite   comme comme
> how like like how
> wie   that's to sa – c'est à dire
> das it's here
> …
>
> (ETD 159)

*

Aber zurück zu *Dictee*. Wir befinden uns noch auf der zweiten Seite des Buches, vor der Frage, die die Hangulschrift an uns stellt. Ich kann sie nicht lesen, aber ich erfahre ihre Bedeutung von anderen Lesern, Kommentatoren, die des Koreanischen mächtig sind. Denn das ist die zweite Eigenschaft von Chas Werk, seiner Wirkung auf Leser: Beginn einer Gemeinschaft aus Lesern, entfernten Verwandten, Schaffung winziger Zellen, revolutionärer Kollektive. Das Bild, erfahre ich, zeigt die Wand in einer Kohlegrube, einem schwarzen Schacht, in dem während der japanischen Besatzung Koreaner, auch Kinder, zur Zwangsarbeit gezwungen wurden. Die Schriftzeichen sagen, von rechts oben nach links unten:

I I M
C C U
H H T
T
B V E
I I E R
C N R
H M
H I
M U S
Ö N S
C G E
H
T R D
E I I
G C
H H
E
I
M

Ein furchtbarer, unerhörter Ruf: in der Muttersprache, an die Mutter, aus einem Kohleschacht, an ein Zuhause, das es so nicht mehr gab, nie mehr gegeben haben wird. Auf der gegenüberliegenden Seite steht der Titel des Buches: DICTEE. Großbuchstaben, kein Akzent. Der Name der Autorin darunter. Das Buch beginnt mit diesem Beziehungsraum zwischen Hangul und einem im Englischen angesiedelten französischen Wort, *Dictee*. Ein translinguales Sprachereignis, eine Nichtübersetzung. Ein Trauma, ein Schrecken, wer hat das in den Stein geritzt, ein Ruf. Was spricht, ist nicht das, was sich versteht, sondern das, *was da sein wird*. Unerhörte im Bergwerk : die MUTTER / Sprache. Es wird diktiert. Wird sie diktiert? Diktiert sie? Und wem. Und was.

> Tote Worte. Tote Zunge. Von Nichtgebrauch. Vergraben im Gedächtnis von Zeit. Unbenutzt. Ungesagt. Geschichte. Vorbei. Lass jene, die Diseuse ist, die Mutter ist und wartet neun Tage und neun Nächte, gefunden werden. Gedächtnis beleben. Lass jene, die Diseuse ist, die Tochter ist, die Quelle erneuern mit ihrem Auftritt aus der Unterwelt. Die Tinte fließt am dicksten bevor sie ausgetrocknet bevor sie nicht mehr schreibt.
>
> (D 133)

Was geschieht, wenn sich die Anfänge und Ankünfte so gnadenlos vermehren? Wird nicht unweigerlich auch all das in Bewegung versetzt, was wir schon angefangen glaubten, was wir vergangen glauben, jenes, worauf sich Erzählungen von Anfängen beziehen, Genealogien, Mythen, Grammatiken? Auf die Titelseite folgt die Widmung: *meiner Mutter meinem Vater*. Beide Worte tauchen später im Buch als Schriftzeichen wieder auf, allerdings als chinesische, zusammen mit den chinesischen Schriftzeichen für „Junge" und „Mädchen". Was bedeutet es, wenn die Familienbezeichnungen als chinesische Schriftzeichen auftauchen? Unter Umgehung von Koreanisch, der angeblichen Muttersprache, die sich nur im Kohleschacht findet? Chinesisch ist die Schriftsprache, in der jahrelang, jahrhundertelang koreanische Literatur geschrieben wurde. Es ist die Schrift, die vor der japanischen Besatzung prägend war. Wenn die Familie chinesisch benannt wird, also in einer Literatursprache, die Cha nicht schrieb, heißt das, dass Familie in einer Zeit oder Sprache *vor der Muttersprache* angesiedelt wird, vor dem Vergessen? „Sie kam aus der Ferne. Die Familie fragte." Heißt es vielleicht, dass man sich auf Familie immer nur anderssprachig beziehen kann, will man die Traumata und Wiedereinschreibung exklusiver Ursprungsmythen vermeiden? Heißt es, dass man *chinesisches Amnesisch* schreiben sollte, eine Art genealogische Nomadensprache? Ist es eine emanzipatorische Geste? Oder deuten die chinesischen Schriftzeichen vielleicht auf eine schmerzliche Abwesenheit, die Unterdrückung der Muttersprache? Wären dann die Zeichen für Mutter und Vater, Sohn und Tochter für immer mit der Erfahrung von Unterdrückung verknüpft, synonym, Familie, Abstammung, Nation, ein Kreislauf, dem man sich nicht entziehen kann? Im zweiten Kapitel „Calliope – Epic Poetry" findet sich ein längerer Text, der mögliche Antworten auf diese Fragen enthält. Er erzählt die Geschichte der Mutter im Exil in der Mandschurei.

Mutter, du bist achtzehn Jahre alt. Du wurdest in Yong Jung, Mandschurei, geboren und hier lebst du jetzt. Du bist keine Chinesin. Du bist Koreanerin. Deine Familie flüchtete vor der japanischen Okkupation. China ist groß. Größer als groß. Du sagst, die Herzen der Menschen misst man an den Grenzen ihres Landes. So schweigsam wie groß. Du lebst in einem Dorf, wo die anderen Koreaner leben. So wie du. Flüchtlinge. Immigranten. Exilierte. Weiter entfernt von dem Land, das nicht deins ist. Nicht mehr länger deins.
Du wolltest nicht sehen. Du kannst nicht mehr sehen. Was sie antun. Dem Land und den Menschen. Solange das Land nicht deins ist. Bis es wieder deins wird. Dein Vater ging fort und deine Mutter ging fort wie die anderen. Du leidest unter der Gewissheit des Fortgangs. Des Fortgegangenseins. Aber dein MAH-UHM, Geist, ist nicht fort. War nie fort und wird nie fort gewesen sein. Nicht jetzt. Nicht einmal jetzt. Ist eingebrannt in deine stets gegenwärtige Erinnerung. Nicht-Erinnerung. Denn es ist nicht Vergangenheit. Wird nie vergangen sein. Kann nicht. Nicht im Entferntesten, Vergangenheit. Es brennt. Feuer in Flammen brannd.
Mutter, du bist noch ein Kind. Mit achtzehn. Mehr noch Kind, weil du oft krank bist. Sie haben dich vor dem Leben beschützt. Aber du sprichst die Sprache, die vorgeschriebene Sprache wie alle anderen. Sie ist nicht deine. Auch wenn sie nicht deine ist, du musst sie sprechen. Du bist zweisprachig. Du bist dreisprachig. Die Sprache, die verboten ist, ist deine Muttersprache. Du sprichst sie im Dunkeln. Im Geheimen. Jene, die deine ist. Eigen. Du sprichst sehr leise, ein Flüstern. Im Dunkeln, im Geheimen. Muttersprache ist dein Asyl. Ist Zuhausesein. Sein, wer du bist. Wahrhaftig. Sprechen macht dich traurig. Sehnsuchtsvoll. Jedes Wort auszusprechen, ist ein Privileg. Das du riskierst um den Preis des Todes. Nicht nur für dich, für alle. Ihr alle seid eins, seid sprachlos gemacht vom Gesetz, zungentot. Im Innern trägst du das Zeichen oben rot und das Zeichen unten blau, Himmel und Erde, tai-geuk; t'ai-chi. Das Zeichen ist. Das Zeichen dazugehörig. Zeichen für den Grund. Zeichen für Rettung. Von Geburt. Bei Tod. Von Blut. Du trägst das Zeichen in deiner Brust, in deinem MAH-UHM, in deinem MAH-UHM, deinem Schamanenherz.

Du singst.

Im Schatten stehst du, Bong Sun Flower
Doch dein Anblick ist traurig
Lang und lang in Sommertag
Wenn die Blumen blühen
Liebliche Jungfrauen
die dir zu Ehren spielen.

In Wahrheit wär das die Hymne. Das nationale Lied, verboten. Geburt los. Waise. Sie nehmen dir die Sprache. Sie nehmen dir die Choräle, Hymnen. Doch du sagst, nicht mehr lange, nicht für immer. Nicht für ewig. Du wartest. Du weißt, wie. Du weißt, wie man wartet. Innen MAH-UHM Feuer in Flammen brannd.

(...)

Du schreibst. Du schreibst du sprichst Stimmen versteckt maskiert du pflanzt Worte auf den Mond schickst Worte durch den Wind. Durch den Wechsel der Jahreszeiten. Durch Himmel und Wasser werden Worte geboren werden heimlich. Von einem Mund zum andern, von einem Leser zum andern werden Worte verwirklicht in ihrer ganzen Bedeutung. Der Wind. Dämmern morgens oder abends Lehm und Vögel nach Süden gerichtet Vögel sind Sprechapparate tragen den Geist Schleier für die Saat von Nachricht. Korrespondenzen. Worte, Streuung.
Mutter, du bist achtzehn. Es ist 1940. Du hast gerade eine Lehrerausbildung beendet. Du bist auf dem Weg zu deiner ersten Stelle in einem kleinen Dorf tief im Landesinneren. Die Regierung der Mandschurei schreibt vor, dass du drei Jahre lang eine zugeteilte Stelle annehmen und den Staatskredit für deine Ausbildung zurückzahlen musst. Du bist kaum erwachsen. Du hast nie das Haus deiner Mutter, deines Vaters verlassen. Du, die Jüngste von vier Geschwistern. Immer krank. Du wurdest immer ferngehalten vom harten Alltag. Immer die Jüngste, das Kind.
Du nahmst den Zug in dieses Dorf mit deinem Vater. Du bist westlich gekleidet. Am Bahnhof starren dich die Dorfbewohner unschuldig an, manche laufen dir nach, die Kinder. Es ist Sonntag.

Du bist seit sechs Jahren die erste weibliche Lehrkraft in dem Dorf. Ein Lehrer begrüßt dich, er spricht dich auf Japanisch an. Japan hat Korea besetzt und schickt sich an, China zu besetzen. Sogar in dem kleinen Dorf ist seine Präsenz spürbar in der japanischen Sprache, die überall gesprochen wird. Die japanische Flagge hängt am Eingang zum Büro. Darunter der pädagogische Leitspruch von Kaiser Meiji, gerahmt in Purpur. Der Direktor verliest ihn bei jeder offiziellen Veranstaltung für alle Schüler.
Die Lehrer sprechen untereinander Japanisch. Du bist Koreanerin. Alle Lehrer sind Koreaner. Dir wird die erste Klasse zugewiesen. Fünfzig Kinder. Sie müssen ihre Namen auf Koreanisch sagen und wissen, wie sie auf Japanisch heißen. Du sprichst mit ihnen Koreanisch, weil sie zu jung sind, um Japanisch zu verstehen.
Es ist Februar. In der Mandschurei. In diesem Dorf bist du allein und dein Elend ist groß. Du bist scheu und der Alltag der Dorfmenschen ist dir fremd. Nach Kost und Logis schickst du alles restliche Geld nach Hause. Du kannst nicht mehr als Hirse und Gerste verlangen. Du nimmst, was man dir gibt. Warst immer so. Noch immer. Du. Dein Volk.
Du nimmst den Zug nach Hause. Mutter ... Du rufst sie schon vom Tor aus, vom Garten. Mutter, du kannst es nicht erwarten. Sie lässt alles liegen, um dir entgegenzulaufen, sie kommt und nimmt dich ins Haus, bringt dir Essen. Du bist Zuhause jetzt deine Mutter dein Zuhause. Mutter untrennbar von dem, was ihre Identität ist, ihre Gegenwart. Dieser Wunsch die gleiche Luft zu atmen ihre Hand kaum eine Hand mehr Werkzeug kaputt verwittert kein Tod kann sie dir nehmen. Kein Tod wird sie nehmen, Mutter, ich träume dich, damit ich bei dir sein kann. Himmel ein Näheres im Schlaf. Mutter, mein erster Laut. Die erste Äußerung. Das erste Konzept.

(D 45–50)

Man könnte *Dictee* als ein Buch lesen, das von der abwesenden Muttersprache diktiert wird, das den Ruf aus dem Kohleschacht notiert. Dann schreibt die Tochter eine Erinnerung auf, die nicht ihre ist, ein Fragment der Geschichte der Mutter, die während der Besatzungszeit ihre Muttersprache verstecken musste, sie aufbewahrte für zukünftige Bewahrheitung. Dann wäre der Text eine schmerzliche Erinnerungsschrift, die ex negativo die Gültigkeit und Gegenwart der Muttersprache bestätigte. Was aber geschieht, wenn die Mutter am Ende des Textes direkt angesprochen wird, und zwar nicht in der Muttersprache? Wird aus dem Diktat dann nicht eine Sendung, eine Erzählung, die die Mutter in der Ankunftssprache neu schreibt? In einer oder mehreren Ankunftssprachen, die Asyl sind für sie, Erinnerungsarbeit – wie aber eben auch die Muttersprache „dein Asyl" ist – vielleicht immer nur Asyl sein kann? Die Zeugnisse beginnen sich zu multiplizieren.

Und wenn man den Begriff Muttersprache verwendet, welche meint man dann, welchen Laut, welches Konzept, das man selber gelernt hat? Als deutsche oder westeuropäische Leser bringen wir ein Verständnis mit, das Muttersprache als Besitz einer einzigen wahren, natürlichen Sprache denkt. Durch diesen Besitz denken wir uns, wie die Literaturwissenschaftlerin Yasemin Yildiz schreibt, „organisch verbunden mit einer exklusiven, deutlich abgrenzbaren Ethnie, Kultur und Nation"[131]. Diese Konzeption gehe zurück auf die sprachphilosophischen Erneuerungen der Romantiker, auf Herder, Humboldt, Schleiermacher, nach denen man nur in seiner eigenen Muttersprache *ursprünglich* denken, fühlen und schöpfen kann. Diese Neuerungen waren verbunden mit Veränderungen im Gefüge der bürgerlichen Familie und im nationalen Einheitsstreben. In seinem wegweisenden Vortrag *Ueber die verschiedenen Methoden des Uebersezens* denkt Friedrich Schleiermacher auch über literarische Mehrsprachigkeit nach und kommt zu dem Schluss: „wie Einem Lande, so auch Einer Sprache, oder der andern, muß der Mensch sich entschließen anzugehören, oder er schwebt haltungslos in unerfreulicher Mitte"[132].

Mitte, mitten ... War nicht der Stempel des Beginns eine solche Mitte, Schwebe, frankierte Unzugehörigkeit? Es leuchtet ein, dass bei Theresa Hak Kyung Cha diese Muttersprache, Hangul, die am Anfang des Buches, als Bild, Hilferuf, als „erste Äußerung", nicht die gleiche ist, die Schleiermacher im Sinn hatte. Denn auch das Mutterkapitel konstruiert nur eine *mögliche Identifikation*, eine mögliche Art, in der Unterdrückung ein weibliches *Ich* zu

131 Yasemin Yildiz (wie Anm. 101), S. 2.

132 Friedrich Schleiermacher: Ueber die verschiedenen Methoden des Uebersezens. In: Hans Joachim Störig (Hg.): Das Problem des Übersetzens. Darmstadt 1963, S. 63.

sein und es zu sagen. Im ersten Kapitel ist es noch die Revolutionärin, deren Mut die Geschichte vollendet. Für Cha aber bleibt die Einheit fragwürdig, unerreichbar. Die Frage nach der Herkunft, die Frage nach dem Ort der Mutter und der Muttersprache, begreifen wir langsam, ist nicht die nach einer Zugehörigkeit, nach einem Land. Vielmehr: einer Ungehörigkeit, einer innewohnenden Latenz. Asyl.

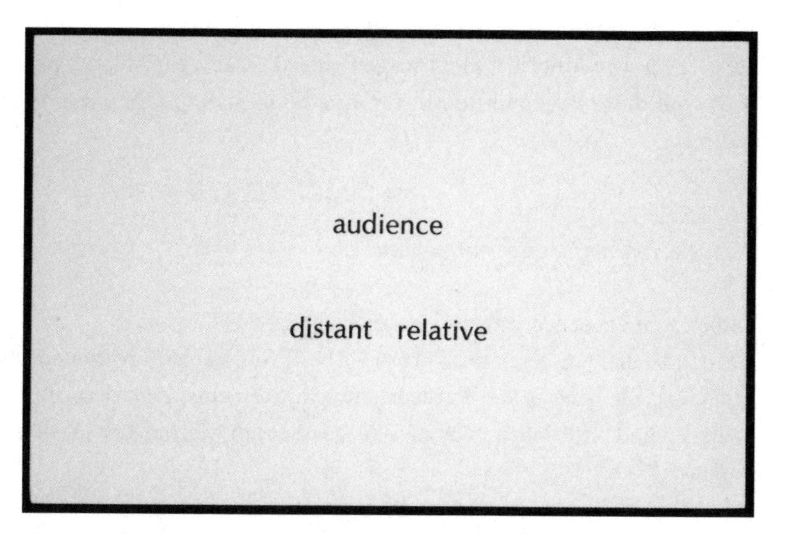

Theresa Hak Kyung Cha: *Audience Distant Relative* (Detail), 1977–78

Noch einmal Deleuze und Guattari: „Wie viele Menschen leben heutzutage in einer Sprache, die nicht ihre eigene ist? Wie viele kennen die eigene Sprache gar nicht oder noch nicht, während sie die große Sprache, die sie gebrauchen müssen, nur unzulänglich beherrschen? Das ist das vitale Problem der ‚Gastarbeiter', vor allem ihrer Kinder. Ein Problem der Minderheiten. Das Problem einer kleinen Literatur, aber auch unser aller Problem: Wie kann man der eigenen Sprache eine Literatur abzwingen, die fähig ist, die Sprache auszugraben und sie freizusetzen auf eine nüchtern-revolutionäre Linie?"[133]

133 Gilles Deleuze und Félix Guattari (wie Anm. 91), S. 28f.

Für mich ist das die wichtigste Frage. Heute ist es ein Frage nicht nur der „Gastarbeiter", sondern von mindestens zwei Generationen Einwanderern, die noch immer zwischen den Stühlen und Sprachen leben, vielleicht weil man sie eigentlich nie *wirklich*, nie mehrsprachig, in die deutsche Muttersprache aufnehmen wollte. Es ist die Frage der neuen Einwanderer aus dem Sommer der größten Fluchtbewegungen, die Europa seit dem Zweiten Weltkrieg gesehen hat. Es ist die Frage, mittlerweile, von Mehrheiten, von globalen Arbeitsmigrant*innen, Radikanten, Refugees, Luftwurzlern. Es ist die Frage, die sich für mich von Amerika aus anders und dringlicher stellt, aber ich meine: nicht *wegen* Amerika, nicht wegen einer Distanz zur Muttersprache, sondern weil diese sogenannte Muttersprache in sich (in ihr), meine ich, Nomadin ist.

*

Aus dem *Nord-Amerikanischen Dolmetscher:*

> „Billet, wenn man Jemanden zu Hause nicht angetroffen hat.
> Gestern Nachmittag gegen vier Uhr war ich bei Ihnen, zufolge Ihrer freundlichen Einladung, Sie zu besuchen. Ich bedauere sehr, Sie nicht zu Hause angetroffen zu haben und bitte daher, mich wissen zu lassen, zu welcher Zeit ich morgen kommen kann."[134]

Mir ging es von Beginn an so, die Sprache war nicht zu Hause anzutreffen. Sie schrieb mir renkig-freudige Billets. Sternschnuppe stand auf einem, das war früh. Kochanie auf einem anderen. Dann *Gift—gift*, *irritated*, was nicht irritiert heißt, die falschen Freunde. Meine Billets trugen Stempel, in denen ich mehrfach spiegelbildlich verborgen war, irgendeine Multiplikation, die mit der unsichtbaren Verschiebung von *ost* nach *post* zu tun hatte. Oder weil meine Sprache auch Stasisprache war. Oder weil es die Sprache war, die meine Großmutter als junge Lehrerin in Schlesien polnischen Kindern beibringen sollte, mit Knacklauten. Darum will ich Postkarten an Texte schreiben, die sich in der Mitte selbst übersetzen, was nicht auf eine herkömmliche Art lesbar ist, nur auf eine zugewanderte.

134 Der Nord=Amerikanische Dolmetscher. Philadelphia 1866, S. 167.

*

In der zugewanderten Art haben Chas chinesische Schriftzeichen, gescheiterte Übersetzungen, gebrochene Ankunftssprachen wiederum emanzipatorische Funktion. Sodass Familien liegen im verborgenen Wort und jenseits der Worte der Einschreibung. Sodass in dieser zerbrochenen, wiedergängigen Zeit Menschen Identitäten tauschen, Mütter Nationen werden, Nationen Mägde und Töchter Fähren. Und dass ein Schreiben, welches so radikal die Bedingungen unserer Sprach- und Subjektwerdung befragt, vielleicht neue alternative, gerechtere Formen kollektiver Imagination möglich macht. In der Zeit des Schreibens und weit vor ihr, in Vergangenheiten und Zukünften, die keiner logischen, linearen Chronologie folgen und die uns dennoch schon enthalten. Die uns diktieren. Die uns in das übersetzen, was wir sein werden, wie eine neue Sprache, die wir lernen.

> Traduire en français:
> 1. I want you to speak.
> 2. I wanted him to speak.
> 3. I shall want you to speak.
> 4. Are you afraid he will speak?
> 5. Were you afraid they would speak?
> 6. It will be better for him to speak to us.
> 7. Was it necessary for you to write?
> 8. Wait till I write.
> 9. Why didn't you wait so that I could write you?
>
> (D 8–9)

Warum hast du nicht gewartet, damit ich dir schreiben konnte? Warum hast du nicht gewartet, damit ich dich schreiben konnte?

*

Theresa Hak Kyung Cha: *Audience Distant Relative* (Detail), 1977–78

Ich will schließen mit einem anderen Fund, einer Sendung, *my dictée mineure.* Es ist ein kleiner Aufsatz von Maurice Apprey, einem Psychiatrieprofessor, der mit Anna Freud in London gearbeitet hat und von dem ich im Gespräch mit einer ungarischen Therapeutin in New York erfuhr. Der Aufsatz heißt „The Pluperfect Errand" (ungefähr: Der plusquamperfekte Botengang, Der vorvergangene Auftrag). Er behandelt die unbewusste Weitergabe destruktiver Aggression zwischen Generationen, inbesondere in migratorischen Zusammenhängen. Laut Apprey findet die Weitergabe folgendermaßen statt: Aus einer früheren Quelle (einer vergangenen Subjektivität) erhält ein Ich unbewusst, aber willentlich einen Auftrag (*errand*), den es für eine bestimmte Zeit aufbewahrt (nämlich in der mentalen Repräsentation der „inneren Mutter"). Kohleschacht. Leinwand. So lange aufbewahrt, bis dieser Auftrag, von dem das Ich nicht weiß, was er ist, beginnt, dessen Handlungen zu steuern, sodass es zum Objekt der nun Subjekt gewordenen früheren Intentionalität wird. Wandernde Geheimnisse, Brüche, mäandernde Mandate. Verstörende Gleichzeitigkeit von Vergangenheit und Gegenwart, Aktiv und Passiv vertauscht. Ein Kreislauf wird in Gang gesetzt, der mehrere Generationen andauern und nur durch die Schaffung einer „dritten Stimme" unterbrochen werden kann, die es dem Subjekt erlaubt, zu sich zurückzukehren. Diese „dritte Stimme" ist oft die Stimme der Freundschaft, also die Schaffung liebevoller

Beziehungen jenseits familiärer oder heteronormativer Strukturen. Die dritte Stimme kann sich aber ebenso in „creative generativity und generosity" finden, sprich im freien, freigebigen, kreativen Schaffen.[135] Ich schlage nicht vor, Chas Werk psychoanalytisch zu lesen, obwohl ihr Schaffen sehr wohl auch von Freud und insbesondere Jung beeinflusst ist. Aber mir spukt im Kopf dieser *errand* – mit seinen Anklägen an das englische *error* (Fehler) und das französische *errant* (streunend, wandernd) – als eine Denkfigur, eine Art Strahlung, die Chas *mail art projects* und Performances, ihre Gedichte und *Dictee* durchleuchtet auf diese *maladresse* hin: die Suche des exilierten, translationalen Ichs nach der Bedeutung seiner ihm von der Vergangenheit aufgegebenen Aufträge, sprich: den Diktaten der Diktaturen und Sprachverbote. Die stillstehende, wuchernde Zeit, die Reservoire rasender Sendungen. Und die poetische Rede als streunender Fehler *und* dritte Stimme, als Solidarisierung zwischen Frauen, „contact zone" oder Übersetzungszone. Und die dritte Stimme ist die Leserin, sie und Sie, an die letztendlich all diese Sendungen gerichtet sind und mit der eine neue Gemeinschaft beginnen kann. (Wie ein Fleck, der das Material, auf das er tropft, aufzunehmen beginnt.)

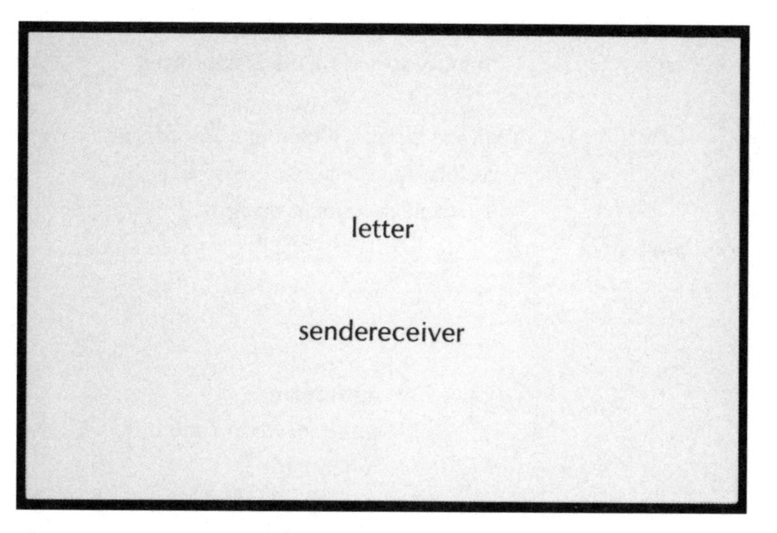

Theresa Hak Kyung Cha: *Audience Distant Relative* (Detail), 1977–78

135 Maurice Apprey: A Pluperfect Errand. A turbulent return to beginnings in the transgenerational transmission of destructive aggression. In: Free Associations: Psychoanalysis and Culture, Media, Groups, Politics 66, July 2014, London, S. 27.

Wer ist sie,

die auf uns wartet,

damit wir sie möglich machen,

damit sie uns schreiben kann?

„to inhabit freely the civic house of memory I am kept out of"
Erín Moure, *Furious*

*

récit

reciting a poem
re citing a poem
re sighting a poem
re insighting a poem
citing .... to move to action, instigate, rouse

on the ground locations inscribe and cover up
re locating the poem
and covering it up again
flour, plaster

amsterdam
piece for hreinn and hlif
june 1976

(ETM 133)

Berlin, Mai/Juni 2015

BARBAR BLECHS URSPRECH

Homophone Übersetzung und Nursery Rhymes

> D. W. Winnicott sat on a wall
> D. W. Winnicott had a great fall
> All the Kinds nonsense and all the Kinds sense
> Couldn't put the object together again.
>
> *Jane Flow*

I

Wiegenlieder sind Arbeitslieder am Schallrand der Sprache. Die Arbeit in ihnen mag unsichtbar sein, die Sprachränder nicht: Wer sie singt, übersetzt sein Sorgen ins Singen, sein Sagen schließlich ins Summen. Die Arbeiter*innen des Wiegenlieds transportieren das Kind in den Schlaf mit ihren Stimmbändern, die wirklich Fließbänder sind. Wieder und wieder ziehen schlichte Laute, Zeilen, Melodien auf Schleifen durch den Raum, bis der Atem des Kindes in seine Schlafbahnen tritt. Wiederlieder, Liderschließer. Die wichtigste Aufgabe der singenden oder summenden Sorgenträger ist das Erzeugen einer Schwingungsharmonie, die den gleichmäßigen Rhythmus der wiegenden Bewegung im Bauch der Mutter aufnimmt und extrauterin fortsetzt. Damit sie ihre beruhigende Wirkung entfalten können, werden die Worte aus einem großen lallenden Schallfundus geborgen – sie müssen kaum aussagen, nur klingen, auf ihre prosodischen und phonetischen Qualitäten kommt es an. Auch wenn kleinste semantische Kombinationen hervorfunkeln (Schlaf, Schaf, Bäume, Träume), ahmen die Worte ihr mögliches Wortsein doch nur nach, folgen einzig dem Zwang zum gleichmäßigen Klang. Wiegenlieder, *wee gentle leader,* hüten die jenseits von Bedeutung grasenden Worte. Während sie so das Kind aus dem Wachsein führen, geleiten sie auch die Sprache aus dem *Was*sein ins *Wie*sein, dem einzelnen Singsang in eine Gemeinschaft aus Klang.[136]

136 Eine multimediale Publikation der britischen Lyrikerin Holly Pester untersucht Wiegenlieder als Echoräume sozioökonomischer Strukturen und folglich als mögliche Formate für gemeinschaftsstiftende Stimmexperimente: „While a lullaby sounds out the material labour of care, makes its flesh and breath felt, it also sounds out the radical obscuring of work. Therefore a lullaby might be a chorus for all bodies, affectively performing a different worksong, a kind of common rest." Holly Pester: Common Rest. LP und Booklet. London 2016.

II

Eines der ältesten überlieferten Wiegenlieder ist das römische *Lalla, Lalla, Lalla, / aut dormi, aut lacta*. Zwei Verse, die in verschiedenen Sprachen sprechen: Lateinisch und Wiegenlingo, also das beruhigende Schwingungsklingen der Schlafsorgerin. Die zweite Zeile enthält scheinbar an das Kind gerichtete Imperative: *Schlaf oder trink aus der Brust!* Man könnte auch sagen: *Sei still oder stille!* Doch käme diese Formulierung grammatisch verwirrend, geradzu milchig daher, da nach Einführung des Adjektivs das um einen Buchstaben längere „stille" nicht sofort als Imperativ des Verbs „stillen" erkennbar wäre (sondern wirkte wie ein falscher, in affektiver Erschöpfung gebildeter Komparativ: statt „stiller"). Das liegt freilich an seiner ungewöhnlichen Verwendung – wann benutzt man „stillen" schon als Imperativ *für* das Kind? Kann man es überhaupt intransitiv verwenden? Das Kind stillt sich nicht selbst, es wird ja zum Schweigen gebracht von Milch und Brustwarze (während das Englische: *nurse* durchaus intransitiv und transitiv verwendet werden kann: *The baby nurses, I nurse the baby* usw.). Gebräuchlicher im Deutschen sind wohl das einfache, direkte *Trink!* oder *Na komm* oder – mit der magischen Grammatik (Grammagiematik) der Winnicott'schen *good enough mother*, die all das, was das Kind benötigt, im richtigen Moment bereithält, als hätte das Kind durch sein Bedürfnis das Ding gerade erst erschaffen: *Hier ist die Mama / die Milch / die Titti* ... Auf der semantischen Ebene wäre die Dopplung von *still / stille* indes überdeutlich, geht es doch meist nicht nur um Schlaf für das Kind, sondern auch um Ruhe für die geplagten Nerven der Sorgenden.

Schlafen oder stillen, die Arbeit des Kindes. Die Arbeit der Sprecherin aber steckt in der ersten Zeile des Lieds: *Lalla, lalla, lalla*. Ihre Sorge gilt der Lullifizierung der Sprache, ihrer Übersetzung in Klang und Schall und Rhythmus, in einen nachahmenden Anfang. Der englische Begriff *lullaby* leitet sich ab aus dem mittelenglischen *lullen* – in den Schlaf summen, „probably imitative of lu-lu sound used to lull a child to sleep" – und ist verwandt mit schwedisch *lulla* (ein Wiegenlied summen), sanskrit *lolati* (baumeln), mitteldänisch *lollen* (murmeln). Die deutsche Verbform *lullen* führt das Grimm'sche Wörterbuch sowohl als das bei Dichtern beliebte „eine melodie leise vor sich hinsingen, ohne text leise singen" als auch mit der seit dem 16. Jahrhundert nur noch mundartlich gebrauchten Bedeutung „saugen, wie ein kind an der brust, lutschen“. Bei Kluge wiederum begegnet *lullen* nur noch als „onomatopoietische Neuschöpfung“ des Neuhochdeutschen.

Merkwürdigerweise finden wir diese Dreiheit der Bereiche Wiegen-Summen-Stillen im heutigen Sprachgebrauch nicht mehr vereint. In der deutschen Bezeichnung Wiegenlied oder Schlaflied ist die klangliche Komponente verloren gegangen. Hieße es Lullalied, hörte man zudem die Verwandtschaft zu *lallen*, wie sie auch von den Grimms aufgezeigt wird – nämlich als dritte Bedeutung von *lullen*: das „Reden mit ungelenker Zunge“, welches sich von „den Sprechversuchen der Kinder“ herleitet. Die deutsche Teilbedeutung von *lullen* als *stillen* spiegelt sich auch nicht mehr in der englischen Bezeichnung des Wiegenlieds, *lullaby*, sondern stattdessen im Wort *nursery rhyme* (*to nurse*: stillen, wiegen, umsorgen). *Nursery rhymes* aber bezeichnen eher alle Kinderverse oder „Lieder aus der Kinderstube“, bei denen schon Spracherwerb, Sprachspiel, Sprachnachahmung eine Rolle spielen. Laut dem *Oxford Dictionary of Nursery Rhymes* des berühmten Sprachsammlerpaars Iona und Peter Opie von 1951 zählen dazu alle Lieder, die Kindern zwischen 0 und 5 Jahren weitergegeben werden („traditionally passed on to a child while he is still of nursery age“). Zur Gattung zählen die Textsorten „nonsense jingles, humorous songs, character rhymes“ sowie „lullabies, infant amusements, nursery counting-out formulas, baby puzzles and riddles, rhyming alphabets, tongue twisters, nursery prayers, and a few singing games“[137]. Der Anteil der sprachspielerischen, onomatopoetischen, klangzentrierten Zeilen in den *nursery rhymes* ist sehr hoch, auch bei jenen Versen, die nicht explizite Wiegenlieder oder Rätsel sind oder die als Überreste kondensierter Abbildungen von sozialen, kulturellen, politischen Gesellschaftszuständen gelten können.

III

Es überrascht nicht, dass Legenden den Beginn deutschsprachiger Wiegenlieder – das *Eiapopeia* – auf eine klangnachahmende Übersetzung zurückführen wollen. Als nach Beendigung des Zweiten Kreuzzugs der Babenberger Heinrich

137 The Oxford Dictionary of Nursery Rhymes. Hg. von Iona und Peter Opie. New Edition. Oxford, New York 1997, Vorwort S. ix.

Jasomirgott (1107?–1177) nach Wien an den Hof zurückkehrte, wurde er von seiner neuen Gattin, der byzantischen Prinzessin Theodora Komnena und deren griechischem Gefolge begleitet. Die fortan neben Hofwiegen gesummten Silben „Heude mou paidion, heude mou pai" (Schlafe mein Kindchen, schlafe mein Kind) verwandelten sich, so heißt es, in den Ohren der Einheimischen in den angenäherten Singsang *Eiapopeia*. Handelt es sich bei dem ersten Wiegenlied also um naive Nachahmungen einer Fremdsprache? Um klangorientierte Übertragungen? Um homophone Übersetzungen? Könnte man sagen, die Nachahmung beruhigender Klänge, und zwar aus jeder Sprache, um jeden Preis, sind die As und Os der Wiegenarbeiterin, ihr Schwingungslos? Und wie wären diese zu übersetzen, damit sich die unbedingte singende Arbeit hinter oder unter oder im Inneren der Worte mitübersetzt?

IV

Eine mögliche Antwort gibt das Oeuvre von John Hulme. Unter den homophonen Übersetzungen, die sich seit der zweiten Hälfte des 20. Jahrhunderts als eigenes Genre im Bereich der experimentellen Literatur etabliert haben[138], nimmt sein Werk eine Sonderstellung ein. Über den zurückgezogenen Autor-Übersetzer sind nur Eckdaten bekannt. Nach dem Studium moderner Sprachen am King's College in Cambridge trat Hulme in die Royal Air Force ein und wurde in England, Deutschland und Zypern stationiert, wo er als Übersetzer für Französisch und Deutsch sowie als „Russian linguist" tätig war. Nach seinem Ausscheiden aus der RAF lebte er im englischen Watford in der Grafschaft Hertfordshire und arbeitete als Bildungsbeauftragter für die

138 1957 entstand Ernst Jandls „Oberflächenübersetzung" eines Gedichts von Wordsworth, 1969 erschien Celia und Louis Zukofskys *Catullus* (*Gai Valeri Catulli Veronensis Liber*); 1969 Ralf-Rainer Rygullas und Rolf Dieter Brinkmanns *Der joviale Russe*; 1981 Jean Calais' (d.i. Stephen Rodefer) Übertragungen von *Villon*; 1983 David J. Melnicks *Men in Aida* (Bearbeitungen von Buch 1–3 von Homers *Ilias*); 1998 Schuldts und Robert Kelleys Hölderlin-Bearbeitung *Am Quell der Donau/Unquell the dawn now;* 2005 Christian Hawkeys *Ventrakl*; 2007 Oskar Pastiors *Intonationen zu Gedichten von Charles Baudelaire*. Andere Autoren homophoner Übersetzungen sind u.a. Charles Bernstein, bpNichol, Pascal Poyet, Stacy Doris, Christopher Logues, Ron Silliman. Vgl. auch Till Dembeck: Homophone Übersetzung. In: Till Dembeck und Rolf Parr (Hg.): Literatur und Mehrsprachigkeit. Ein Handbuch. Tübingen 2017, S. 249–256, sowie der Tagungsband *Sound/Writing: traduire-écrire entre le son et le sens/homophonic translation – traducson – Oberflächenübersetzung*. Hg. von Vincent Broqua und Dirk Weissmann. Paris 2019 (Open Access).

Regierung.[139] Nebenbei aber begründete der polyglotte Sprachwissenschaftler, Übersetzer und Luftwaffenmitarbeiter seit 1968 im Alleingang und nahezu unbemerkt von einer größeren Öffentlichkeit eine Untergattung der homophonen Übersetzung, nämlich die phonetische Transkription und kryptolinguistische Edition von Kinderversen in und aus dem Englischen, Französischen und Deutschen. Übertragen wird bei diesem Unterfangen nur die Lautgestalt des Originals – Klang, Rhythmus, Silbenzahl, Reim, nach Jandl also die „Oberfläche" eines Textes –, nicht aber der semantische Gehalt, sodass wir es mit einer extremen, als Übersetzungsverfahren getarnten, multilingualen Nonsense-Poesie zu tun haben.

Im englischen Sprachraum gilt Hulme als Verfasser der Werke *Mot d'heures: Gousses, Rames. The d'Antin Manuscript, edited and annotated by Luis d'Antin Van Rooten*, London 1968, sowie *Mörder Guss Reims: The Gustav Leberwurst Manuscript, translated and annotated by John Hulme*, New York 1981.[140] Die Titel beider Werke ergeben, mit englischem Akzent ausgesprochen, den Lautstand der Worte *Mother Goose Rhymes* – also die amerikanische Bezeichnung für die seit Ende des 18. Jahrhunderts gesammelten Kinderverse und Wiegenlieder, die im Angelsächsischen *nursery rhymes* genannt werden. Die Gedichte bestehen aus französischem bzw. deutschem Wort- und Silbenmaterial, das mit englischem Akzent gelesen werden muss, damit sich hinter den fremdsprachigen Zeichen die Phoneme der ursprünglich englischen Verse in der Stimme materialisieren. Die ersten Zeilen des berühmten *Humpty Dumpty sat on a wall, Humpty Dumpty had a great fall* lesen sich in beiden Varianten folgendermaßen:

Un petit d'un petit
S'étonne auf Halles
Un petit d'un petit
Ah! degrés te fallent

Um die Dumm' die Saturn Aval;
Um die Dumm' die Ader Grät' fahl.

139 Die Informationen entnehme ich dem Umschlagtext von *Mörder Guss Reims* sowie den freundlichen Hinweisen von Ekkehard Faude, dem Verleger des Libelle-Verlags, den John Hulme Mitte der 90er Jahre bei einer Durchreise in Konstanz besuchte. Herr Faude machte mich auf einen Link zum digitalen Stammbaum der Familie aufmerksam, laut dem John Hulme am 15. September 1999 verstorben ist; er hinterließ vier Kinder.

140 Zeitgleich erschien eine britische Ausgabe bei Angus & Robertson mit leicht verändertem Untertitel: *From the Original Gustav Leberwurst Manuscript, transcribed and annotated by John Hulme*. Die New Yorker Ausgabe trägt als einzige den Hinweis auf eine Übersetzung im Untertitel.

Das deutschsprachige (wenn man so sagen kann) Pendant bildet John Hulmes hierzulande erschienenes Werk, welches deutsche Kinder- und Wiegenlieder mit jeweils englischem und französischem Wortmaterial wiedergibt. 1984 erschien bei dtv das Taschenbuch *Die Gesammelten Werke des Lord Charles, herausgegeben von John Hulme*, wiederaufgelegt 1990 unter dem barock anmutenden Titel *DE TRANSLATIONE NURSERY-RHYMES: Von den schwindelerregenden Möglichkeiten referentieller Verirrung im älteren angelsächsischen Liedgut* im kleinen Schweizer Libelle-Verlag. Dort wurde 1990 auch das französische Pendant *DE INVENTIONE CANTUS VOLX. Poetische Grundlagentexte aus der Frühgeschichte der deutsch-französischen Cohabitation* verlegt, in dem deutsche Kinderreime in französisches Klangmaterial gekleidet werden.[141]

V

Keines von Hulmes Büchern ist als homophone Übersetzung gekennzeichnet. Auch nicht als Sammlung von Kinderversen – nur die Worte „Liedgut“ und „volx“ in den späteren Auflagen deuten in diese Richtung. Stattdessen weisen die Titel (*Manuscript*, *Gesammelte Werke*, *Grundlagentexte*) sie als kritische Editionen aus, die folgerichtig mit einem pseudowissenschaftlichen Apparat aus Vorworten, Fußnoten und Indizes versehen sind. Die Vorworte dienen zur Etablierung fingierter Herausgeberschaften, in denen der Autor vorgibt, die Texte unter abenteuerlichen Umständen gefunden und herausgegeben zu haben, einmal als Butler des gefräßigen, Tee und Whiskey schlürfenden Schlossbewohners Lord Charles, ein anderes Mal als Nachlassverwalter des schütteren Sauerkrautforschers Dr. Leberwurst. Der grotesken Herausgeberposse, die zugleich als plakative Bloßstellung nationaler Stereotype fungiert, gesellt sich eine visuelle Komponente hinzu. Auf der letzten Seite in *Mörder Guss Reims,* das ansonsten keine Illustrationen enthält,

141 Mindestens zwei andere Titel können ebenfalls John Hulme zugeordnet werden. *Guillaume Chequespierre and The Oise Salon: An Anthology. Selected & edited by John Hulme*, New York 1986, enthält französisch-homophone Versionen ausgewählter Gedichte von Shakespeare, Keats, Longfellow, Browning, Blake usw. Bei dem Titel *1789 And All That. An Illuminated History of Foreign Parts from BC to 2001. By John Hulme,* London 1988, scheint es sich um eine humoristische pseudohistorische Abhandlung mit den Mitteln von *faux amis und* makkaronischer Dichtung zu handeln. Die Umschlagabbildung zeigt eine Illustration mit Protagonisten der französischen Revolution, im Hintergrund eine Guillotine, sowie die Denkblase einer Figur: „Mon Deux! Zey mean to decarpet me on ze gelatine.“

ist als Verständnishilfe eine Ente abgebildet, versehen mit den deutschen Worten „Die Ente" – als „Scherz" wird das freilich nur jenen Eingeweihten unter den anzunehmenden amerikanischen Lesern verständlich, die des Deutschen ohnehin mächtig sind und der Aufklärung nach der Lektüre der *nonsense rhymes* nicht mehr bedürfen. Alle anderen Leser haben einen sogenannten falschen Freund („The End") vor sich. Das Hoaxtier gibt auch dem fiktiven französischen Manuskript seinen Titel – *d'Antin* – und begegnet uns wieder in *Lord Charles*, wo sich unter den appropriierten Illustrationen „von Joseph Crawhall, Albrecht Dürer und anderen Meistern" auch ein Panel mit fünf beschlafhaubten Enten findet. Zu den Indizes wiederum gehören ein Verzeichnis der Versanfänge, ein Index mit Personen- und Ortsnamen, die teilweise nur zirkulär auf sich selbst verweisen („Ceylon – siehe Malediven; Malediven – siehe Ceylon") sowie „Weiterführende Literatur", wobei es sich wohl eher um „hinführende" Literatur handelt, da hier jene Titel aufgeführt sein mögen, mit denen der Autor – in Zeiten vor Google – sein abseitiges, auf die anderssprachigen Klänge der Originale zugeschnittenes Wortmaterial zusammentrug: Londoner Telefonbücher, Altes Testament, Koran, Almanach des britischen Adels, Weltatlas, Oxford English Dictionary, Brockhaus usw.

Die Listen imitieren nicht nur literaturwissenschaftliche Konvention, sondern das wichtigste Nachschlagewerk für *nursery rhymes* überhaupt, das oben erwähnte *The Oxford Dictionary of Nursery Rhymes*. In der amerikanischen Ausgabe von *Mörder Guss Reims* werden im Anhang auch die originalen englischen *nursery rhymes* abgedruckt, allerdings unter dem verwirrenden Titel „Translations". Wenn es im Untertitel heißt „translated by John Hulme", so bezieht sich das also nicht auf die homophonen Übertragungen, die als Originale ausgewiesen werden, sondern auf ihre Rückübertragung in verständliches Englisch. Das scheinbare Unsinnsspiel mit Übersetzung wird so auch als hintersinnige Infragestellung von Originalbegriff und Überlieferung lesbar, umso mehr, als Kinderlieder jahrhundertelang mündlich überliefert wurden und selbst nach kurzen Auftritten auf Buchseiten immer wieder lange Phasen ohne schriftliche Fixierung überstanden haben, und zwar unverändert. So berichten Iona und Peter Opie unter anderem von dem Vers „Riddle me ree, a little man in a tree", der zuerst 1645 auftauchte und dann zweihundert Jahre nicht mehr.[142]

142 The Oxford Dictionary of Nursery Rhymes (wie Anm. 137), S. 8.

Es scheint also geradezu sinnvoll und richtig, dass „Oh where, oh where has my little dog gone" nach seinem homophonen Ausflug in die Mündlichkeit einer anderen Sprache („Oh wer, oh wer ist Mai Lido doch Gong?") als „Übersetzung" wieder unverändert bei sich ankommt. Obwohl homophone Übersetzung, wie Jeff Hilson anmerkte, als „a celebration of the possibility of *inaccuracy* in transmission"[143] gelten kann, macht die Unrichtigkeit bei Hulmes Übersetzungsspiel gerade auf die historische Wirklichkeit aufmerksam. Zu guter Letzt verweist die Bezeichnung der vermeintlichen Originale als Übersetzung auch darauf, dass der Ursprung vieler Wiegen- oder Kinderlieder selbst zu einem großen Teil im lautmalerischen „Übertragen" von Welt liegt.

Wie „sinnvoll und richtig" aber sind die einzelnen Texte selbst, wie steht es mit der Geschichte des in die Welt gegangenen oder gegongten Hündchens? Aufschluss geben selbstverständlich nicht die den Versen beigegebenen Fußnoten. Sie müssen eher als *fuss notes* gelten, als Notizen, die den Aufruhr im Sinn noch verstärken. Ihre strategische Platzierung auf der Seite legt nahe, dass sie als Teil des experimentellen Gedichtkörpers gelesen werden können – in *Mörder Guss Reims* finden sie sich zentral gesetzt, direkt unter dem Vers, in *Lord Charles* auf der linken, dem Gedicht gegenüberliegenden Seite, also dort, wo in herkömmlichen Lyrikübersetzungen das Original steht.[144] Die Fußnoten variieren das Deutungsspiel um Ursprung, Unsinn, Sinn und Klang in pseudowissenschaftlicher Manier. Hier werden die Bedeutungen abgelegener oder antiquierter Worte erläutert, als wäre mit deren Bedeutung auch dem Sinn einer entsprechenden Stelle beizukommen („frass – Larvenexkrement"; „stumped – verblüfft"), Vokabeln in Kreuzwortmanier als geografische Namen geoutet („Gan – Eine Insel der Maledivengruppe im Indischen Ozean, 800 km westlich von Ceylon") oder kurze Interpretationen der kryptischen Nonsensverse angeboten. Die englische Umschrift von „Alle meine Entchen schwimmen auf dem See" (*Allah miner engine / Sh! Women how've dame say*) wird folgendermaßen kommentiert: „Ein islamischer Bergmann wird gebeten, seinen Motor leise zu stellen, weil die Frauen sich unterhalten wollen." In

143 Jeff Hilson: Homophonic Translation—Sense and Sound. In: Helen Julia Minors (Hg.): Music, Text and Translation. London 2013, S. 96.

144 Fußnoten als verfremdendes Vexierspiel mit Bedeutungsebenen im Gedicht gehören zum Inventar der Lyrik des 20. Jh. (Elke Erb), finden sich aber auch bei anderen homophonen Übersetzungen, so bei Jean Calais' (d.i. Stephen Rodefers) Villon-Gedichten, die auf homophonen Lesarten beruhen.

Mörder Guss Reims, das zuerst erschien und damit als Prototyp in der Reihe der Hulme'schen Übertragungen gelten muss, setzte der Autor noch weitaus mehr auf den komischen Effekt der Fußnotennarrative. Aus *Little Miss Muffet sat on a tuffet / Eating her curds and whey* wird in der Leberwurstumschrift „Liter mies muffelt;[1] Satan atü[2] fett / Hie Dinge kurz und weh[3]". Die Fußnoten verraten:

1 The poet complains that his beer has an unpleasant smell.
2 A welcome abbreviation for ‚Überdruckatmosphäre' or excess atmospheric pressure. It is interesting to note that a British atmosphere is equal to 1.033 Continental atmospheres, which clearly demonstrates the superiority of the air we breathe and the value of taking holidays at home.
3 The Devil has made the air so greasy that everything is stunted and painful.

Und als weiteres Beispiel die Übertragung von „Tinker, tailor, soldier, sailor, / Rich man, poor man, beggar man, thief":

Denk, Herr Tell,[1] er solch Erzähler!
Ritsch' man, bohr' man, bäger' man tief.

1 It is doubtful whether this poem refers to the legendary Swiss hero. This Mr Tell is such a storyteller that he tears into you, drills holes in you and torments you deeply.

Zwar lesen sich die Erklärungen allesamt an des Teufels drei goldenen (nein, fettigen) Haaren herbeigezogen, da sie beliebige Zusammenhänge zwischen dem disparaten Wortmaterial behaupten. Jedoch erinnert ihre Form mit den narrativen Sprüngen und abenteuerlichen Bezügen strukturell an Gedichte oder Geschichten, die von Kindern selbst geschrieben sind. In der Imitation des logischen Deduktionsverhaltens von Erwachsenen, das heterogenste Erscheinungen zusammendenkt, eröffnen sie eine Welt poetischer, nichtlinearer Erzählkunst *en miniature*. Damit wird die wissenschaftliche Form der Fußnote, ihr auf Vollständigkeit, semantische Korrektheit und sinnvolle Auslegung bedachter Zugriff komisch entthront und zugleich die Kreativität der Rezipienten aller Kinderverse ins Recht gesetzt. Weiterhin legt das exzentrische *explicare* erst den kulturellen Hintersinn phonetischer Übertragung frei, nämlich die Bloßstellung dessen, was auf der Ebene sogenannter semantischer Übersetzungen jahrhundertelang als „Eindeutschung", „Französisierung" usw. praktiziert und von Lawrence Venuti als domestizierende Übersetzung bezeichnet wurde. Denn bei der Auslegung des homophon deutschen, aber ursprünglich englischen Liedguts begegnet plötzlich ein bunt zusammengewürfeltes Personal *deutschsprachiger* Leitkulturen: aus *Yan*kee Doodle wird Turnvater *Jahn*, Wilhelm Tell taucht mehrmals auf (selbstverständlich als *tell tale*, siehe oben, als verräterischer Erzähler, der die Löcher im semantischen Gewebe vorführt), auch germanische Götter, Immanuel Kant, der Bodensee werden erwähnt. Umgedreht legen die Fußnoten der homophon englischen, jedoch ursprünglich deutschen Kinderlieder in *Lord Charles* nahe, dass die Verse von englischem Adel (Charles II., Elizabeth I., Eduard VI.) bevölkert werden, was nicht sein kann, es sei denn, man hört in alles Unverständliche seine eigene Kultur hinein, so wie man auch am liebsten zu Hause Urlaub macht, wegen der guten Luft und größtmöglicher Transparenz (siehe oben, Fußnote zu *atü*).

VI

Welche homophone Variante gilt es vom Standpunkt einer deutschen Übersetzerperspektive zu betrachten: Leberwurst oder Lord Charles? John Hulme hat bei seinen Publikationen offensichtlich den *originalsprachlichen* Kindervers als *zielsprachig* gedacht und damit die herkömmliche Sprachrichtung vertauscht: Das bei einem deutschen Verlag veröffentlichte *Lord Charles*-Buch enthält englische Texte (Zielsprache), deren Lautgestalt deutsche Kinderverse nachahmen (Originalsprache); das amerikanische / britische *Mörder Guss Reims* wiederum deutsche Texte (Zielsprache), denen englische Kinderverse zugrunde liegen. Die bilinguale oder in diesen Sprachen bewanderte Leserin ist in beiden Fällen in der Klangwelt verloren, doch setzt das Verlorensein jeweils andere rezeptionsästhetische und kritische Prozesse in Gang.

Für deutsche bzw. an der deutschen Sprache interessierte Leser beschränkt sich die Lektüre der *Lord Charles*-Reime auf die überraschend schwierige Entzifferung der englisch verzerrten Phoneme und ihre Rückführung auf deutsche Kinderlieder und Volksweisen („Highly Highly gain shun, Cyst shone Veda coot"). Ist der Groschen einmal gefallen, gibt es wenig andere Beschäftigungsmöglichkeiten für den spielhungrigen Geist. Denn es ist anzunehmen, dass es deutschen Lesern schwerfällt, den absurden syllabischen Feinheiten und Sinnziselierungen im englischen Nonsens-Vers, der die deutschen Lieder wiedergibt, etwas abzugewinnen; auch die mehr exzentrischen als enzyklopädischen Fußnotentexte (die ja deutsch sind) bieten nur einen kurzen Wunderkammereffekt. Es ist jedoch nicht das Nichtverstehen, welches der poetischen Erkenntnis im Wege steht, vielmehr ist das Nichtverstehen an den falschen Stellen angesiedelt: Das entgrenzende poetische Potenzial von Unsinn scheint sich eher im Schallraum der Zielsprache zu entfalten, für die der Kindervers jeweils nur ein Katalysator ist. *Alle meine Entchen*, *Hoppe hoppe Reiter* und so weiter – die Verse selbst bleiben, in ihrem deutschen Sprachmaterial, unberührt von der homophonen englischen Klangalchemie, sobald dieses durch Aussprechen oder Ent-Sprechen wieder zurückverwandelt wurde.

Hop, a hop, a writer
Veni[1] felt dan[2] sh! right air;
Felt air in den grab hen,
Frass[3] hen e'en Dee[4] Raab[5] hen.

1 Der Schriftsteller war offensichtlich Julius Caesar.
2 Kleine Boje.
3 Larvenexkrement.
4 Fluß in Cheshire, England.
5 Fluß in Ungarn.

Interessant ist an diesem Vers ja nicht das von einem Mund quasi *undercover* ausgesprochene deutsche Reiterlied, sondern der Grabenfall der englischen Sprache. Ich habe mich bisher der umständlichen Formulierung bedient, die Kinderverse seien *mit* deutschen, französischen, englischen Worten bzw. Wortmaterial geschrieben. Sind sie denn nicht *auf Deutsch, Französisch, Englisch* verfasst? Ist das denn keine richtige Sprache, die wir mit den Augen lesen (ich meine im Gegensatz zu der Sprache, die wir lesen, wenn wir sie mit dem Mund laut aussprechen)? Ist es überhaupt nur eine Sprache? Die erste Zeile des Beispielverses kombiniert elliptisch, aber doch in der Einzelsprache verständlich, englisch *hop* und *writer*, zwei Sprünge und einen Schriftsteller. Man mag sich an das ewige Fort-Da des weißen Kaninchens aus *Alice im Wunderland* erinnert fühlen (und wird vielleicht in der vierten Fußnote mit dem Erscheinen des Flusses, der den Namen der Cheshire-Katze trägt, eine Art Bestätigung erhalten). Die zweite Zeile ist in einer Sprache geschrieben, die wie Englisch aussieht, aber bereits im Begriff ist, ihrem Kaninchenschriftsteller hinterherzufallen: Ausrufe, Fachsprache, Eigennamen und schließlich das Bruchstück eines lateinisches Zitats (des römischen Herzkaisers dieses Wunderlands?) – alle Partikel, auch fremdsprachige, werden von der semantisch gelösten, nur auf den Originaltext hörenden Sprache mobilisiert und demokratisiert.

Hulmes phonetische Übertragung orientiert sich, anders als beispielsweise die Catullus-Bearbeitung der Zukofskys[145], die auch um semantische Entsprechung bemüht ist und darum mit dem Sprachmaterial freier umgeht, streng an der Silbenzahl des Originals, um den für Kinder- und Wiegenlieder so wichtigen Rhythmus zu erhalten. Bei der Wahl klanglicher Entsprechungen werden darum Wortgrenzen verschoben („wenn er" wird „veni", „Graben" wird „grab hen"), zudem bedient sich Hulme, um die für das Englische allgemein und für Kinderreime im Speziellen typische monosyllabische Struktur zu erhalten, häufig verkürzter Wortformen. So wird ein wahrer Apostrophenschauer entfacht („Ritsch' man, bohr' man, bäger' man tief"), der in seiner Penetranz an die Unsitte traditioneller Lyrikübersetzungen erinnert, des Reimes oder des Metrums wegen Verkürzungen in Kauf zu nehmen (das Apostroph als Morgenstern'sches Wiesel der Zeichensetzung). Das Ergebnis ist eine Dichtung in dezentriertem, multilingualem Englisch, und zwar zusätzlich zu der Tatsache, dass hier phonetisch zwei Sprachen ineinanderfallen, homophone Übersetzung im Prinzip also schon mehrsprachige Lyrik ist.

Der Zwang zum Klang lässt die Sprachgrenzen durchlässig werden, setzt einen Überschuss in der Sprache frei. Die fallende oder lallende Nachahmung treibt den Verfasser in ältere und abseitige Sprachschichten, wo er seltene Vokabeln und Lehnworte sammelt; auch anderssprachige Worte werden eingebaut. Lawrence Venuti hat auf die Reichweite des Englischen hingewiesen, das Celia und Louis Zukofsky für ihre berühmte homophone Übersetzung der Gedichte

145 Celia und Louis Zukofsky: Catullus. London 1969.

von Catull geborgen haben: „a dazzling range of Englishes, dialects and discourses that issued from the foreign roots of English (Greek, Latin, Anglo-Saxon, French) and from different moments in the history of English-language culture“[146]. In Anbetracht des heterogenen und translingualen Sprachmaterials ist es zweifelhaft, ob man der homophonen Übersetzung wirklich „ethnozentrische Gewalt“ vorwerfen kann, da sie laut Venuti Übersetzereffekte anwende, die nur innerhalb der einzelsprachlichen englischen Hegemonialkultur lesbar seien.[147] Diese Kritik griffe bei John Hulmes Gesamtwerk schon deshalb nicht, weil er seinen Klangtransfer in mehrere Sprachrichtungen vollzieht und das Englische, Französische und Deutsche gleichermaßen durch Verarmung (nach Jandl: Herunterkommung) auf der semantischen Ebene marginalisiert und gleichzeitig durch einen Überschuss an Lautlichkeit und Sprachlichkeit, durch ihren homophonen *Lapsus Lallus*, mehrsprachig anreichert.

Wer diesen Prozess sprachlicher Heterogenisierung für die deutsche Sprache nachvollziehen will, muss also zu der eigentlich für amerikanisches bzw. britisches Publikum gedachten homophonen Übersetzung englischer Kinderverse greifen. Erst hier entfaltet die lautliche Ent-Sprechung ihre volle Wirkung und Wirrung im Deutschen, lässt sich das Aufbrechen der eigentlichen Oberfläche einer Sprache beobachten – nämlich nicht (nur) der Klangstruktur, sondern der Sprachnormen und Verstehensweisen, mit denen wir täglich linguistische Ereignisse vereinfachen, automatisieren, nachahmen. In *Mörder Guss Reims* werden alle oben genannten Strategien angewandt, diesmal für die deutsche Sprache: Anreicherung durch Fachbegriffe („Noor“, „Naphtha“, „Werre“, „Stär“, „Soor“), Eigennamen („Bad E.“, „Warschauer“), ältere Sprachschichten („Mahr“, „sekkant“), Einbeziehung von Dialekten und Sprachvarietäten („bägern“) und Lehnworten oder anderssprachigen Bezeichnungen („Dinar“, „Kanapee“). Mit Venuti könnte man sagen, der homophone Übersetzer durchquert linguistische Regionen in Gegenwart und Vergangenheit, durchbricht Sprach- und Kulturbarrieren, legt ein Netzwerk sozialer und kultureller Verflechtungen offen, die sonst von dem illusionistischen Effekt übersetzerischer Transparenz versteckt werden.[148] Wo Kinderverse und Wiegenlieder nur noch ansatzweise

146 Lawrence Venuti: The Translator's Invisibility. A History of Translation. London, New York 1995, S. 216f.

147 Ebd., S. 220.

148 Ebd., S. 219.

als Repräsentationen vergangener Gesellschaftszustände wahrgenommen werden, quellen homophone Übersetzungen geradezu über mit disparaten Erscheinungen von Welt.

VII

Wenn die Aufgabe von Kinderversen und *nursery rhymes* neben der Schlafsorge die spielerische Unterstützung in der Sprachentwicklung von Kindern ist, so muss für ihre homophone Übersetzung das Gegenteil festgestellt werden. Durch das abgelegene, heterogene Sprachmaterial, die verknappten Wortformen und die nonkonformen semantischen Verknüpfungen wird die Leserin vor der eigenen Sprache fremd, wenn denn überhaupt noch klar ist, welche als die eigene gelten sollte. Die homophone Übertragung verwandelt auch sie, nämlich in eine Stotterin, eine Fremdsprecherin. Nicht nur weil sich beim Aussprechen der unverständlichen Zeilen in der Stimme ein englischer *nursery rhyme* materialisiert, den man vielleicht kennt, vielleicht auch nicht (das Äquivalent zum Bauchredner: eine unfreiwillige Zungenrednerin oder *tongue in other cheek*-Rednerin). Sondern weil, wie Miorita Ulrich schrieb, die Hulme als eine der wenigen akademische Aufmerksamkeit hat zukommen lassen, die „radikale Nachahmung“ der homophonen Transkription nicht nur auf die Abbildung einer Einzelsprache zielt, sondern überhaupt auf den Vorgang der „‚naiven‘ Zurückführung einer Sprache auf eine andere“, wie sie etwa dem Lerner oder Sprecher einer Fremdsprache unterlaufen könnte.[149] Nirgends wird das deutlicher als bei der homophonen deutschen Übersetzung eines der bekanntesten Kinder- oder Wiegenlieder: *Baa Baa Blacksheep*.

Baa, baa, black sheep,
  Have you any wool?
Yes, sir, yes, sir,
  Three bags full;
One for the master,
  And one for the dame,

149 Miorita Ulrich: Die Sprache als Sache. Primärsprache, Metasprache, Übersetzung. Tübingen 1997, S. 196.

And one for the little boy
  Who lives down the lane.

Barbar Blech![1] Schieb Haff[2] juvenil wüll
Jesse, Jesse, trieb Axt! Fühl
Wonn' Form Eimass der
Wonn' Form Ei dem[3]
Und Wonn' forder Liter Boje
Olive; staun' der Lehen!

1 "Barbarous sheet-iron!"
2 Type of lagoon formed in the Baltic behind a long spit of sand. The poet shoves the sheet-iron away and urges young Jesse to rummage around and to get busy with his axe.
3 He tells him to feel bliss at the shape of the egg-measure and at the egg itself. These had presumably been washed ashore but had been buried under all the rubbish.

Das englische Lied, über zweihundert Jahre unverändert geblieben, beginnt mit einer onomatopoetischen Nachahmung des (englischen) Blökens eines Schafs.[150] Freilich spricht hier nicht das Schaf, sondern der Wollsammler,

150 Eine der ersten deutschen Übersetzungen des 20. Jh. stammt von Mary Schachinger aus einer Sammlung, die kurz nach dem Zweiten Weltkrieg wohl als Sprachlern- und Erziehungsmaßnahme veröffentlicht wurde. Darauf lassen zumindest die Zweisprachigkeit, ein Anhang mit zum Teil kaum abweichenden „wörtlichen Übersetzungen" und die verstreuten moralisierenden Sprichwörter in beiden Sprachen schließen. Schachinger hält sich an die Silbenzahl der ersten Zeile, lässt aber das Farbadjektiv fallen und wird dann rhythmisch ungenau: „Mäh, Mäh Schäfchen, / Hast Du recht viel Woll'? / Ja Herr! Ja Herr! / Drei Säcke voll. / Einen für meinen Herrn, / Einen für seine Frau / Und einen für den kleinen Bub'n, / Den kennst Du genau!" (Man beachte – den Apostrophschauer!) In: English Nursery-Rhymes – Englische Kinderreime. Gesammelt und übersetzt von Mary Schachinger. Linz-Urfahr und Wien 1946, S. 25. Eine mit Klassenkampf angereicherte Variante übersetzte Heinz Kahlau 1967 für den Kinderbuchverlag der DDR: „Bää – bää, schwarzes Schaf, / hast du etwas Woll? / Ja, Herr, ja, Herr, / drei Säcke voll. / Die sind für die Königin, / die schon alles hat, / doch keine für den kleinen Klaus / in der großen Stadt." In: Ping, Pang, Poch! Englische Kindergedichte. Übersetzung aus dem Englischen von Margaret M. Hellendall, Nachdichtung von Heinz Kahlau. Berlin 1967. Die Opies listen in der Tat eine gesellschaftskritische Version von 1765 auf: „But none for the little boy who cries in the lane." The Oxford Dictionary of Nursery Rhymes (wie Anm. 137), S. 101.

der, so die Überlieferung, die Säcke der 1275 unter Edward I. eingeführten Wollsteuer abverlangt, mit der die Krone ihre kostspielige Außenpolitik finanzieren wollte. Das betroffene Schaf darf diese durchaus Englisch redend abliefern, die Schaflaute sind also nicht zur Verständigung gedacht, stellen vielmehr einen linguistischen Überschuss dar, Echo der Schwingungsarbeit an der Wiege, Echo der Lallsprache, von deren langgezogenem hellem Vokal der Rest des Liedchens angezogen wird – ein Sog, den jede, die das Lied einmal gesungen hat, zu schätzen weiß. Diese Sprachbewegung übersetzt auch John Hulme, wenn er die nichtsprachlichen englischen Tierlaute mit *Barbar* wiedergibt, also mit jenem Wort, das bedrohlich Unverständliches oder Fremdsprachliches belegt: Sein schaflautgebender Barbar redet denn auch nur unsinniges *Blech*. Der Rest des zweisprachigen Textes – denn die Fußnoten gehören als Fake-Form oder fortführende Übersetzerposse zum Gedicht – gruppiert Worte um ein geheimnisvolles Ei und beschwört ein Gegenüber, das vom Herren (*Yes Sir*) zu einem Jungen (*juvenil Jesse*) entthront wurde. Durch das deutsche Sprachmaterial stolpert man eher, als dass man es liest – die Rückkopplung an die englische Melodie (wie das Schlaflied „Twinkle twinkle little star" und „Morgen kommt der Weihnachtsmann" beruht sie auf dem alten französischen Kinderlied „Ah! vous dirai-je, maman") bringt wenig Abhilfe, da nicht nur der Sinn, sondern auch die Wortbetonungen im phonetischen Sprachgestöber verhackstückt werden.

Jesse, Jesse, trieb Axt! – man kann diese herrenlose oder entmeisterte Sprache nicht nach sinnvollen Bedeutungsclustern absuchen, sondern muss sich aus der Wortgestalt Einzelnes klauben, so wie sich Hulme für die phonetische Transkription Klänge aus dem Schallfundus der deutschen Sprache klaubte. Wenn die Sprachen im homophonen Transfer permanent mit sich selbst kommunizieren, liegt auch das Gedicht im Gespräch mit sich selbst und lassen sich die geraubten Brocken mühelos als metapoetische Fundstücke einheimsen. So mag die letzte Fußnote mit ihrem finalen *rubbish* die vermutete Rezeptionshaltung des Lesers dieses semantischen *Mülls* ironisieren. Das *Wonne* statt Wolle bringende Ei erinnert freilich an jenen Humpty Dumpty, der in Lewis Carrolls *Alice im Wunderland* verkündete: „Wenn ich ein Wort verwende, dann bedeutet es genau, was ich es bedeuten lasse, und nichts anderes", womit er den Code ausgab für alle

Sprach- und Klangexperimente der Poesie.[151] Dies gilt auch für die Poesie von „Barbar Blech“, geschrieben in einer Sprache, die jede Deutungs- oder Sprechsicherheit von sich geworfen hat – barbarisch und „bar allen Schutzes außer dem, den die eigene Bewegung verleiht“, wie Michael Hammerschmid in Bezug auf Jandls „Oberflächenübersetzung“ und Gherasim Lucas „Stottergedichte“ schrieb.[152]

VIII

Die Baabaaisierung, das barbarische Fremdwerden vor der Sprache ist nicht das Produkt eines Sprachverlusts, sondern eines linguistischen Überfließens, der Identifizierung einer Sprache mit einer anderen. Die homophone Übersetzung als unlautere Lautpoesie versetzt uns in Regionen, die zugleich vor und nach der Einzelsprache liegen. Im unbeholfenen Stolpern durch scheinbar fremdes Lautmaterial erinnern sie einerseits an Roman Jakobsons „Blüte der Lallperiode“, nämlich jene vorsprachliche Phase, in der Kinder die Laute verschiedenster Sprachen artikulieren können, auch jene, die nicht in ihrer Muttersprache vorkommen und die mit dem Erwerb der Muttersprache verlernt werden.[153] „Bleibt in den Sprachen der Erwachsenen etwas von der unendlichen Vielfalt des Lallens erhalten, aus der sie hervorgegangen sind?“, fragt der Literaturwissenschaftler und Übersetzer Daniel Heller-Roazen im Anschluss an Jakobson.[154] Ein Echo findet er, dem Linguisten Nikolai Sergejewitsch Trubetzkoy folgend, in den lautmalerischen Ausrufen oder

151 Carroll hob die ohnehin durchlässige Grenze zwischen Nonsens und *nursery rhyme* auf, als er den verrückten Hutmacher deklamieren ließ: „Twinkle twinkle little bat! / How I wonder where you're at!“ usw. Die Parodien in *Alice in Wonderland* stellen die größte Hürde für Übersetzer dar – für eine ausführliche Analyse der deutschen Übertragungen vgl. Emer O'Sullivan: Kinderliterarische Komparatistik. Heidelberg 2000, S. 296–378. Vor einigen Jahren erschien die bisher umfangreichste Untersuchung internationaler Alice-Übersetzungen in drei Bänden: Jon A. Lindseth und Alan Tannenbaum (Hg.): Alice in a World of Wonderlands. New Castle, Delaware 2015. Der dritte Band enthält großartige Listen mit englischen Rückübersetzungen der Namen und Sprachspiele aus Hunderten von Übersetzungen, auch von „Twinkle twinkle little bat“.

152 Michael Hammerschmid: Übersetzung als Verhaltensweise. In: Martin A. Hainz (Hg.): Vom Glück sich anzustecken: Möglichkeiten und Risiken im Übersetzungsprozess. Wien 2005, S. 47–64.

153 Roman Jakobson: Kindersprache, Aphasie und allgemeine Lautgesetze. Frankfurt am Main 1969.

154 Daniel Heller-Roazen: Echolalien. Über das Vergessen von Sprache. Aus dem Amerikanischen von Michael Bischoff. Frankfurt am Main 2008, S. 12.

Fremdlauten, mit denen Sprecher einer Sprache etwa Tierlaute, Objektlaute oder die Laute einer anderen Sprache nachahmen und die Trubetzkoy „distinktive anomale Elemente“ nennt: Sprechakte, „die zwar nicht vollkommen bedeutungsfrei sind, aber auch nichts behaupten oder bestreiten“[155]. In der Verwandlung der nachgeahmten Schlafsprache zu einer wiederum nachgeahmten Barbar-Blech-Sprache hört man vielleicht ein weiteres Echo dieser „Vielfalt des Lallens“ – nicht Fremdlaute innerhalb einer Einzelsprache, sondern das Lallen-an-sich der Übersetzung.

Das sprachergänzende In-eins-Klingen der homophonen Übersetzung erinnert auch an Walter Benjamins Überlegung, die Aufgabe des Übersetzers sei die „Integration der vielen Sprachen zur einen wahren“ Sprache: „Dies ist aber jene, in welcher zwar die einzelnen Sätze, Dichtungen, Urteile sich nie verständigen – wie sie denn auch auf Übersetzung angewiesen bleiben –, in welcher jedoch die Sprachen selbst miteinander, ergänzt und versöhnt in der Art ihres Meinens, übereinkommen.“[156] Beim homophonen Aussprechen oder Ent-Sprechen des Kinderlieds entfesseln die Sprachen in der Tat eine eigene Kommunikation, befreit vom Zwang zu bedeuten, bei der der Sinn ihres Sprachgebildes „identisch gesetzt werden darf mit dem seiner Mitteilung“ – also nicht Übertragung von sprachlich Repräsentiertem, sondern Repräsentation sprachlicher Überblendung. Doch gehen die Hulme'schen Verse noch über Benjamins Vorstellung hinaus, da dieser nur die wörtliche, das heißt syntaktisch-nachahmende Übersetzung als Möglichkeit ansah, die „große Sehnsucht nach Sprachergänzung“ aus Werken zu bergen, um ihre reine Sprache hörbar zu machen. Hulme dagegen schließt die Sprachen auf der Ebene ihres phonetischen Materials kurz. Sind nicht Zeilen wie „Khi Sir, cur Nick, eh dell man / Burger bower petal man“ eine Art Shortcut zur Benjamin'schen Ursprache? Barbar Blechs Ursprech? In alle Welt verteilte Säcke voller sinnverfilzter Worte, die nichts mehr bedeuten müssen. Diese zwei Zeilen mit eng gedrängten, aus verschiedensten Kontexten und Sprachen aneinandergereihten Silben explodieren den ursprünglich deutschsprachigen Abzählreim und seine Habsburger Ständegesellschaft in ein mehrsprachiges Potpourri, in dem ein Bettler als Laubeninferno aus Blüten aufersteht – „bower petal man“.

155 Ebd., S. 16.

156 Walter Benjamin (wie Anm. 14), S. 190.

Das Schreiben-als-Verhören ist auch eine Re-Imagination des mündlichen, mehrsprachigen Hallraums, in dem viele Wiegen- und Kinderlieder entstanden sind. Nicht wenige Sammler von *nursery rhymes* haben erstaunt geografische Gleichzeitigkeit zur Kenntnis genommen: „the same trifles which erewhile lulled or amused the English infant are current in slightly varied forms throughout the North of Europe“[157]. Iona und Peter Opie zitieren eine der frühesten vergleichenden Studien von Lina Eckenstein (1906), nach der englische Reime und Rätsel in vielen Versionen in europäischen Sprachen auftauchen, wobei ihre Verbreitung sich nicht nur auf Übersetzung zurückführen lässt. Erst in ihrer Vielsprachigkeit fügen sie sich zu einem sinnvollen Ganzen zusammen: „In many cases rhymes, that seem senseless taken by themselves, acquire a definite meaning when taken in conjunction with their foreign parallels.“[158] Es ist, als wollte Hulmes *Khi Sir, cur Nick* das nie gehörte Zusammenklingen der sinnlosen deutschen, englischen, französischen usw. Reime im Nachhinein konstruieren, freilich ohne ihren Sinn wiederherzustellen. Im Gegenteil kommen die Verse gerade in der radikalen Unverständlichkeit (für Leser), in der verspielten Selbst-Verständlichkeit (für sich als Sprachen) in einem nie dagewesenen Originalzustand an.

IX

Die singende oder summende Arbeit an der Wiege wird bald ergänzt durch die singende oder summende Spracharbeit des Kindes selbst. Brabbelstube, Babelland. Das nachahmende Spiel mit Lauten erschafft, im psychoanalytischen Sinn nach Donald Winnicott, einen intermediären Bereich (*intermediate area*) um das Kind, zwischen Mutter und äußerer Welt, der die Loslösung von

157 James Orchard Halliwell: Popular Rhymes and Nursery Tales. London 1849, zit. nach Oxford Dictionary of Nursery Rhymes (wie Anm. 137), S. 9.

158 Lina Eckenstein: Comparative Studies in Nursery Rhymes, 1906, zit. nach Oxford Dictionary of Nursery Rhymes (wie Anm. 137), S. 9. Die Opies verzeichnen u.a. diese *Humpty Dumpty*-Versionen: „Wirgele-Wargele, auf der Bank, / Fällt es ’runter, ist es krank / Ist kein Doktor im ganzen Land, / Der dem Wirgele-Wargele helfen kann“ sowie „Hümpelken-Pümpelken sat op de Bank, / Hümpelken-Pümpelken fêl von de Bank; / Do is kên Doktor in Engelland / De Hümpelken-Pümpelken kuräre kann.“ Die Übersetzung von Erika Tophoven klingt eher plauzig: „Humpty Dumpty saß auf einer Mauer / und fiel herunter, aua! / Alle Pferde des Königs und all seine Mannen / Brachten Humpty Dumpty nicht wieder zusammen.“ In: English Nursery Rhymes – Englische Kinderreime. Auswahl und Übersetzung von Erika Tophoven. München 1995, S. 63.

der Mutter ermöglicht. Später weitet sich dieser Bereich zu einem potenziellen Raum (*potential space*) zwischen dem Individuum und der Umgebung, in dem durch Spiel kulturelle Erfahrungen verhandelt werden und Kreativität ermöglicht wird. Laut Winnicott entsteht der potenzielle Raum, wenn sich das Kind ein Übergangsobjekt (*transitional object*) wählt und beginnt, mit ihm zu spielen, zumeist ein Kuscheltier oder eine Decke, „or a word or a tune“[159]. Als erster selbstgewählter Besitz des Kindes, als Nichtmutter und Nichtich, nimmt das Objekt eine Mittelstellung zwischen der äußeren und der inneren Welt ein. Auch Sprache kann bei Kindern zu einem solchen Objekt werden: selbsterzeugte Klänge und Geräusche, erste gebrabbelte Worte, die weder dem Selbst noch dem signifikanten Anderen angehören. Das Kind nimmt sich den Laut, „trägt“ ihn mit sich herum, wiederholt ihn unzählige Male, probiert den Klang mit und ohne Faust im Mund, mit Kopfschütteln, in Hallräumen von Bädern und Fluren, legt ihn ab, nimmt ihn wieder auf. Nicht mehr und noch nicht „Mary had a little lamb“, sondern ein nachgeahmtes, lallendes „Myriade Lied – Alarm!“

So oder ähnlich muss man sich den Prozess der homophonen Übertragung von Kinderversen vorstellen, in denen Sprache als Material sprechbar und unlesbar zugleich wird. Vielleicht könnte man sagen: Im Hulme'schen Feedback – der rein an Klang orientierten Nachahmung von ursprünglich rein an nachahmendem Klang orientierten Versen – kommen die Wiegenlieder ganz zu sich, realisiert sich ihre innewohnende Übersetzbarkeit. Das In-eins-Fallen oder Als-zwei-Lallen der Sprache(n) im homophon übersetzten Lullalied schafft einen potenziellen Raum des Übersetzers, in dem der Text weder der „Mutter“-Sprache oder Ausgangssprache noch der Zielsprache oder dem signifikanten Anderen angehört: Er bleibt ganz Spiel, ganz Möglichkeit, eine Welt aus Klang, Geräusch und Nonsens. Schallschleifen, Speicher der vergessenen Laute der Kindersprache, aber auch Erinnerung an die imaginierten Möglichkeiten eines weder an Mitteilungsfunktion noch

159 Donald Woods Winnicott: Playing and Reality. London und New York 2009, S. 6. Winnicott betont die enge Beziehung dieses intermediären Raumes, in dem kontinuierlich subjektive Wahrnehmung und objektive Wirklichkeit verhandelt werden, zu der intensiven Erfahrung von Kunst und kreativer Arbeit: „This intermediate area of experience, unchallenged in respect of its belonging to inner or external (shared) reality, constitutes the greater part of the infant's experience, and throughout life is retained in the intense experiencing that belongs to the arts and to religion and to imaginative living, and to creative scientific work.“ (S. 19)

Muttersprache gebundenen Ursprechs. Vielleicht könnte man, Winnicott weiter beerbend, die homophone Nachdichtung als *transitional practice* der literarischen Übersetzung bezeichnen, ein Sprachwirken zwischen Nichtoriginal und Nichtich, das die Musikalität und Vielsprachigkeit aller Sprachanfänge wachhält.

Rom, November/Dezember 2017

ETYMOLOGISCHER GOSSIP IM GEDICHT

Beginnt es denn immer mit Märchen? Mit entfernten Verwandten? Mit Deformierungen? Vor den Wörterbüchern waren die Listen der Übersetzer, der Märkte, der Märchenerzähler. Von ihnen erzählt noch immer jedes Sternchen vor einem Wort. Sind Übersetzer und Märkte und Märchenerzähler dieses deformierte, märchenhafte Leuchten durch die Sprachen? Gestirnte Erzählungen? Ausstrahlendes Sprachvergessen anderer, nicht konformer Beziehungen?

*

Eine Art Sprache, zwischen Sprachen. Eine Art Auseinanderfallen.

> *sei sprechen dann die art of falling auseinander,*
> *der stille, dem rahmen, immer apart,*
> *so ausgefallen wie nur eben ein*[160]

Und jenseits dieser Beziehungen, eine Art Apartheit der Einzelsprache?

*

Das ähnliche Sprechen verknüpft. Das ähnliche Sprechen scheidet Geister. Welche Geister? Die gesehenen und die ungesehenen. Die dunklen Zwillinge der Muttersprache. Scheiden Körper von Seele. Scheiden Körper von Stimme. Scheiden Leben vom Tod. Scheiden auch, in der wahnsinnigen Rede von Staaten, den Kopf vom Rumpf. Wer nur ähnlich richtig spricht, aber nicht ganz ähnlich, wird überwacht. Wird in Lagern untergebracht. Wird umgebracht. Paul Celan, „Schibboleth“: „Setz deine Fahne auf Halbmast, / Erinnrung. / Auf Halbmast / für heute und immer.“ Die Erinnerung in Celans Gedicht, um die binnengeronnene Leerstelle eines fehlenden Buchstabens herum, ist eine deformierte. Sie spricht zu anderen Innenstellen, gewaltsamen Leerstellen der Sprache. Zum Beispiel hin zum Río Massacre in der Dominikanischen Republik, in der 1937 das sogenannte Parsley Massaker stattfand. Über 20.000 haitianische Gastarbeiter, die das Wort *Petersilie* (perejil) nicht wie die einheimischen, Spanisch sprechenden Dominikaner aussprachen – die

160 Uljana Wolf (wie Anm. 71), S. 10.

Haitianer, die haitianisches Kreol oder Französisch sprechen, sagen *pelejil* –, wurden von einem aufgebrachten, von Diktator Trujillo angestachelten Mob umgebracht. Ich erfuhr von diesem Massaker zuerst durch eine Arbeit der mehrsprachigen Dichterin und Künstlerin Caroline Bergvall, die 2001 in einer Textinstallation mit dem Titel *Say: „Parsley“* der Gewalt von Sprachterror, Ausgrenzung und nationaler Identität, den Verbindungen zwischen „verbal fluency and social fluency“ (Bergvall) nachging – „Speech mirrors ghosts“.[161] Dann wurde ich durch einen anderen Petersilientext oder Erinnerungstext wieder daran erinnert, und ging dem nach.

*

Mein Nachgehen braucht Umwege. Darum wohl brachte es mich zuerst in die winzige Bibliothek der Villa Massimo in Rom. Ohne genau zu wissen, warum, nahm ich Giambattista Basiles *Pentamerone* (1634/36) in die Hand, jene in neapolitanischem Dialekt geschriebene Märchensammlung, deren Titel sich auf Giovanni Boccaccios *Decamerone* bezieht und die viele Urformen europäischer und auch deutscher Märchen enthält. Am zweiten Tag begann die lahme Zeza: „Mein Wunsch, die Prinzessin auf angenehme Weise zu unterhalten, ist so groß, daß ich die ganze vorige Nacht, in welcher alle übrigen Leute im tiefsten Schlaf begraben lagen, nichts anderes getan habe, als daß ich die alten Kisten und Kasten meines Gehirns durchstöberte, die Schubladen meines Gedächtnisses durchsuchte und unter den Märchen, welche jene gute Seele, die Frau Klara Löchlein, Großmutter meines Oheims (Gott habe sie selig!), zu erzählen pflegte, diejenigen auswählte, die mir am meisten passend zu sein schienen, um euch täglich eine davon aufzutischen.“[162]

Ein Märchen, noch *nicht* erzählt, aber schon *familiar*: über die gute Seele der Sippschaft gekommen. Ahnenkrausende Nachtarbeit. Durch alle „Löchlein“ oraler Tradition wurde diese Erzählung im Schubladenschrank des Gedächtnisses bewahrt. Es scheint, dass erst die enge Verknüpfung zwischen Verwandtschaft und Rede uns das Märchen legitimiert, sein Erzählen möglich

161 Caroline Bergvall und Ciarán Maher: Say Parsley. Installation. Arnolfini, Bristol, 7. Mai 2010 bis 3. Juli 2010 (vierte Fassung). Online Dokumentation: http://carolinebergvall.com/work/say-parsley. Zuletzt abgerufen am 8. Januar 2020.

162 Giambattista Basile: Das Märchen aller Märchen. Der Pentamerone. Zweiter Tag. Deutsch von Felix Liebrecht. Hg. und mit einem Nachwort versehen von Walter Boehlich. Frankfurt am Main 1982, S. 11–12.

macht. Oder sollte es gerade andersherum sein, sollten Verwandtschaft und Rede erst Fabulierlust, Arabesken, Ausschmückung des halb bekannten, halb fremden, halb erinnerten Textes in Gang setzen? Die lahme Zeza ist eine von zehn deformierten Geschichtenerzählerinnen aus der Rahmenhandlung des *Pentamerone*. Deren koloniale Konstellation wird selten thematisiert, obwohl sie uns heute an die problematischen Ursprünge unserer europäischen oder indoeuropäischen Sprachlandschaften erinnert. Der Erzählreigen, bei dem in fünf Tagen zehn Frauen Märchen erzählen, er wird ausgelöst, weil sich eine namenlos bleibende „Mohrensklavin" durch eine Tränenlist die Heirat mit dem Prinzen *von Rundfeld* (Camporotondo) – oder sagen wir: von weißer Welt – erschleicht. Königstocher Zoza, die sich als rechtmäßige Anwärterin auf die Gemahlinnenstelle begreift und selbst mit einem Fluch belegt ist, der sie an den Prinzen bindet, erweckt durch einen Zauber in der schon schwangeren schwarzen Frau das unstillbare Begehren, „Geschichten erzählen zu hören", in der Hoffnung, dass sie – Zoza – so einen Zugang zum Prinzen fände. Konfrontiert mit dem plötzlichen, heftigen Verlangen seiner Frau, beruft nun der Prinz die zehn besten Geschichtenerzählerinnen der Stadt ein, als da wären die lahme Zeza, die krumme Cecca, die kropfige Meneca, die großmäulige Tolla usw. Die Namen der Erzählerinnen sind ironische Verzerrungen geläufiger neapolitanischer Namen adliger Frauen; ihre grotesken Namenskörper ironisieren die Konvention wohlgestalter adliger Erzählerinnen, wie sie unter anderem in Boccaccios *Decamerone* auftreten. Am Ende der entfesselten Fabulierlust, in der Zeit und Raum durch unzählige arabeske, wiederholte Formulierungen gedehnt werden (wo Wendungen wie „sobald die Nacht ihre schwarzen Kleider ausschüttete, um sie vor den Motten zu bewahren" noch als zahm gelten müssen), wird die „Mohrensklavin", die nur gebrochene Sprache sprechen darf, als unrechtmäßige Ehefrau entlarvt und grausam bestraft. Was bleibt, sind die Märchen als Auftragsarbeit des weißen Prinzen, ihre europäischen Wurzeln, ihr Überschreiben von nichteuropäischen, kolonisierten Menschen und Geschichten.

*

Vielleicht erinnern uns Namen wie lahme Zeza und Klara Löchlein an das, was in der Sprache gebrochen oder verschwiegen wurde? Klara Löchlein, so heißt die Ahnin in der Übersetzung von Felix Liebrecht. Im neapolitanischen Original *Chiarella Vusciola*. Ich merke als des Neapolitanischen und auch des

Italienischen weitgehend Unkundige immerhin, dass die helle Klarheit oder Klara-heit des Vornamens von einem obskuren Nachnamen begleitet wird. Nachforschungen ergeben eine vermutete Nähe des Wortes „vusciolo" zu Kompass und zu einer Heilerin, die mit Kräutern operiert. Die Kompassnadeln als Sternsprache und die Kräuter ... auf sie kommen wir später wieder zu sprechen. Nichts davon findet sich im *Löchlein*, aber vielleicht hat Felix Liebrecht hier eben ganz transparent die Obskurität des durchscheinenden Originals übersetzt, ein Wort, das man nicht wissen kann, eine abwesende Stelle. Ist *Löchlein* vielleicht der Name für einen Asteriskus? Nicht die Übersetzung des Worts, sondern das Zeichen für seine ungewussten, vergessenen, immer möglichen Herkünfte? Im deutschen Diminutiv lese ich immerhin auch die kleinen Abscencen von Spitze, Häkelei und anderen Geweben, jenen von Frauen gemeinschaftlich hergestellten Textilien, die vor allem aus Löchlein bestanden und deren Entstehen vom Erzählen begleitet war. Und ich lese die Löcher als integralen Bestandteil oraler Tradition, bei der jede Klarheit eine Verwandte des Vergessens ist. Vielleicht überdauern sie nur so, gemeinsam, im Schubladenschrank des Gedächtnisses, lassen in der Nähe zwischen sich Fabulierkunst wuchern, die Übersprungshandlung und überspringendes Handeln zugleich ist. Sprache, eingeschlossen in Ähnlichkeit, durch die sich alles bewahrt, das vom Vergessen Bedrohte ebenso wie das Vergessene, das Gefundene ebenso wie das Erfundene, das Ausgesprochene ebenso wie das Verschwiegene.

Aber welches Märchen erzählt uns die lahme Zeza, das aus den klaren Löchlein oder Kompassen oder Kräutergärten der Geschichte zu uns spricht? Aus Löchlein, die wie dunkel umrandete Sterne in unsere europäische Sprachgeschichte leuchten? Es ist das Märchen von der Petrosinella, der Petersilie. „Als aber die Hexe nach Hause zurückkehrte und sich eine Suppe kochen wollte, so merkte sie, daß jemand bei der Petersilie gewesen war, und sprach: ‚Hol' mich der Teufel, wenn ich diesen langfingerigen Schelm nicht kriege und ihn auf seine Kosten lehren will, von seinem Teller zu essen und die Töpfe anderer Leute unangerührt zu lassen.'" Freilich kennen wir das Märchen im Deutschen unter einem anderen Namen. Über eine französische Version von Charlotte-Rose de Caumont de la Force und durch Übersetzungen unter anderem von Joachim Christoph Friedrich Schulz wanderte es in die *Kinder- und Hausmärchen* der Gebrüder Grimm von 1812 als Rapunzel ein.

Wandert ein und wechselt den Namen, die Familie. Wo die schwangere Frau in der Grimm'schen Variante aus dem Garten der Nachbarin die Rapunzelpflanze begehrt, ist es bei Basile die Petersilie. Anders als im Deutschen, wo der Mann vorgeschickt wird, holt sich die Schwangere im *Pentamerone* selbst die begehrte Pflanze aus dem Garten der Anderen und verspricht, als sie erwischt wird, der Zauberin ihr Kind. Als das Mädchen geboren wird, trägt es auf der Brust „ein niedliches Mal (...), das wie eine Petersilie aussah", und erhält darum den Namen Petrosinella. Es wundert mich jedes Mal, dass das vom Fluch belegte Kind, welches die Mutter auf keinen Fall der Zauberin übergeben möchte, dennoch den Namen trägt, der an das vorgeburtliche Trauma erinnert. Dass sie dreifach gezeichnet ist: durch das Mal auf der Brust (ihre familiäre Einschreibung), durch den Namen (ihre fremde Benennung) und den Fluch (ihre erzählerische Bestimmung). Nur durch diese Benennung wird der Tausch möglich, wird die Petersilie ihrer eigentlichen Namensgeberin zurückgegeben (weil sie es war, die den Wechsel ausstellte). Verwandtschaft, Rede, Tausch: die sich gegenseitig bedingenden, das Märchen hervorbringenden Zeichen der Petersilie.

(Nahrhafte Petersilie, eisenhaltige Petersilie, eigenartige Petersilie. Petersilie ungehalten. Im zaunüberschreitenden Begehren der Frau spricht ihr eigener grenzüberschreitender Zustand, Schwangerschaft, als Beginn der Auflösung einer körperlichen und seelischen Einheit, der Verwandlung in eine porösere, kaum zu übersetzende Vielheit.)

*

Vielleicht hätte ich das *Pentamerone* nicht vom kleinen Hochbeet der Villa-Massimo-Bibliothek in Rom genommen, hätte mir nicht die Umstände des zweifachen Raubs der Petrosinella vergegenwärtigt oder an Bergvalls *Say: „Parsley"* gedacht, wenn mir nicht die Petersilie im Gedicht eines Lyrikers begegnet wäre. Im Nachhinein mutet es an, als wäre der Petersilienfaden selbst ein in meinem Denken hinterlegtes Pfand, ein Versprochenes, das auf seine Auslösung wartete. In seinem Essay „Vom Ende, der Rezeption, von Lyrik", der neben neueren Gedichten und einem einleitenden Essay von Michael Braun in der Zeitschrift *Sprache im technischen Zeitalter* abgedruckt ist, schreibt der Dichter und Übersetzer Alexandru Bulucz nämlich Folgendes: „Nur das Bild von der Petersilie als Seele und dessen Ursprung in den Anderen möchte ich (...) hervorheben: Am Anfang war das zufällige Hören der klanglichen Verwandtschaft von Seele und Petersilie. Erst das anschließende Aufsuchen weiterer Petersilienmärkte bestärkte mich darin, von einer Petersilie auszugehen, die als korpulente Seele (nicht zuletzt sich selbst) eine Begleiterin ist.“[163]

Bulucz, der 1987 im rumänischen Alba Iulia (dt. Karlsberg) geboren wurde, mit 13 Jahren nach Deutschland kam und in Frankfurt am Main Germanistik und Komparatistik studiert hat, teilt mit uns einen Anfang, vielleicht eines Gedichts, vielleicht des Schreibens von Gedichten, vielleicht des Schreibens von deutschen Gedichten. Dieser Anfang liegt in einem irrtümlichen Verhören, der „klanglichen Verwandtschaft“ von Petersilie und Seele. Man könnte auch sagen, er liegt in ihrer durch das anderssprachige Ohr aufgefundenen oder aufgeschlossenen Ähnlichkeit. Dies erinnert konkret an die sprachschöpferische Kraft von Kindern, sich unbekannte Worte mit bereits bekannten Mustern und Silben zu erschließen. Es erinnert philosophisch an das kratylische Staunen, die uralte Frage nach den Ähnlichkeiten zwischen Wort und Ding oder nach den klanglich ähnlichen Beziehungen zwischen Worten, die in verschiedenen Sprachen verschiedene Dinge bezeichnen. „Den bukowinischen Fragen, wo Heimat / beginne, Erinnerung ende, glaube ich die Fragezeichen.“ (Bulucz, „Stundenholz“) Es erinnert praktisch an die Sprachenlernerin, die sich Bedeutung aus dem Garten des Anderen holt, und zwar an jede Sprachenlernerin, die von ihrer Kindheit versetzte ebenso wie die von Bürgerkrieg vertriebene. Vor dem überfordernden Klang der Fremdsprache sind alle Ohren gleich; they are of one Kind.

Und es erinnert mich an Walter Benjamins Text aus der *Berliner Kindheit*, „Die Mummerehlen“: „In einem alten Kinderverse kommt die Muhme Rehlen vor. Weil mir nun ‚Muhme‘ nichts sagte, wurde dies Geschöpf für mich zu einem Geist: der Mummerehlen. Beizeiten lernte ich es, in die Worte, die eigentlich Wolken waren, mich zu mummen. Die Gabe, Ähnlichkeiten zu erkennen, ist ja nichts als ein schwaches Überbleibsel des alten Zwangs, ähnlich zu werden und sich zu verhalten. Den aber übten Worte auf mich

163 Alexandru Bulucz: Vom Ende, der Rezeption, von Lyrik; Gedichte (u.a. „Stundenholz“). In: Sprache im technischen Zeitalter, 1/2018, Berlin, S. 19–26.

aus. (...) Ich war entstellt vor Ähnlichkeit mit allem, was hier um mich ist."[164] Benjamins Konzept der Wahrnehmung von Ähnlichkeiten lokalisiert in der kindlichen Wahrnehmung Reste magischen Denkens, die sich mit der Zeit auf die Sprache, auf die Poesie übertragen. Mit dem Begriff „Entstellung" öffnen sich durch Missverstehen, Stolpern, Stottern, durch einsprachige Ambivalenz oder mehrsprachige Potenz Wege in die Sprache, entstehen neue semantische Verknüpfungen. Entstellen, es ist wörtlich zu nehmen, wie wenn man einen Stein wegrollt von unserem vermeintlichen Verstehen, was auch nur ein In-der-Schlange-des-bisher-Gedeuteten-Stehen ist. Und was da wimmelt, im steingerollten Entstellten, sind die Möglichkeiten zur Veränderung durch Sprache, sind die Differenzen, die uns gegeben sind.

Mit einer solchen Differenz als Möglichkeit der entstellenden Veränderung dichtet Alexandru Bulucz. Sie erschließt ihm eine Art, die Welt zu betrachten. Mit der Gabe, Ähnlichkeiten zu erkennen, die er bewusst, dennoch spärlich einsetzt. „Metamorphosen und Gestaltwandlungen, so weit das Auge reicht", schreibt Michael Braun.[165] Dichten als Sprachhandeln, Verhören ein sprachliches Übersprungshandeln: Die eine Sprache springt auf die andere auf, so befahren beide eine Zeit lang ein neues oder tot geglaubtes oder belaubtes Gleis. Das Auffinden der Seele in der Petersilie, das Erkennen der eigenen Fremdheit in der (zunächst fremden) Sprache setzt ein Lesebegehren in Gang, einen Zustand erhöhter, vibrierender Aufmerksamkeit. Dieser führt bei Bulucz von einer Anekdote in Marie Luise Kaschnitz' Tagebüchern über die *Geschichte und Volkskunde der deutschen Heilpflanzen* bis zur *Odyssee*, entdeckt einen tatsächlichen oder tatsächlich so erst gefundenen (werden nicht alle Sprachdinge erst im tätigen Auffinden auch Sachen?) vorliegenden Zusammenhang zwischen Seele und Petersilie, der über das Totenreich führt. Dass die Petersilie im Aberglauben germanischer und romanischer Völker als „Unglückspflanze" gilt, dass der verwandte, aus der Familie der Doldenblütler stammende Sellerie im Altertum zum „Bekränzen der Toten und zur Bepflanzung des Grabhügels verwendet wurde". Schließlich erinnert Petersilie, in der rhizomatischen Verknüpfungsarbeit des Dichters und des Übersetzers „an die Nekyia, die ihren ersten Auftritt im elften

164 Walter Benjamin (wie Anm. 32), S. 59f.

165 Michael Braun: Alles im Gedicht ist Übergang. Alexandru Bulucz und die Himmelsleitern seiner polylingualen Poesie. In: Sprache im technischen Zeitalter, 1/2018, Berlin, S. 16f.

Gesang der *Odyssee* bekommt. Petersilie ist Nekyia. Sie beseelt und bringt die Toten eine Zeit lang wieder zum Sprechen, um dann erneut hinaufzusteigen."

*

„The poem drowns me and I resurface with a translation. No, I don't resurface. We both drown. The poem is the underworld because the underworld is where translations can happen." (Johannes Göransson[166])

*

Zweisprachigkeit liegt den Gedichten von Alexandru Bulucz zugrunde als Echo der Seele im Garten „des Anderen". Sie ist der Hallraum eines poetischen Sprachbegehrens, das auf erinnerte oder vergessene, auf nie vergessene und darum immer mögliche Beziehungen zwischen Sprachen abzielt. Aber sie ist auch der Tausch, der Fluch, das Hergeben des Eigenen, jedenfalls zu einem gewissen Grad, oder einer gewissen Geradheit, Grammatikalität. Muss vielleicht, wer eine Zweitsprache als Patin hat, von der Muttersprache etwas hergeben? „In einem größeren Kontext", schreibt Bulucz weiter, sei „das Schreiben angesichts des Todes ein Schreiben mit einem eigenen aphasischen Dialekt." Er schreibt des Todes, aber meint vielleicht auch: des Tausches? Der nicht nur einen Kindverlust, Kindheitsverlust, sondern einen sekundären Sprachverlust in Gang setzt? „Dass ich um die Grammatikalität, ‚gerade Sätze' und Lesbarkeit bemüht bin, liegt vielleicht in der Dialektik dieser Bedingung. Zu schmerzlich ist es zudem, mitansehen zu müssen, wie mein Rumänisch immer mehr außer Gebrauch gerät und peu à peu ausstirbt, zu groß war und ist die Anstrengung, sich Deutsch beizubringen, als dass ich den Mut aufbringen könnte, ihm die Grammatikalität abzusprechen, wo es sich gerade in der Lyrik anbieten würde."

Ein Geständnis, vielleicht, das von den Ängsten derjenigen Zeugnis ablegt, die in der Zweitsprache noch stärker als der Erstsprache in den Herrschaftsraum des Anderen treten, das mit Reglementierungen und Meisterschaft Zugehörigkeit erzwingt. In diesem Zusammenhang erwähnt Bulucz auch das

166 Johannes Göransson: „The poem drowns me and I resurface with a translation": Sebastian Mazza in conversation with Johannes Göransson, 28. April 2020. https://medium.com/ugly-duckling-presse/the-poem-drowns-me-and-i-resurface-with-a-translation-sebastian-mazza-in-conversation-with-439f37abd923

„Petersilien-Massaker" in der Dominikanischen Republik. In diesem Sinne ist es ein Geständnis, das von der Petersilie durchquert wird. Als Zeichen von Sprachterror. Aber gleichzeitig als Rettung, im Denken des Gedichts, aus der gewaltsamen Einsprachigkeit. Das ist der „aphasische Dialekt" der Translingualität. Ein Verwechseln, ein Ausstellen von in keiner Sprache gedeckten Wechseln. Wird doch der Angst um das Vergessen der Erstsprache bei Bulucz ein Petersilienbild vorangestellt, das von einem ganz anderen Vergessen spricht: vom Bild der Seele in der Petersilie, „dessen Ursprung in den Anderen". Also nicht die blutige Unmöglichkeit des Sprechens betont, sondern gerade das Verbindende zwischen Sprachen. Einen möglichen Anfang, also einen vergessenen Anfang, also viele Anfänge. Dieses Bild, von dem Alexandru Bulucz spricht, und das er in der Petersilie findet, wird durchleuchtet wie von der Seele einer Klara Löchlein – die nichts anderes ist als der poetische Zwilling des Sternchens der Sprachwissenschaft, die sich mit Formen zwischen Sprachen befasst, die niemals nachgewiesen werden können. Also gewissermaßen, wie Daniel Heller-Roazen über den etymologischen Asterisk schreibt, eine Sprache erforscht, die „immer schon vergessen worden sein muss", um rekonstruiert zu werden.[167] Kaumsprache, Zaumsprache. Die Achse der Asteriske reicht – als klangliche Halluzination einer Beziehung – weit ins Schreiben hinein, aber eben nicht, um Zugehörigkeit und Identität zu belegen, sondern um im entstellenden Verhören, in „etymologischen Spekulationen" (Michael Braun) daran zu erinnern, dass jede Erzählung von Sprache als Einheit auf vergessenen, womöglich fehlerhaft rekonstruierten Verwandtschaftsbeziehungen beruht. Diesen Weg zeichnet Bulucz' Essay gestisch nach: die Erstellung der Sprache durch Entstellung; die zuerst anderssprachige, dann falsche Ähnlichkeit; der lange Weg in die Unterwelt der poetischen Rede, wo die fehlerhafte Verwandtschaft sich bestätigt findet als sternähnliches, vaterloses Versprechen der Petrosinella.

*

Translinguale poetische Rede – also eine poetische Rede, die durch die Reibung zwischen Sprachen gegangen ist, durch die klanglichen oder philologischen Unterwelten der Einsprachigkeit – bewegt sich nicht selten zwischen Dystopie und Utopie. Mal mag dieser Weg auf der Oberfläche in verschiedenen Sprachen quantifizierbar sein (Ezra Pound, Eugene Ostashevsky, Dagmara Kraus) und

167 Daniel Heller-Roazen (wie Anm. 154), S. 113.

mal nicht (M. NourbeSe Philip, Paul Celan). Immer enthält er ein zu entziffierndes oder kaum zu entzifferndes oder nie zu entzifferndes Textversprechen, von dem die Hauptsprache affiziert wird. Auf der einen Seite als stotterndes, fehlerhaftes Sichversprechen oder -verhören, Zeichen einer Untersagung, die stattgefunden hat (kolonial, rassistisch, nationalsozialistisch, misogyn, homophob, xenophob, antisemitisch, antimuslimisch, passportisch) und aus der heraus poetische Rede als eine Art „semantic mayhem" (NourbeSe Philip) zwischen Sprachen oder als Anerkennung von Alterität gerettet werden kann. Andererseits als utopisches Versprechen einer pfingstischen, zukünftigen, unerhörten Sprache, die in der Lage wäre, ein unterdrücktes oder nie gehabtes oder zukünftiges Gedächtnis abzubilden, wie es Jacques Derrida in *Die Einsprachigkeit des Anderen* entwirft: „Natürlich kann man mehrere Sprachen sprechen. Es gibt Subjekte, die in mehr als einer Sprache kompetent sind. Einige schreiben sogar in mehreren Sprachen zugleich (Prothesen, Transplantationen, Traduktionen, Transpositionen). Aber tun sie es nicht immer mit Blick auf das absolute Idiom? Und unter dem Versprechen einer noch unerhörten Sprache? Eines einzigen früher unhörbaren Poems?"[168]

*

Seid gegrüßt, Rose, erbarmt Euch, hab' Euch verwechselt, gestern
für was denn gehalten, einen Stein, einen Stein im Vogelzug.
Der war ein Wasservogel, u. ich im Kehlsack eine wurzellose
Zwerglinse, um an anderen Orten, in anderen Wassern zu blühen.

(Alexandru Bulucz, „Stundenholz")[169]

*

Was also ist die Wortwurzelsuche der Verwechslung, die eine wurzellose Sprache imaginiert? Im Werk der chilenischen Künstlerin und Lyrikerin Cecilia Vicuña begegnen uns häufig imaginierte, luzide, halluzinatorische Etymologien. Sie öffnen die Koffer der Worte, machen Offenworte oder Wortofferten, um ihre tiefen nomadischen Wahrheiten ans Licht zu bringen. In ihrem Essay „Language is Migrant" schreibt Vicuña:

168 Jacques Derrida (wie Anm. 30), S. 129.

169 Alexandru Bulucz: was Petersilie über die Seele weiß. Gedichte. Frankfurt am Main 2020, S. 35.

> Language is migrant. Words move from language to language, from culture to culture, from mouth to mouth. Our bodies are migrants, cells and bacteria are migrants too. Even galaxies migrate.
> What is then this talk against migrants? It can only be talk against ourselves, against life itself.
> 20 years ago, I opened up the word ‚migrant,' seeing it as a dangerous mix of Latin and Germanic roots. I imagined ‚migrant' was probably composed of *mei*, (Latin), to change or move, and *gra*, ‚heart' from the Germanic *kerd*. Thus, ‚migrant' became: ‚changed heart,' a heart in pain, changing the heart of the earth. The word ‚immigrant' really says: ‚grant me life.'[170]

Ist *changed heart*, verwandeltes oder gewechseltes Herz, das Versprechen der Petrosinella? Sind *grant me life*, gönne mir Leben, die Worte der Seele, die Bulucz in den Petersiliengärten der Sprache hört, „um an anderen Orten, in anderen Wassern zu blühen"?

> Herz:
> gib dich auch hier zu erkennen,
> hier, in der Mitte des Marktes.
>
> (Paul Celan, „Schibboleth")

*

Etymologische Untersuchungen gehören zum Grundbestand poetischer Operationen – die Frage nach der Herkunft der Worte, ihre Historizität, ihre Fraglichkeit, die Beziehung zum nachbarlichen Wort. Man könnte den poetischen Widerhall von Wortverwandtschaften als intensiven Sonderfall der inhärenten Dialogizität des Wortes sehen, die Bachtin in der *Ästhetik des Wortes* beschrieb, obwohl er diese Dialogizität, einem merkwürdig traditionellen Lyrikbegriff anhängend, bekanntlich für Lyrik nicht gelten ließ: „Ebenso fremd wäre dem poetischen Stil der Rekurs auf fremde Sprachen, ein anderes Lexikon, eine andere Semantik, andere syntaktische Formen

170 Cecilia Vicuña: Language is Migrant. documenta 14. http://www.documenta14.de/en/south/904_language_is_migrant, zuletzt abgerufen am 20. Januar 2020.

usw., auf mögliche andere sprachliche Standpunkte."[171] Doch gibt es vielleicht eine translinguale Variante etymologischer Investigationen, die ich meine. Oder ist das eine Tautologie, ist Etymologie, poetisch bemüht, immer translingual, weil sie in eine Zeit weit vor Verschriftlichung, weit vor der Verfestigung der Nationalsprachen zurückgreift? Sicher, aber manche Wortwurzelsucher wollen Identitäten zementieren. Dagegen erinnert Bulucz an fluide rumorende Wahrheiten von *wurzellosen Zwerglinsen* im Kehlsack. Das wäre ein Beispiel für eine translinguale Variante, bei der durch imaginative Etymologie Verwandtschaften behauptet und poetisch fruchtbar gemacht werden, wobei es keine Rolle spielt, ob die Verwandtschaftsbeziehungen im Text präsent oder latent, ob sie legitim oder illegitim sind. Potenzierung der Opazität und Fraglichkeit aller Sprachanfänge, Aufsplittung der Wortwurzeln ins Unendlich-Mögliche (Cecilia Vicuña), als klangbasierte Übertragungen (Christian Hawkey, Uljana Wolf), als visuelle Ähnlichkeitsbeziehungen zwischen verschiedenen Zeichensystemen (Eugene Ostashevsky), als minimalistische Paarungen (Cia Rinne), als Rekreation von Wörtern mithilfe imaginativer Plansprachenetymologie oder Denckring (Dagmara Kraus). Ich meine eine mehrsprachig aufgeladene Sensibilität für Wortursprünge, gepaart mit fundamentalem Zweifel an Originalbegriffen von Sprache und Texten, die einen eigenen, petersiliekrausen Etymon-Spross der poetischen Untersuchung hervorbringen.

Eine Art schwarzes Rumoren (*rumor*) der Wortwurzeln.

Oder etymologischer Gossip.

> also been suggested usw.) während sie an ihren spitzen sitzen
> wie the women tattled and gossiped aber die herkunft is not very[172]

*

Vielleicht eignet sich ja das Wort *gossip*, englisch für *Tratsch, Klatsch, halbwahre Neuigkeiten*, ganz gut als Name für imaginative Etymologien des

171 Michail M. Bachtin: Die Ästhetik des Wortes. Hg. und eingeleitet von Rainer Grübel. Aus dem Russischen übersetzt von Rainer Grübel und Sabine Reese. Frankfurt am Main 1979, S. 177.

172 Uljana Wolf: meine schönste lengevitch. Gedichte. Berlin 2013, S. 55

translingualen Gedichts, da es selbst in seiner Geschichte den Sprung von Verwandtschaft in Scheinverwandtschaft absolviert hat. Das Wort *gossip*, altenglisch *godsipp* bezeichnete ursprünglich einen Paten oder eine Patin (God + *sibb*, Verwandtschaft), später nahe Vertraute und Familienfreunde, seit dem 16. Jahrhundert das Gespräch mit diesen Vertrauten. Erst im 17. Jahrhundert verändert sich die Bedeutung und nimmt deutlich pejorative Untertöne an, da jetzt die unnütze, halbwahre Tratschrede von Frauen damit benannt wird. Dass man also fragen muss, wer von Bedeutungsbildungen ausgegrenzt oder instrumentalisiert oder in welchen Gärten eingesperrt oder aus welchen Türmen gestürzt wurde. Unterhaltung mit falsch verstandenen Gästen. Einflüsterungen, verwandeltes und jetzt neu verwandtes Sprechen, *Telephone game*. Klatsch, Krach, das Gespräch im plötzlich offen klaffenden Raum. *Female noise*, *translingual noise*. Körpergeräusche. Stottertexte. Falsch informierte Narrative, die Märchen der Deformierten.

Im deutschen Märchen Rapunzel heißt die Zauberin Frau Gothel, was hessisch für *Patin* ist. Eine *godmother*, die ganz *godsippig* die Strippen (oder Zöpfe) in der Hand hält. Mich interessieren an dieser Stelle nicht so sehr psychoanalytisch oder feministisch inspirierte Lesarten des Märchens, sondern seine Sprache als Konstellation ums Vergessen herum. Ich erlaube mir, alles miteinander zu verwandtschaften oder zu verwandeln. „Ich war entstellt vor Ähnlichkeit mit allem, was hier um mich ist." Könnte man sagen, die Petersilie des Gedichts, als Schibboleth-Wort, gehört ins Reich der Zweitsprache oder jeder anderen Sprache oder der Sprache als dem Anderen? Finden wir in den unsicheren Herkünften und Tauschgeschäften im Märchen ein Echo der gleichen Ähnlichkeit, die das translinguale Gedicht als *gossip* der Sprachen imaginiert? Der Literaturkritiker Michael Braun muss es geahnt haben, bevor ich oder die Gedichte es wussten. Weil er in der *lengevitch* mit dem wild ausschlagenden Kompass einer Genauigkeit, die an etymologisches Traumwandeln grenzt, nicht nur „eine abgelegene Ortschaft in Neuengland" vermutete, sondern auch die „witch", die Hexe oder Zauberin, die freilich im Schubladenschrank meines Gedächtnisses zu diesem Zeitpunkt vergessen war.[173] Vergessen, aber nicht stumm gestellt. Ihr *gossip* zirkuliert und taucht hier wieder auf.

173 Michael Braun: Das Wort ist immer vielfach. Laudatio auf Uljana Wolf anlässlich der Verleihung des Adelbert-von-Chamisso-Preises (13. März 2016). In: Ostragehege. Zeitschrift für Literatur und Kunst 3/2016, Dresden, S. 44.

Sagen wir, das Wort *gossip*, appropriiert für die translinguale Dichtung, will den Spieß der Verwandtschaftung umdrehen. Sagen wir, jede Etymologie ist selbst ein Herrschaftsinstrument, ein Sprachregime, indem es Beziehungen konstruiert, denen dann „mit Anstrengung" gehorcht werden muss. Aber indem die translinguale Poesie ihm falsche Kinder einpflanzt, unterwandert sie seine Herrschaftsgebiete. Wenn ich sage, ein Gedicht sei *gossip*, dann meine ich vielleicht den Versuch, Möglichkeiten neuer Gemeinschaft, neuer Verwandtschaft zu imaginieren, durch illegitime, poetische Etymologien. Europäische Sprachgeschichte feministisch und dekolonisierend reappropriieren, verworren, disparat. Nomadisches Denken, wie es die italienische Philosophin Rosi Braidotti ausruft: „The subject is recast in the nomadic mode of collective assemblage."[174]

*

„Kein Familienalbum ist vollständig, solange es nicht auch die Bilder der nichterinnerten Vergangenheit enthält, und auf der Zeitlinie der Sprachen gelangt man nirgendwohin, sofern man nicht wenigstens einen Augenblick innehält, um eine seit langem vergessene Sprache hervorzuholen."[175]

*

Seel/e, die Andere der Sprache.
M/other.
Nekyia, das Petersilienkind.
„And who's the father?"

***

Postskriptum

Ich kann es nicht ertragen, dass die „Mohrensklavin" im *Lo cunto de li cunti*, wie es auf Italienisch heißt, keinen Namen hat. Dass der ganze Erzählreigen legitimiert wird durch eine rassistische und misogyne Konstellation, ein Wettweinen in einen Krug an der Seite des weißen, schlafenden Prinzen. Dass zwei Frauen sich durch Listen bekriegen müssen und dass in der Mitte dieses

174 Rosi Braidotti: Nomadic Theory. New York 2011, S. 221.

175 Daniel Heller-Roazen (wie Anm. 154), S. 121.

Kriegs um Anerkennung, Herrschaft, Status und würdige Lebensbedingungen wiederum zehn Frauen stehen, deren Körper, weil sie für abgezirkelte, streng inszenierte Zeitfenster Redemacht im Palast erhalten, nur als deformierte Körper auftauchen dürfen. Ich frage mich, wie viele schwarze Sklavinnen und Sklaven in Neapel, Venetien, Mantua, den Wohn- und Werkstätten Basiles, lebten oder gezwungen waren zu leben. Das ist ein anderer Essay. Schrieb Basile aus eigener Anschauung, oder war die Sklavin, ihr Schwarzsein, ihr Sklavinsein, verzerrte Ironisierung einer anderen Wirklichkeit, wie die deformierten Geschichtenerzählerinnen ironisierte Darstellungen adliger neapolitanischer Frauen waren? Heute bedeutet Schwarzsein in Rom vielleicht, etablierte Mitbürgerin einer europäischen Gesellschaft zu sein. Oder es bedeutet, viel öfter, eine Frau aus Nigeria oder Somalia zu sein, bedeutet, bettelarm zu sein, mit einem kleinen Kind auf dem Rücken, fliegende Händlerin, oder bedeutet Obdachlosigkeit, offener Asylstatus, Prostitution. Jede dieser Migrantinnen hat zweifelsohne genug Leid erlitten, um den Krug am Lager des Prinzen Camporotondo mit ihren Tränen zu füllen. Nur gibt es keine Anzahl von Tränen oder Leid, die ihn noch wecken würde. Das Königreich des Prinzen ist von Frontex gesichert, in seinen befreundeten Königreichen haben andere Geschichtenerzähler die Herrschaft erlangt und tischen dem Volk Gruselmärchen auf von einer „Beschädigung" durch „illegale Masseneinwanderung", sie rufen nach Herstellung „rechtsstaatlicher Ordnung an den Grenzen". Ihre Rede kennt keinen zirkulierenden *gossip*, nur Vatersprache, Vaterlandssprache.

Mit der entstellenden Ähnlichkeit meiner Sprachen und Halbsprachen lese ich den neapolitanischen oder italienischen Titel jetzt als *The Cunt of Cunts, or, The Counting of What Counts.* Lese die Titel der Märchen des ersten Tages als delirierendes Drehbuch. Es ist das mögliche Drehbuch einer Hollywoodproduktion für die Rache der betrogenen, beleidigten, durch Flüche benebelten, entrechteten, verstoßenen, auch der ermordeten Frauen, die sich selbst bekämpfen. Ein Rachefilm, here we go:

Pentamerone
Penchant for Roaming
Lo cunto de l'uerco
The cunt that dealt with Hercules

La mortella
There's more! Tell'er
Peruonto
Purring one, two
Vardiello
War diet, lol
Lo polene
Low Pauline
La gatta cenerentola
The gate scene (at the rental)
Lo mercante
The Mer-cunt
La facce de crappa
The crap-faced cunt
La cerva fatata
The fatal cervix
La vecchia scorticata
We'll wax & scorch y'all

Rom, Mai 2018

Die Autorin dankt allen, die durch ihre Einladungen die Texte in die Welt gelockt haben. Für Gedichtgossip Dank an Marie Luise Knott, Pam Mina Dick, Eugene Ostashevsky, Erín Moure; für unbeirrbaren Rat und kritisches Funkeln Dank an Christian Hawkey; für ihre unermüdliche Arbeit und Unterstützung Dank an Daniela Seel und Andreas Töpfer von kookbooks. Fala mnogu an Alexander Sitzmann für aufmerksames Lesen des mazedonischen Essays. Die Autorin dankt der Villa Massimo in Rom, wo einige der Essays entstanden.

Die Texte wurden für diese Ausgabe leicht bearbeitet.
Die Erstdrucke und Anlässe der Texte sind folgende:

Aus dem Logbuch für etymologischen Gossip. In: Deutsche Akademie Villa Massimo: Jahresbericht 2017/2018, Relazione annuale 2017/2018. Rom 2019.

Vom Grundrecht gondelnder Wolken. Vorstellungsrede vor der Deutschen Akademie für Sprache und Dichtung. In: Jahrbuch 2019. Göttingen 2020.

I

Landschaft, Luftburg, Gedicht. Zum Übersetzen von Christian Hawkey. In: sprachgebunden Nr. 3. Köln und Berlin 2007.

Dirty Bird Translation. In: Newsletter des VDÜ (Verband der Literaturübersetzer), 7/2010 (Oktober 2010).

Nachrichten aus einem Bienenstock. Zum Übersetzen belarussischer Lyrik. In: PARTISAN, Minsk 2012 (in belarussischer Übersetzung).

Ausweißen, einschreiben oder A Technique for Recording Migratory Orientation of Captive Texts. In: Metonymie. Hg. von Norbert Lange. Berlin 2013.

Stürzung der Masterblume. Christine Lavant übersetzen (mit Hildemine Pam Dick und Jane Flow). In: Drehe die Herzspindel weiter für mich. Christine Lavant zum 100. Hg. von Klaus Amann und Fabjan Hafner. Göttingen 2015.

II

Das Unauffindbare übersetzen. In: Ilse Aichinger: „Behutsam kämpfen“. Hg. von Irene Fußl und Christa Gürtler. Würzburg 2013.

„Abgewrackt in Virginia, aber wir sind doch da“. Ilse Aichinger lesen, „Queens“ und beyond. In: Text + Kritik: Ilse Aichinger. Hg. von Heinz Ludwig Arnold, Gastredaktion: Roland Berbig. Heft 175, München 2007.

Die Westsäulenliebhaberei der Übersetzung. In: Was für Sätze. Zu Ilse Aichinger. Hg. von Theresia Prammer und Christine Vescoli. Wien 2020.

III

Im Gedächtnis der Wälder. Dankesrede zum Peter-Huchel-Preis 2006. Teilweise abgedruckt in: Volltext Nr. 3, Wien 2006.

Box Office. Münchner Rede zur Poesie. Hg. von Ursula Haeusgen und Frieder von Ammon. München 2009.

prache guter Hoffnung. Ein
nazedonisches Reisewörterbuch.
Erste Fassung im Rheinischen
Merkur vom 4. Februar 2010
unter dem Titel „Fremdes verstehen: Wenn Worte wandern“.

n die Karten geschaut.
n: Kunst + Kultur (ver.di),
Berlin, Mai 2010.

Fibel Minds – Interview with
Simen Hagerup. Chapbook.
Audiatur, Bergen 2014.

„Heimliche Heimat“ – Else Lasker-
chülers Ankunftssprachen. In:
Else Lasker-Schüler: Ausgewählte
Gedichte. Hg. und mit einem Nach-
wort versehen von Uljana Wolf.
Frankfurt am Main 2016.

IV

Wovon wir reden, wenn wir von
mehrsprachiger Lyrik reden.
Keynote auf dem Parataxe Symposium IV, „Berlin Polylingual“,
23. November 2018 (veröffentlicht
online).

Why write in many languages?
Vortrag auf dem Reverse Poetry
Festival, Kopenhagen, 23.–27. Sep-
tember 2015, Panel „Why Write in
Many Languages“ mit Cia Rinne,
Yoko Tawada, Caroline Bergvall
und Eugene Ostashevsky

Sichtbarmachen ist eine Form des
Übersetzens. Zu M. NourbeSe Philips
Zong! In: Akzente. Zeitschrift für
Literatur. 2/2017, München.

Szerckaruzelka der Sprachen,
aufspringend. Laudatio zur Verleihung des Erlanger Literaturpreises
für Poesie als Übersetzung 2017 an
Dagmara Kraus (unveröffentlicht).

Deutsch-polnische Portmanteaugrafie. Zu einem Gedicht von
Dagmara Kraus. Ursprüngliche
Fassung gehalten als dritte Vorlesung
im Rahmen der Ricarda Huch Poetik-
dozentur in Brauschweig unter dem
Titel „Nomadische Verfahrungen:
Schreiben zwischen Sprachen“
im Juli 2018 (unveröffentlicht).

Wandernde Errands.
Theresa Hak Kyung Chas translinguale Sendungen. Reihe Zwie-
sprachen. München, Heidelberg 2016.

Barbar Blechs Ursprech.
In: Zaitenklänge. Geschichten aus
der Geschichte der Übersetzung.
Hg. von Marie Luise Knott, Ulrich
Blumenbach, Thomas Brovot,
Jürgen Jakob Becker. Berlin 2018.

Etymologischer Gossip im Gedicht.
In: Aus Mangel an Beweisen.
Deutsche Lyrik 2008–2018. Hg.
von Michael Braun und Hans Thill.

INHALT

Foto: © Villa Massimo, Alberto Novelli

Uljana Wolf, geboren 1979 in Berlin, studierte Germanistik, Kulturwissenschaft und Anglistik in Berlin und Krakau. Seit 2006 freie Autorin und Übersetzerin. Lehraufträge u. a. am Institut für Sprachkunst der Universität für angewandte Kunst Wien und am Deutschen Literaturinstitut Leipzig. Mitglied des PEN und der Deutschen Akademie für Sprache und Dichtung, Darmstadt. Uljana Wolf veröffentlichte zuletzt *meine schönste lengevitch*. Gedichte, kookbooks, 2013 sowie Eugeniusz Tkaczyszyn-Dycki: *Norwids Geliebte*. Gedichte. Aus dem Polnischen gemeinsam mit Michael Zgodzay, Edition Korrespondenzen 2019. Zu ihren Auszeichnungen gehören die August-Wilhelm-von-Schlegel-Gastprofessur für Poetik der Übersetzung 2019, der Preis der Stadt Münster für Internationale Poesie (2019 mit Eugene Ostashevsky und Monika Rinck; 2021 mit Eugeniusz Tkaczyszyn-Dycki und Michael Zgodzay), der Kunstpreis Literatur der Akademie der Künste Berlin 2019, das Arbeitsstipendium der Villa Massimo in Rom 2017/18 und der Peter-Huchel-Preis 2006.

KOOKBOOKS REIHE ESSAY

www.kookbooks.de

S. 32, 37: *Strenge Nächtigung, Rund ums Haus von meinen Freunden, Trau der Mannschaft deines Seglers zu,* aus: Christine Lavant, Zu Lebzeiten veröffentlichte Gedichte, hg. und mit einem Nachwort von Doris Moser und Fabjan Hafner. Christine Lavant: Werke in vier Bänden © Wallstein Verlag, Göttingen 2014.

S. 51: *Hart Crane, Hart Crane (Entwurf), Cutty Sark*, aus: Günter Eich, Gesammelte Werke in vier Bänden. Band I: Die Gedichte. Die Maulwürfe © Suhrkamp Verlag, Frankfurt am Main 1991.

S. 52: *Virginia*, aus: Hart Crane, THE COMPLETE POEMS OF HART CRANE, hg. von Marc Simon © 1933, 1958, 1966 Liveright Publishing Corporation © 1986 Marc Simon. Used by permission of Liveright Publishing Corporation.

S. 80–81: *The Thirteenth Woman / Die dreizehnte Frau*, aus: Lydia Davis, Fast keine Erinnerung. Erzählungen © Literaturverlag Droschl, Graz – Wien 2008.

S. 86, 87, 89: Gertrude Stein, Tender Buttons – Zarte knöpft. Deutsch von Barbara Köhler. © Suhrkamp Verlag, Frankfurtam Main 2004.

S. 114–124: Else Lasker-Schüler, Sämtliche Gedichte. Mit einem Nachwort von Uljana Wolf © S. Fischer Verlag, Frankfurt am Main 2016.

Images courtesy of the University of California, Berkeley Art Museum and Pacific Film Archive; gift of the Theresa Hak Kyung Cha Memorial Foundation:

S. 155 und 157 Theresa Hak Kyung Cha: *Mot Cache*, 1978; ink and stamped ink on paper, two-sided, with postmark and printed postage stamp; 3 ½ × 5 ½ in.

S. 160 Theresa Hak Kyung Cha: *Pomegranate Offering* (detail), 1975; stenciled ink and typewritten text on cloth, sewn with thread; 11 ½ × 14 ¾ in. (closed); 11 ½ × 29 ½ in. (open); University of California, Berkeley Art Museum and Pacific Film Archive; gift of the Peter Norton Foundation. Photo: Benjamin Blackwell.

Die Abbildungen auf S. 169, 170 und 173 stammen aus: Theresa Hak Kyung Cha: Dictee, Berkeley 2001. S. 173 zeigt Hyun Soon Huo – Chas Mutter. Rechteinhaber konnte nicht ermittelt werden.

S. 181, 184 und 185 Theresa Hak Kyung Cha: *Audience Distant Relative* (detail), 1977–78; offset printing on paper, two-sided; stamped in on envelope; sheet: 11 × 8 ½ in. (folded); 5 ½ × 8 ½ in. (unfolded); envelope: 6 ¼ × 9 ½ in.

2. Auflage 2022 © kookbooks, Berlin | Alle Rechte vorbehalten
Gestaltung: Andreas Töpfer | Gesetzt aus der Freight Text Pro, Akzidenz-Grotesk Next & ITC Clearface
Druck & Bindung: Steinmeier, Deiningen | Printed in Germany | 978-3-948336-03-5